福島安紀子 FUKUSHIMA Akiko

Rethinking Human Security: Responding to Emerging Global Threats

# 人間の安全保障

## グローバル化する多様な脅威と政策フレームワーク

千倉書房

# 人間の安全保障——グローバル化する多様な脅威と政策フレームワーク

目次

## 第8章　欠けていた国内政策としての視点

# はじめに

冷戦が終わって二〇年の間に、安全保障論においては古典的な設問、すなわち「対象となる脅威は何か」という問いに対する答えは、単純に国家間の「戦争」ではなくなった。「戦争が無い状態」がイコール「平和」を意味した二〇世紀までの国際安全保障の方程式は、もはや通用しない。戦争には至らないまでも、そこに生きる人々の安全を損なう状況が、時として大量虐殺や民族浄化を伴う内戦型紛争はもちろん、テロ、自然災害、環境破壊、気候変動、感染症、さらには貧困などにまで広がったのである。

このように安全保障を幅広く解釈する考え方は、一九八二年、国連の軍縮と安全保障に関する独立委員会(パルメ委員会)報告書において、敵対勢力とも、共通する脅威については協力する「共通の安全保障」が提唱されたことを源流とし、冷戦の終焉が近づくに従って、様々な安全保障をテーマとする国連の委員会――ブルントラント委員会、グローバル・ガバナンス委員会など――の報告書にも反映された。

一九九〇年代前半には冷戦構造の崩壊を受け、全欧安全保障協力会議(Conference on Security and Cooperation in Europe＝CSCE)で協調的安全保障が提唱された。さらに一九九〇年代半ばからは、国連の文書や先進国首脳会議などにおいて、より幅広い脅威認識が示され、従来よりも安全保障の対象を広げて考えなければならないという点では政治家、外交官や学者などの間で一定のコンセンサスが生まれている。ただし、どこまで安全保障の対象を広げることが適切かについては異論が多く、想定される全てのリスクを安全保障の対象に含めようとすることには批判も多い。

また、かつて提起された「誰の為の安全保障なのか」という設問の答えは、一義的に国家であったが、現在では人間個々の次元の安全保障まで考えなければならないという点も、次第にではあるが衆目の一致するところとなっている。言うまでもなく、国家安全保障が不要になったわけではない。国家安全保障とあわせて人間の安全保障の視座も必要だという考え方である。

「どのような手段で安全保障を確保するか」という設問に対しては、安全保障の対象となる脅威が国家間の戦争から変容し、多様化していることから、伝統的な軍事的手段のみではなく、経済、政治、社会、文化など幅広い手段を用いることが求められるという認識が生まれている。その背景には人々の安全な暮らしを損なう要素が多様化、複合化しているという現実がある。これは一九八〇年代に日本が提唱した「総合安全保障」の考え方に近いといえる。

このような認識の変化の背景には、現在の国際安全保障環境の変貌がある。ウプサラ大学の調査によれば、冷戦後国家紛争は減少し、一時内戦型紛争の件数が増えたが、最近これも減少傾向に転じている。二〇〇八年には世界で三六の紛争が発生、または継続中であったが、国家間紛争は一つのみで、残りの三五は国内紛争で、このうち五つが国際社会の関与のある国内紛争である[★1]。しかし、最近ではミャンマー、フィリピン南部ミンダナオ、中国内のチベットのように内戦型紛争として統計上数えられない、いわば国内騒乱ともいうべき事態が発生し、警察や、場合によっては軍隊が治安回復のために投入されているケースが散見される。

件数が減少しているとはいえ、内戦型紛争ではいったん武力が行使されると紛争期間が長引き、しかも収束した紛争の内、約半数が和平合意から五年以内に再燃していると言われるほど再発率が高い。また、ある地域の騒乱が、遠隔地での意識の高まりを呼び、新たな火種となる可能性も少なくない。

このような安全保障環境の変容に伴い、安全保障の担い手もまた従来の国家や国際機構、地域機構だけではなく、市民社会、非政府組織(Non-governmental Organization＝NGO)などにまで裾野が広がっている。対人地雷全面禁止条約の成立に尽力し、ノーベル平和賞を受賞した地雷禁止国際キャンペーン(International Campaign to Ban Landmines＝ICBL)などがその代表例である。内戦型紛争に対しては国内管轄権の問題があり、国際機構や国家が介入することが難しいことも少なからずあり、比較的自由に紛争地に入ることのできるNGOが緊急人道援助、緊急災害援助から長期にわたる復興支援の重要な担い手になっている。

このような変容を背景として生まれたのが、「人間の安全保障(human security)」という概念と言えるだろう。「人間の安全保障」という用語を国際社会の議論に導入した報告書としては、一九九四年版の国連開発計画(United Nations Development Programme＝UNDP)「人間開発報告書」[★2]が代表的な存在である。日本からの発信としては、故小渕恵三首相が一九九八年一二月にベトナム・ハノイでおこなった政策演説がある。小渕首相は、その前年にアジアを襲った金融危機を踏まえ、その一因であるグローバル化の影に脅かされるアジアの脆弱な人々を救済したいとして、日本はアジアに対する政府開発援助(Official Development Assistance＝ODA)をさらに充実することにより「人間の安全保障」を推進すると述べた。この演説を機に、日本政府は「人間の安全保障」を外交政策上のひとつの視座と位置づけてきた。換言すれば、アジア金融危機の影響に苦しむ各国に、日本はその救済策を「人間の安全保障」という政策フレームワークで示したのである。

「人間の安全保障」の概念が導入されて十数年、これをめぐり激しい賛否両論が展開されてきた。この間、どちらかと言えば「人間の安全保障」に否定的な議論のほうが活発であった。UNDPの報告書以来、国連においても「人間の安全保障」を大義名分に内政干渉され、主権を脅かされることを嫌う途上国を中心とする加盟国の反対があり、なかなか大きな潮流にならなかった。しかし、国連改革を勧告した二〇〇四年末の国連事務総長の諮問機関として設置された脅威、課題と変容に関するハイ・レベル・パネルの報告書[★3]でも、また二〇〇五年三月のコフィ・アナン(Kofi Atta Annan)前事務総長の国連改革に関する「より大きな自由を求めて」[★4]と題した報告書でも、「人間の安全保障」の概念が二一世紀の多様化する脅威に対処するものとして重要であることが勧告された。さらに同年の国連総会首脳会合後、国連総会文書として発表された成果文書の中で「人間の安全保障」に関するパラグラフが採択され、「我々は、人間が自由と尊厳を持ち、貧困と絶望から解放されて生きる権利を持つことを強調する」[★5]との文言が入った。これによって「人間の安全保障」はより多くの加盟国の受け入れるところとなり、再び議論されるようになっている。二〇〇八年五月には「人間の安全保障」を採り上げた国連総会テーマ別討論も開催され、二〇一〇年三月には成果文書で求められているところから潘基文(Ban Ki-moon)国連事務総長が人間の安全保障報告を発表し[★6]、二〇〇五年以来の国連における人間の安全保障に関する議論や実践状況をレビューした。

その間、日本政府が提案して国連に創設した「人間の安全保障基金」は様々な「人間の安全保障」向上のためのプロジェクトを支援してきた。また日本政府は、人間の安全保障委員会を設置し、概念についての議論を支援したほか、近年はメキシコとの共同議長のもと国連人道問題調整部との共催で「人間の安全保障フレンズ会合」を国連において定期的に開催し、人間の安全保障の理念の普及と実践に努めている。「人間の安全保障」をテーマにした書物、論文、論評記事、各国政府による政策広報誌や各種国際委員会による報告書が内外で相次ぎ発表され、世界各地で、そして日本国内で、多くの大学に「人間の安全保障」講座も創設されている。

本書では、第1章において「人間の安全保障」という考え方がどのように生まれてきたのかを概観する。第2章では、長らく大きな議論となった「人間の安全保障」とは何かという定義付けの問題を採り上げる。第3章から第6章では「人間の安全保障」が国際機関、日本、北米、アジアや欧州など各地域、各国によってどのように受け止められ、実践されてきたかを検討する。第7章では、定義論争を越えて如何に実践するかが問われはじめた「人間の安全保障」を実現する手段として注目を集める平和構築を採り上げる。これまで日本では「人間の安全保障」を語る際、開発援助や技術協力を中心に研究・実践されてきたが、平和構築の文化的側面についてはその必要性は言及されながらも、あまり分析されてこなかった。そこで、まず紛争が顕在化・武力化することを予防し、紛争後には、対立関係にあったグループ間の憎悪を取り除き、融和・和解をすすめ、紛争中に人々が受けた心の傷(トラウマ)を癒し、自信と誇りを取り戻すなど、各局面において文化関連活動がどのような役割を果たしているか、はたしうるかを考察する。

第8章では、とかく外交政策として位置づけられがちな「人間の安全保障」を国内政策の面から分析する。先進国が「人間の安全保障」の名の下に自分たちの価値観を発展途上国に押し付けている、との批判が起こり、「人間の安全保障」をめぐる南北対立があると指摘されるのも、先進諸国が「人間の安全保障」を国内政策に明確に位置づけていないことが一因である。国内政策として採り上げるべき「人間の安全保障」は様々あるが、この章では特に世界各地で人口移動、移民、出稼ぎ労働者の増加に伴って顕在化している宗教、民族など背景を異にするグループの地域社会における共存、すなわち多文化共生の問題を分析する。そして最後に「人間の安全保障」という理念が、二一世紀の平和と安全保障に政策フレームワークとしてどのような役割をはたすことができるのか、その付加価値と限界を考察する。

註

★1——Uppsala University, 'Uppsala Conflict Data Program', http://www.ucdp.uu.se/database（二〇一〇年五月六日最終アクセス）

★2——UNDP, *Human Development Report 1994: New Dimension of Human Security*, New York, Oxford University Press, 1994.

★3——United Nations, *A More Secure World: Our Shared Responsibility: Report of the High-level Panel on Threats, Challenges and*

*Change*, New York, United Nations, 2004.

★4—United Nations Secretary-General, Report of the Secretary-General, 'In Larger Freedom: Towards Development, Security, and Human Rights for All', UN Doc, A/59/2005, 21 March, 2005.

★5—United Nations General Assembly, 'Resolution Adopted by the General Assembly: 2005 World Summit Outcome', UN Doc, A/RES/60/1, 24 October 2005, para.143.

★6—United Nations General Assembly, 'Human Security: Report of the Secretary-General', UN Doc, A/64/701, 8 March 2010.

# 第1章 「安全保障」から「人間の安全保障」へ？

## 1 安全保障とは何か

安全保障（security）という語が国際政治の世界で用いられるようになったのは、さほど古いことではない。それまでは、国家の軍事的防衛を意味する国防（national defense）という語が長く使われてきた。安全保障が国防に代わって用いられるようになったのは、第一次世界大戦後のことである。このころフランスが採用した多国間同盟政策が、各国共通の脅威であるドイツに対する包囲網政策であったことから、これを指すにふさわしい言葉として「国防政策」と区別し、「安全保障政策」と呼んだことが契機とされている［★1］。言ってみれば安全保障には国防よりも政策的な枠組みというニュアンスがある。

そもそも「security」という言葉は、国家の軍事的な安全保障だけを指すものではない。日常生活の「身の安全」などの治安維持や「社会保障」、あるいは「安心」などを、また、経済的に「担保」や「有価証券」などを意味することも知られている。語源から見ると英語の「security」は、ラテン語の「securitas」に由来する。もともと「se」は「…がない」、「cura」は「心配や不安」という意味である。従って「securitas」は「心配のない状態」や「そのような状態を保障する手段」を指し、「元来、国家の安全にとどまらないというよりそれと無関係な広がりのある言葉」[★2]だったのである。国家が外国による侵略から自国を守ること、すなわち国家の安全保障を指す言葉として用いられるようになったのは、二〇世紀に入ってからのことに過ぎない。

日本語の「安全保障」は、特に国家間において用いられる特殊性を帯びる。アジアでは「安全保障」という言葉に軍事的な連想が結びつく傾向がある。これに対してヨーロッパ言語では社会保障(social security)の例にみられるように、日常生活の中で使われる言葉でもある点で、アジアとはセキュリティの語感が異なることに留意したい[★3]。この、言葉の規範性への感覚の差異が、後述するように欧州とアジアにおける「人間の安全保障」という言葉への反応にも現れるのである。

## 2 「人間の安全保障」概念の系譜

一九九四年版の「UNDP人間開発報告書」以来、長らく議論の俎上にのぼってきた「人間の安全保障」の概念であるが、人間の単位で安全保障を考えるという視座自体は、決して目新しいものではない。古くは一七〇五年にドイツの哲学者ゴットフリート・ライプニッツ(Gottfried Wilhelm Leibniz)が、国家が国民に共通の安全保障を提供しなければならない、と国民レベルの安全保障の必要性を論じている。またフランスの哲学者シャルル・ド・モンテスキュー(Charles-Louis de Montesquieu)も「真の政治的な自由は人々が安全である時はじめて確保できる」と述べている[★4]。このように一八世紀から福祉、社会正義、貧困の軽減、経済的権利の擁護を含む市民の安全保障の必要性は、識者によってつとに指摘されていた。ただし、その市民の安全保障を確保する役割は国家の責任とされてきたのである。

一方で国民を守るはずの国家が国民を迫害し、殺戮するという事例も少なくなかったが、これは内政不干渉の原則から諸外国が介入するところとはならなかった。例えば欧州の協調(the Concert of Europe)時代、オスマン帝国内のキリスト教徒へのトルコ人による迫害の問題があったが、欧州の秩序維持が優先され、ヨーロッパ諸国が介入することはなかった[★5]。

従って、冷戦が終結するまでは、国際関係の研究者にとっても安全保障と言えば、あくまで軍事的な国家安全保障を意味するに留まった。第二次世界大戦後四五年間、国連においても憲章の前文に「われわれ連合国の人民は」と人間の安全の視座が含まれているにも関わらず、個人やコミュニティの安全保障については人権問題など、ごく一部のトピックを除いてほとんど採り上げられることがなかった。ニュルンベルク裁判や一九四九年のジュネーブ条約では人権問題や戦争中の市民の保護について採り上げられたが、そうした特別なケースを除けば主権の尊重、国内管轄権の尊重が優先された。さらに冷戦中は超大国である米ソの対立があったため、それぞれの影響圏の事象については国連といえども直接的な干渉は避けてきたのが現実であり、そこに「人間の安全保障」を推進する余地はほとんどなかったと言ってよい。

冷戦終結後、国際安全保障における脅威は国家間戦争から変容を遂げた。冷戦後頻発した民族浄化や大量虐殺を含む内戦型紛争やテロから環境汚染、気候変動、感染症に至るまで、いわば戦争未満の脅威でありながら、多くの人命を危険にさらすリスクが増えたことが認識されたためである。こうして安全保障上の脅威認識が複合化するに伴い、安全保障のための手段も軍事的なものに加え、非軍事的、すなわち政治、経済、社会的な手段も必要と考えられるようになった。

冷戦の終焉が近づいた一九八〇年代には安全保障を再定義する動きが出てきた。その背景には超大国間の緊張緩和があった。これが新しい安全保障の概念誕生の可能性を生み出し、スウェーデンの首相であったオロフ・パルメ（Sven Olof Joachim Palme）が議長を務めた軍縮及び安全保障問題に関する独立委員会（The Independent Commission on Disarmament and Security Issues）、通称パルメ委員会（the Palme Commission）の報告書「共通の安全保障――生存のためのブループリント（Common Security: A Blueprint for Survival, 1982）」に反映された。同報告書では各国が軍事的な勢力拡大を自制し、紛争解決のための武力行使を回避し、むしろ軍備削減などにより戦争の蓋然性を低減することが勧告された。そして軍備削減から生まれた資金を開発援助に回すべしとの議論が展開された。同報告書では、世界の「共通の安全保障」の確保が謳われ、その六原則として、①すべての国は安全保障への正当な権利を有する、②軍事力は国家間の紛争を解決する正当な手段ではない、③国家の政策を表現するには抑制が必要である、④安全保障は軍事的優位によっては達成できない、⑤共通の安全保障のためには兵器の削減と質的な制限が必要であり、⑥軍備管理交渉と政治的な出来事はリンクしない、ことを挙げている。そして、信頼醸成と軍備管理を目的とした全欧安全保障協力会議（CSCE）プロセスをモデルとして「お互いの生存のために敵国とも共通の土壌を模索する必要性」[★6]が強調された。同報告書は安全保障を多次元的な概念としてとらえており、経済問題も軍事的な脅威とあわせて考えなければならないと提言している[★7]。

また日本においては、大平正芳首相（当時）が一九七九年に設置した有識者による研究会で、安全保障を多元的に考える「総合安全保障（comprehensive security）」の概念が提言された。同研究会は一九八〇年に「総合安全保障戦略」と題する報告書を発表した。この報告書は研究会の座長であった猪木正道の名前をとって通称「猪木報告」と呼ばれるが、安全保障の対象を幅広く定義し、軍事的なものだけでなく経済問題、地震などの自然災害、エネルギー、食糧までも含めている。そうした脅威の多次元化を念頭に置き、日本の総合安全保障にとって軍事力だけが国家の安全保障を確保する十分な手段ではなく、経済政策から農業政策まで様々な非軍事的な政策対応も必要であることを指摘している。

この総合安全保障の概念は、その後、東南アジア諸国連合（Association of Southeast Asian Nations＝ASEAN）加盟国でも採り上げられた。ただし、インドネシア、マレーシアやシンガポールは、日本の解釈とは異なり、総合安全保障の実現のために非軍事的脅威への幅広い政策手段を強調するものの、国内の結束と安定に総合安全保障の概念を用いた。例えば、インドネシアは総合安全保障を「国家強靭性（Ketahanann Nasional: national resilience）」と表現し、「総合安全保障は、インドネシアの国家アイデンティティと国民の総合的な生活を危険にさらすような外的、内的、直接的、間接的等あらゆる脅威に対抗し、克服するような国家の力を育成させる条件として位置づける」とした。インドネシアは総合安全保障を、オランダの植民地を脱して以来の、国家建設の幅広い政策の一部に位置づけたのである。すなわち総合安全保障の力点を「国内の安全保障と安定を維持し、侵略や転覆の機会をなくすこと」に置いた。従って、民族、宗教または人種間の紛争、麻薬中毒並びに密輸や犯罪行為等の国内脅威の克服が強調された［★8］。マレーシアもインドネシアと同様、国内の結束に「総合安全保障」の考え方を用いた。

また、一九九五年に発表されたグローバル・ガバナンス委員会（Commission on Global Governance）の報告書は、一七世紀以来、国家の生存のために定義され、国家の境界、国民、制度と価値観を外部からの攻撃から守ることを意味した安全保障が、グローバル・ガバナンスという時代の要請を受け、国家を基本とするのみならず、新しい考え方に基づく必要に迫られた、と論じている。そして同時に「あらゆる国家同様にすべての人々もその存在を安全にする権利がある」と、人間の安全保障の視点の重要性が打ち出された。同報告書は具体的に「…グローバルな安全保障政策は、紛争や戦争を防止し、地球の生命維持システムを経済、社会、環境、政治、軍事面で人々と地球の安全保障が脅かされることのないように守らなければならない」と述べている［★9］。

一方、一九八〇年代から自由主義（リベラリズム）の理論家は、安全保障を、国家安全保障や軍事的な安全保障に限定せず、多元的に考えるべきであるとの議論を展開した。例えば、バリー・ブザン（Barry Buzan）は、一九八三年の著書『人民、諸国、恐怖（People, State, and Fear）』の中で国家安全保障の考え方を分解し、軍事分野以外も含めた発想を提示した。「誰のための安全保障か」との問いには、人間、地域、国家と国際制度のためであると答え[★10]、安全保障の範囲については軍事的、政治的、伝統的な考え方に追加して、社会、経済、環境分野も安全保障の問題群であると論じている[★11]。今日に至る安全保障再考、再定義の議論は、ここから生まれてきたと言えよう。しかしながら、ブザンは同書において国家が国民を迫害、殺戮する問題も指摘する。人間の次元の分析が必要であることは認めつつも、実際の安全保障論の展開においては、やはり国家の次元が中心であり、「国家安全保障政策はやはり国家が決めなければならず、個人の次元やその他の安全保障の配慮を実際上は国家が吸収している」のが現状だとしている[★12]。

同じく一九八三年に発表されたリチャード・ウルマン（Richard Ullman）の論文「安全保障を再定義する（Redefining Security）」は、安全保障の対象としての人間をブザン以上に強調し、アメリカは冷戦中、国家安全保障を軍事的な視座に限って考えてきたが、これは「現実を見誤ったイメージ」であり、グローバルな安全保障の改善のために必要なポイントを外し、軍事的脅威にのみ焦点をあてる結果になったと批判した[★13]。その上で安全保障を再考する緊急の必要性があることを指摘した。ウルマンは、トマス・ホッブズ（Thomas Hobbes）と同様に安全保障は国家が提供するべきであるという点では伝統的な考え方と同じ立場であったが、安全保障は絶対的な価値をもつものではなく、自由とのバランスが必要であり、人権も守られなければならないと論じた[★14]。ウルマンは、まさに人間を中心におく安全保障の考え方の草分けであったといえよう。

これに続く考え方は、一九八九年、ジェシカ・マシューズ（Jessica Tuchman Mathews）の「安全保障を再考する（Redefining Security）」という、英文表記上ウルマンとまったく同タイトルの論文で示された。カーター政権で国家安全保障会議に勤務したマシューズは、冷戦の終焉を受けて「一九九〇年代には何が国家安全保障かを再定義することが求められる」[★15]と論じた。そして国際環境の変化に応え、国家安全保障の定義を拡大し、資源、環境、人口問題を含めなければならないと主張した[★16]。ウルマンが安全保障の定義そのものの見直しを提案したのに対し、マシューズは人口増加により資源へしわ寄せが発生し、資源が乱用され、環境劣化を招くという環境中心の安全保障論を展開した。マシューズは主権にこだわっていてはグローバル化する脅威に応えることができないと指摘し、更に貧困と不安定の問題にも言及したが、貧困と安全保障の因果関係までは掘り下げなかった。

その後、開発分野で人間の視座に立つことの重要性が指摘され、「人間開発(human development)」という用語が導入された。この問題が議論されたのは国際開発に関する南北対話(the North-South Dialogue for International Development)においてであり、とりわけ一九九〇年にコスタリカで開催された平和のための経済学に関するハイ・レベル会合では、ロバート・マクナマラ(Robert Strange McNamara)世界銀行元総裁やオルシェグン・オバサンジョ(Olusẹgun Mathew Okikiọla Arẹmu Ọbasanjọ)ナイジェリア大統領(当時)などが参加してグローバル安全保障の新しい概念が議論された。会合では、冷戦後にあっては軍事的な安全保障を確保するだけではなく、社会的暴力や経済的困窮、環境劣化から人間を守ることの重要性が強く叫ばれた。そして一九四八年に軍を廃止し、国内の資源を民主化と人間開発に投入したコスタリカを先例とすべきであるとの議論が行われ、冷戦終焉により生まれた軍事費が削減できるいわゆる「平和の配当」という財源を軍縮と開発に投入すべしとの提言がなされた。

UNDPはこれを「人間開発」というキーワードにして一九九〇年から毎年「人間開発報告書」を発表し、開発にできるだけリソースを割くよう主張した。この「UNDP人間開発報告書」の作成には、パキスタンの経済学者で元経済相であったマブーブル・ハック(Mahbub ul Haq)や、インドの経済学者でのちにアジア初のノーベル経済学賞を受賞するアマルティア・セン（Amartya Sen）が関わった。報告書には、平均寿命、識字率（教育水準）、国民一人当たり国内総生産（Gross Domestic Product＝GDP）を指標に各国の人間開発状況を測定する人間開発指数（Human Development Index＝HDI）が導入され、この指数を改善するための開発が論じられた。ただし、人間開発を数量化して論じることの適否については様々な異論も出された。

## 3 「人間の安全保障」にとっての開発

一九九三年版の「UNDP人間開発報告書」においては開発と安全保障がリンクされ、安全保障の概念は、国家安全保障にのみ焦点をあてるのではなく、人々の安全保障（people's security）に力を入れ、軍備による安全保障から人間開発を通じた安全保障に転換しなければならないと論じられている。具体的には領土保全から食糧、雇用、環境安全保障に視点を転じなければならないとの議論が展開された[★17]。この考え方は一九九四年版「UNDP人間開発報告書」において更なる発展を見せる。副題として「人間の安全保障の新しい次元（New Dimensions of Human Security）」と銘打たれたこの年の報告書から、いよいよ「人間の安全保障」の概念が導入され、本格的に議論されるようになった。以降、「人間の安全保障」を論じる際には必ず同報告書が引用されることとなり、いわば議論の原点となった感がある。

同報告書では、人間開発の概念に沿って安全保障が再定義されており、「人間の安全保障は飢餓・疾病・抑圧等の恒常的な脅威からの安全の確保と、日常生活から突然断絶されることからの保護」の両面を含む概念として示された[★18]。そして、「平和が確保されていなければ、開発は実現せず、逆に開発なくしては平和もまた成立しない」と開発と安全保障の関係が措定されている[★19]。同報告書は「人間の安全保障」の対象として経済安全保障、食糧安全保障、保健安全保障（health security）、環境安全保障、個人の安全保障、地域社会の安全保障、政治的安全保障の七つを挙げた［★20］。

この一九九四年版「UNDP人間開発報告書」は、報告書概要に「社会開発サミットに向けて」と明記してあることからもわかるとおり、翌年三月に開催されたコペンハーゲン社会開発サミット（the Copenhagen World Summit for Social Development）に向けて執筆されたものであった。UNDPはサミットの参加者が「人間の安全保障」を支持すること、その実現のために「世界人間の安全保障基金」が設置されること、国連に既存の安全保障理事会と並ぶ「経済安全保障理事会」が設置されることを狙っていた。UNDPは冷戦終結によって国連加盟各国、特に先進国の軍事費が削減できることから、軍民転換を進め、これを人間開発や人間の安全保障に回すことを提案したのである。サミットでは、社会正義と社会開発が、平和と相互に前提条件となること、武力紛争が発生する原因の一部には貧困や失業があることなどが認識された。

しかしながら、UNDPが推進しようとした「人間の安全保障」は社会開発サミットの最終的な宣言には盛り込まれなかった。これはUNDPが提唱した理念に抵抗を示した国連加盟国が少なからずあった為である。その理由として「人間の安全保障」の説明の中で国民国家の主権が必ずしも尊重されていないと一部の「南」の諸国やロシア、中国に受け止められたことがあると言われている。パキスタンの学者の提案であったにもかかわらず、77ヶ国グループ（Group of 77＝G77）に拒否されたのは皮肉な結果といわねばならない。当時は「『人間の安全保障』の概念は『北』で創出され、『南』に『北』の価値観を押し付け、内政に介入し、ODAに条件を設ける口実を作るためのものだと考えられていた」［★21］との見方もある。加えて「人間の安全保障」の名の下に安全保障の開発面があまりに強調されすぎたことが、国連事務局内部、特に国連の政治関連部局、平和維持活動（Peace-keeping Operations＝PKO）局や国連難民高等弁務官（United Nations High Commissioner for Refugees＝UNHCR）に支持されない原因となった。また、同宣言の中に安全保障理事会に対して新しく「経済安全保障理事会」を設立するという国連組織改革まで含めようとしたことが、既得権益を持つ国々、特に安全保障理事会常任理事国から支持されなかったことは言うまでもない。

こうして一九九五年の社会開発サミットでは「人間の安全保障」関連の提案は宣言中にまったく盛り込まれなかったが、UNDPはその後も「人間の安全保障」を開発の視点から主張し続けた[★22]。

一方、一九九五年に報告書を提出したグローバル・ガバナンス委員会でも、伝統的な安全保障の考え方だけでは二〇世紀末の安全保障の課題に十分応えられないことが提議された。国家間戦争の蓋然性の低下を踏まえ、「その他の重要性が高まっている安全保障上の問題として、経済的な困窮や、通常兵器、特に小型武器の蔓延、人権侵害の問題がある」と述べた上で、外的な侵略以上にこれらの要素が人々の安全保障を損なうようになってきているとの指摘がなされたのである[★23]。

また、二〇〇〇年九月に開催された国連ミレニアム・サミットにおいて発出されたミレニアム宣言の中で、アナン国連事務総長(当時)は開発をめぐる貧困と紛争の関係を指摘した。

各国別にみると、カナダ、ノルウェー、スイス、日本、タイなどいくつかの国が「人間の安全保障」の考え方を外交政策に取り入れ、熱心に推進している(本書第4-6章参照)。カナダのロイド・アクスワージー(Lloyd Norman Axworthy)元外務大臣は、「人間の安全保障が国際関係の中心的な原則となり外交への新しいアプローチを見出すための主要な触媒になっている」[★24]と外交政策の柱と位置付け、「恐怖からの自由」に焦点を絞り、様々な形の暴力、紛争や大量虐殺等から苦しむ人々を救済するための規範づくりに取り組んだ。特に、どのような場合に人道的介入が許されるかについて、介入と国家主権に関する独立国際委員会(The Independent International Commission on Intervention and State Sovereignty = ICISS)を設置し、「保護する責任(Responsibility to Protect)」の考え方を提示した。また、カナダは対人地雷禁止条約や国際刑事裁判所(International Criminal Court = ICC)規程の締結と批准に力を入れるとともに紛争下の児童保護、小型武器規制などに注力した。そして、カナダ、ノルウェー、スイスなどの国々は人権の確保により、人々が紛争や暴力などから保護されることを中心とする「人間の安全保障」の考え方を導入した。

一方、日本では一九九七年、小渕恵三外務大臣（当時）が、金融危機に苦しむアジア各国への日本の救済策のフレームワークとして「人間の安全保障」を打ち出した。翌年、ASEAN＋3首脳会議に首相として出席した同氏は、ベトナムのハノイにおける政策演説において、日本は「人間の安全保障」を重視するとし、「人間の安全保障とは、人間の生存、生活、尊厳を脅かすあらゆる種類の脅威を包括的にとらえ、これらに対する取組みを強化するという考え」と述べた[★25]。日本は、「人間の安全保障」を前述のUNDP「一九九四年版人間開発報告書」の考え方に近い広義に捉え、アジア金融危機の影響を受けた社会的弱者を救済するために政府開発援助（ODA）による貧困の軽減、保健衛生の改善などに取り組むことを発表した。その後日本政府も人間の安全保障を外交政策の重要な視座に据え、開発を中心に実践に努めてきている。

人間の安全保障の考え方は、前述の社会開発サミットの宣言には入らなかったが、二〇〇四年に国連改革を提言したハイ・レベル・パネル報告書「より安全な世界——共有する責任（A more secure world: Our shared responsibility）」においては国家安全保障と並んで現在念頭におかなければならない課題と位置づけられた[★26]。そして二〇〇五年九月に国連創立六〇周年の機会に開催された国連総会首脳会合の成果文書において「人間の安全保障」が採り上げられ、「我々は人間が自由と尊厳を持ち、貧困と絶望から解放されて生きる権利を持つことを強調する。すべての人は、特に弱い立場の人々が恐怖と欠乏から自由に生き、すべての権利を享受し、人間としての潜在力を十分に生かす平等な権利を持つことを認識する」[★27]ことが謳われた。第2章で詳述するが「人間の安全保障」をめぐっては広義か狭義かの激しい解釈論争が展開されてきた。二〇〇五年の国連首脳会合の成果文書では「欠乏からの自由」「恐怖からの自由」「尊厳を持って生きる自由」を確保するという三つの自由という広義の解釈が採られている。従って、現在では国際機関、各国政府、市民社会など、それぞれの行為主体(アクター)がこの三つの自由を認めつつ、力点をおく「自由」は違えながらも、「人間の安全保障」を実践する段階に入っている。さらにこの成果文書を受けて二〇一〇年三月には潘基文国連事務総長が『人間の安全保障報告』を発表し、国連の人間の安全保障基金をはじめとする国連における考え方を整理し、国連において人間の安全保障を主流化(mainstream)すべしと勧告している[★28]。

そして、このような安全保障をめぐる議論の積み重ねの中で「人間の安全保障」という用語についての賛否両論は残っているが、国家安全保障だけでは多様化する脅威に十分に応えることはできず、安全保障の対象も「人間の安全保障」の理念の中で指摘されている紛争からテロ、環境、疾病、開発など幅広い視点が必要だという点では、次第に議論が収斂してきている。

## 4 なぜ、いま「人間の安全保障」なのか

「人間の安全保障」とは何か、を考えるにあたって、三つの特色を挙げておきたい。

まず安全保障の客体が、人間もしくはその人間が属するコミュニティだということである。ウエストファリア条約以来、これまでの「安全保障」は国家を対象としてきた。軍事的な手段により領土を守り、国益のために領土を拡張することが、かつては安全保障の根幹であった。一方、国家安全保障は本来国家が国民の安全を守るという構造であるはずだが時に国民を犠牲にすることもあった。冷戦後、その国家自体が弱体化する、或いは場合によって破綻し、国民も保護できないという事態が発生したことを背景に「人間の安全保障」という概念の登場はその究極的な対象を「人間」とするものになったのである。

第二の特色は上述の点とも関連するが、安全保障の主体が国際機構、地域機構や国家にとどまらず、地方

自治体、コミュニティ、市民社会、非政府組織などに広がっていることである。

そして第三の特色は「人間の安全保障」の対象とする脅威である。そこには国家に対する外敵からの軍事的な脅威だけでなくテロ、食糧安全、環境汚染、エネルギー不足、感染症、地震、津波、麻薬・人身売買、武器の密輸など幅広い脅威が含まれる。これが「人間の安全保障」が対象とする三つの自由の確保、すなわち後述する「欠乏からの自由」、「恐怖からの自由」、「尊厳を持って生きる自由」の実現という考え方につながっている。

このような概念が台頭してきた原因として、①国際安全保障環境の変化と脅威の多様化、②グローバル化の進展、③九・一一とアフガニスタン・イラク戦争のインパクト、の三つを挙げることができよう。

## ❖国際安全保障環境の変化と脅威の多様化

まず、冷戦終焉による国家間戦争の減少と内戦の増加という国際的な安全保障環境の変化が発生し、それに伴い脅威が多様化している。冷戦終焉により二極対立の一極であったソ連が崩壊すると、国家間戦争、とりわけ究極的な核戦争の蓋然性は著しく低減した。

その一方、冷戦構造の崩壊は当初「平和の配当」という表現で期待された持続的な平和にはつながらなかった。むしろ一九九〇年代には、いわば「冷戦」という仕組みに抑え込まれていた対立が、アフリカや南東欧などでの国内紛争という形で噴出した。これらの紛争では大量破壊兵器は使用されなかったものの、小型武器や地雷、クラスター爆弾などの通常兵器が多用されたばかりか、時には大量虐殺や民族浄化までが行われ、一般市民に多くの犠牲者を出した。

このような紛争では市民の生活の場が戦場と化し、市民の経済活動が打撃を受ける。結果的に貧困にあえぎ、食糧にも事欠き、人々の衛生状態は悪化し、感染症が流行する。身の危険を感じた人々が難民として国を離れる、あるいは国外に避難するだけの資金がない場合は、国内で別の地域に避難する、いわゆる国内避難民となるなどの事態が相次いだ。内戦に見舞われた諸国では政府の統治能力(ガバナンス)が弱体化、あるいは破綻し、紛争事態を収拾できないケースも多い。破綻国家(failed state)や脆弱国家(weak state)が国際平和を脅かす問題になってきたのである。

図1は、スウェーデンのウプサラ大学が毎年発表している主要紛争件数のデータから引用したもので、第二次世界大戦以降の紛争件数を示している。一九九〇年以降、国家間戦争は減少し、二〇〇八年には一件になっている一方、内戦型紛争件数は、冷戦後は冷戦中とは比較にならないほど著しく増加した。近年ようやく件数の減少を見たが、二〇〇八年の統計ではなお三五件発生している。ただし、この紛争データの中には採り上げられない戦争未満の事態も発生していることを忘れてはならない。例えば国内でデモなどの騒乱が発生すると警察や軍隊が投入される。二〇〇七年九月のミャンマーにおけるデモや同年一二月のケニア大統領選挙後の騒乱、二〇〇八年三月のチベットにおける騒乱のように、市民が死傷する事例は紛争データに含まれない。紛争には至らないものの、背景を異にするグループ間の対立が燻《くす》ぶり続け、和解の努力を怠ればたちまち武力衝突になりかねない地域は各地にある。もはや世界は、戦争がない状態、イコール平和という単純な構図では語れなくなっている。

国際安全保障環境の変容過程で、安全保障に対する脅威が外敵による侵略や国家間戦争だけではないという認識が広がった。図らずも冷戦終焉によって、それまでの領土保全を中心とする国家安全保障では、人々の安全を確保できないという問題意識が生まれ、安全保障を損なう脅威が従来の軍事的なものから非軍事的なものまで含めて多面的に拡大したと受け止められたのである[★29]。このように広がった安全保障上の脅威は「新しい脅威」と呼ばれるようになった。冷戦終焉後の累次の主要国首脳会議(Group of Eight = G8)の宣言においても一九九〇年代前半には「新しい脅威」という言葉が度々用いられた。国連安全保障理事会の議

**図1** 紛争件数の推移 1946-2008

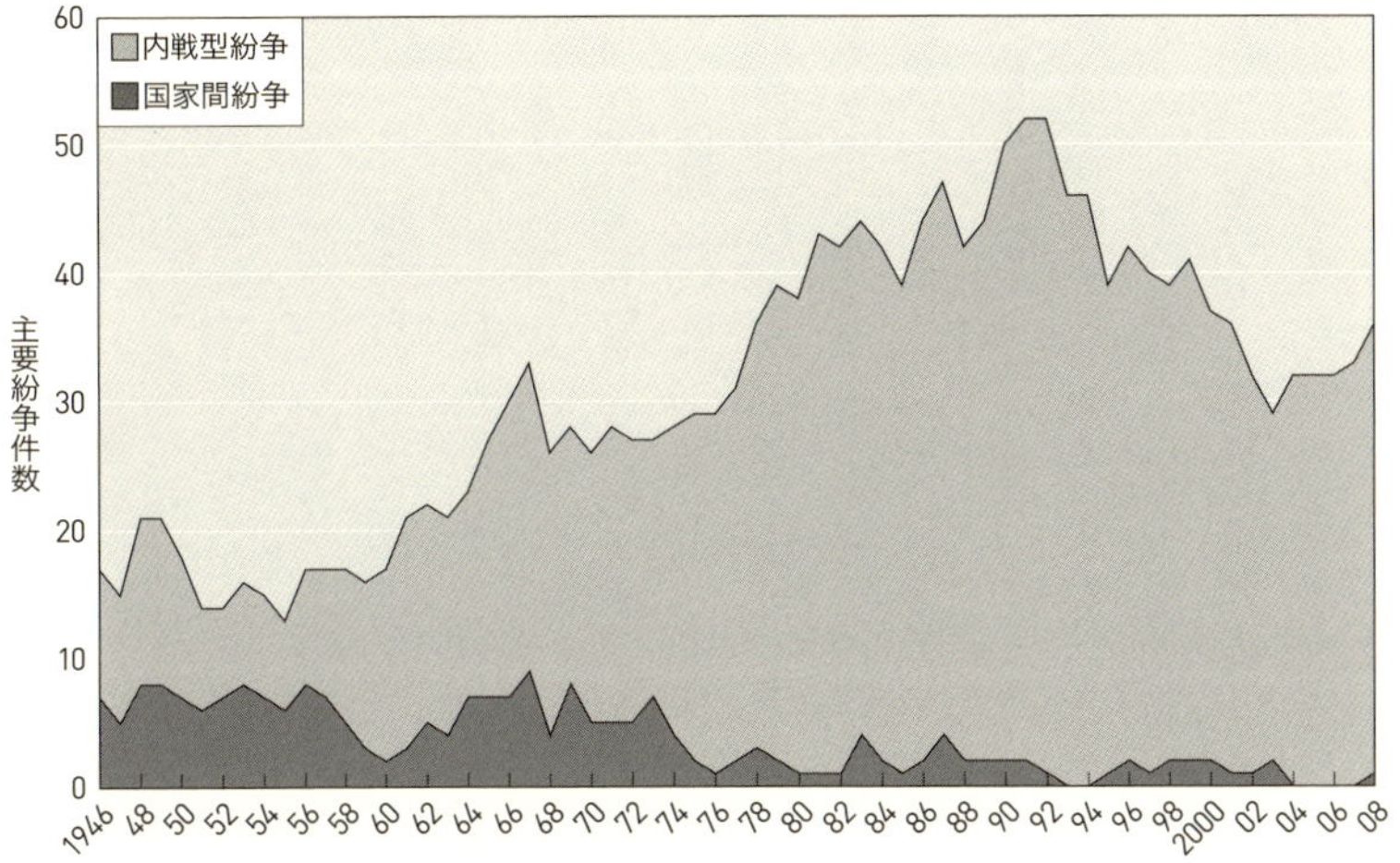


出典：ウプサラ大学紛争データを基に筆者作成［★30］

題をみても、冷戦後は国家間紛争が採り上げられるケースが減少し、内戦型紛争、紛争予防や平和構築、さらには国際テロなどの問題へと議題が広がってきている。具体的な「新しい脅威」としては、民族浄化や大量虐殺を含む国内(民族)紛争、ガバナンスの弱体化、テロリズム、さらには紛争の原因ともなる貧困、大量破壊兵器の拡散、小型武器の移転、対人地雷、気候変動、自然災害、感染症などが挙げられる。

このような脅威の拡大については、なんでも安全保障化(securitization)してしまうことの弊害を批判する声も強かった。しかも厳密に言えば、これらは必ずしも「新しい」脅威とは呼べない。国内紛争の種は冷戦中にも存在しており、冷戦終焉に伴いそれまで二極対立に隠れて外部から見えなかったものが武力紛争として表面化したに過ぎない。では何が「新しい」のか。

端的に言えば、これらの問題が安全保障上の脅威として位置づけられるに至ったこと自体が新しさの所以である。近年気候変動による洪水、地震・津波やハリケーンによる被害が甚大になり、市民の生命と暮らしに大きな影響を与えている。その自然災害の脅威はハリケーン・

カトリーナのように先進国にも及ぶ。また、肺結核、マラリア、鳥や豚インフルエンザといった予防および治療可能な疾病や、エイズのように治療困難な感染症もグローバルに人間を襲っている。人々が国境を越えて移動する時代にあっては、地球上の一カ所で発生した疾病も世界各国に飛び火する。このような問題は、軍事的な安全保障が伝統的安全保障問題と位置づけられるのに対比して「非伝統的安全保障（non-traditional security）」の課題とされ、果たしてこのような事態を安全保障上の脅威と位置づけるかどうかが議論されてきた。しかし犠牲者が国境を越えて途上国のみならず先進国にも広がるにつれ、これらの脅威もまたその規模と緊急性から、国民生活への大きな不安と混乱を通じて国家安全保障を損ないかねないと認識されるようになってきている[★31]。

貧困についても紛争やテロの原因になっているとの主張がなされている。貧困と紛争の因果関係を立証することは難しいが、国連機関では前述のようにUNDPを中心に「開発」に「人間」の要素を加える必要性が議論されてきている。長らく世界銀行のエコノミストを務め、現在オックスフォード大学で教鞭をとるポール・コリアー（Paul Collier）教授は、グローバル経済の底辺にいる一〇億人が紛争に見舞われる蓋然性が高いとし、貧困が紛争の原因だと決め付けることはできないが、貧困に苦しむ人々が「紛争のトラップ（conflict trap）」に引っかかることが多いと論じている。経済的に困窮しているほうが内戦に見舞われる可能性が高く、ひとたび武力紛争にひっかかるとそのトラップから抜け出すことは容易でない[★32]。コリアーによると、所得が半分になると内戦の発生のリスクは二倍になる。さらに戦争がはじまると国は貧しくなる。逆も真なりである。内戦は所得を下げ、低所得は内戦のリスクを高めるという論である[★33]。

カナダ、サイモン・フレーザー大学教授のアンドリュー・マック（Andrew Mack）は、「二〇〇五年人間の安全保障報告書（Human Security report 2005）」において、図2に示す戦争と貧困の相関関係を示しつつ、貧困が国家のガバナンス能力の弱体化と相関関係を持つと論じた。経済開発が遅れ、貧困が深刻になると国家のガ

**図2　戦争と貧困の関連性**

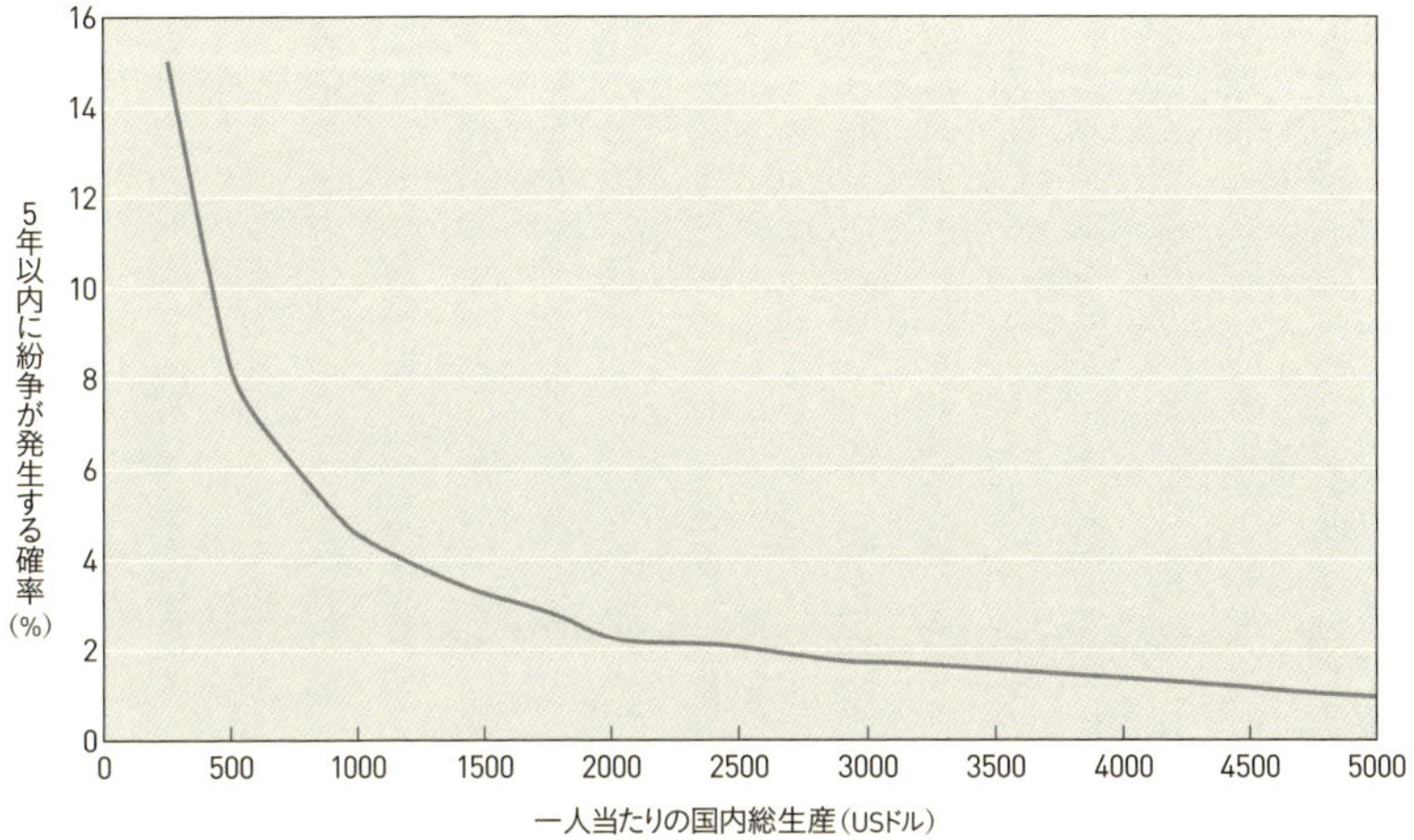


出典：Human Security Report 2005

バナンス能力が下がり、それだけ紛争が発生するリスクが高くなるというのである。逆に国民一人当たりの所得が高いほうが国家のガバナンス能力は高くなり、その結果反乱グループを取り押さえたり、市民の苦情を処理したりする能力も高くなるので武力紛争が発生する蓋然性が低くなると分析している［★34］。

このような多様な脅威の広がりを踏まえるとき、軍事的手段によるハードな安全保障だけで平和と安定は確保できない。非軍事的な手段によるソフトな安全保障も含めて平和構築・復興に取り組む戦略が必要であるとの認識が強まった結果、紛争後に限らず、二一世紀の平和と安全には、ハードとソフトという安全保障の両面をリンクする理念が必要とされるようになった。冷戦後の安全保障概念の再定義という、その文脈の中で人間の安全保障の考え方が採り上げられるようになったのが一九九〇年代だった、と言えよう。

### ❖グローバル化の進展

「人間の安全保障」という理念が生まれた第二の原因はグローバル化の進展である。その最も顕著な事例が経済のグローバル化であろう。インターネットをはじめとする通信技術の発達により、ウェブを通じた即時性の高い情報の伝達が可能になった。世界は同時間と同空間に一元化され、ウェブ上での売買、投資はきわめて容易となった。こうした経済のグローバル化に伴い、ヒト、モノ、カネが急速に国境を越えて移動するようになり、国境の垣根が低くなったと認識された。

知識もしかり、オンライン百科事典、Wikipediaの登場はそれを象徴する出来事である。Wikiとはハワイ語で「早い」を意味し、当初は編集者と学者が作成していたが、膨大な知識の集積作業にとても手が回らなくなり、まもなくWikipediaのユーザーが各項目を修正、加筆できるシステムになった。かつては書斎のかなりの部分を占めた高価な百科事典がパソコン上ですぐに開け、しかも情報は即時に更新され、世界中で共有されるようになっているのである。

トーマス・フリードマン(Thomas Lauren Friedman)は、こうした一連の潮流を著書の表題で「世界は平らになった(The World is Flat)」と表現した。グローバル化は、「市場、国家や技術が過去に例を見ないほど相互に綾を織り成し、人間や企業、国家が今までよりも世界中により遠く、速く、深く、安く手を伸ばすことができ、又グローバル化に残忍な仕打ちを受けたり、グローバル化から取り残された者たちが激しく反発する現象を生んでいる」と、フリードマンは解説している[★35]。

グローバル化の進展によって、とりわけ経済・金融の効率化は進み、それに受益した人々は多い。しかし一方には「平らになっていない世界(unflat world)」もある。グローバル化の光があたるところにいる人々ばかりではなく、影に入る人々も少なからず増え、光と影にいる人々の格差が拡大したことが指摘されている。すなわち、グローバル化の便益が均一に分配されるわけではないことが問題となっているのである。

このグローバル化の影響が経済にとどまらず、安全保障上の脅威にも及んでいることはいうまでもない。脅威や危機が国境を越えて瞬時に伝播・拡散するようになったため、一国家単独の安全保障は成立しなくなっている。新しい脅威の中でも、国際テロはもちろん、感染症、環境破壊、気候変動、難民流出などが国境を越えたトランスナショナルな課題として受け止められている。今日、脆弱な一地域が受けるインパクトは当該地域(国)にとどまらない。紛争地に生きる人々の不安は津波のように広がり、グローバルな不安(anxiety)として共有されるようになった。

こうした現状の中で安全保障が損なわれたとき、究極的な被害が及ぶのは個々の人間、もしくはグループである。脅威や危険を防ぎ、万が一紛争に発展した緊急時に対応しようとするとき、当該国家は紛争解決能力を失っている場合も少なくない。また、国際機関や国家だけに任せておいては対応のタイミングを失するかもしれず、特に「平らではない世界」の弱者まで救済の手が回らないことも多い。そこで市民社会を含む非国家主体の役割の重要性が増した。

先に挙げたフリードマンは同著書の中で、グローバル化の側面のひとつとして「心の貧困(poverty in dignity)[★36]」という表現を用い、テロリストは金銭的貧困ではなく「心の貧困」、すなわち失われた尊厳への不満からリクルートされ、焦燥感のはけ口を暴力に求めると指摘している。これはテロリスト集団において、特に幹部になっている人々が必ずしも貧困層の出身者ではなく、むしろ裕福な家庭の出身が少なくないことにも現れているといえよう。それらの人々は一般に十分な教養を持ち、宗教的あるいは民族的な使命感も高く、それだけに矛盾に対する救世主的な憤りの発露が過激な形態をとる。自らの尊厳が失われていても、隣村の人々しか比較の対象が無いときは、感得される格差は小さく、惨めさも相対的に少ないが、グローバル化した世界の中では、情報の発信が世界全体を対象とし、遠隔地域の豊かな生活も惨めな生活もテレビやラジオ、あるいはインターネットを通じて目の当たりにできる。これが弱者の不公平感と惨めさをいやがおうにも助長する。そして紛争地の人々の中に渦巻く恨みや憎しみを放置すると、増幅し、国際テロや武力紛争につながっていく蓋然性が高まるのである。

世界が平らになり、従来の国家安全保障だけではグローバル化する新しい脅威に十分に対応しきれないという現実はすでに多くの人々の共通認識となりつつある。

### ❖九・一一とアフガニスタン、イラク戦争のインパクト

第三の要因として、安全保障に対する考え方が、二〇〇一年九月一一日アメリカを襲った同時多発テロ以降、さらなる変容をみせていることがある。超大国アメリカ本土へのテロリストの攻撃に世界は震撼した。ニューヨークという国際ビジネスの中心地で世界貿易センタービル二棟が破壊されたのみならず、首都ワシントンDCの国防総省（ペンタゴン）も被害を蒙った。命を失ったのはアメリカ市民ばかりでなく、世界貿易センタービルに入っていた日本を含む多国籍企業の社員に及んだ。まさにグローバル化の進展を痛感させられた事件だった。

アメリカはこのテロ事件を「（テロ）戦争」と位置づけ、首謀者オサマ・ビン・ラディン（Usāma bin Lādin）を捕捉することを目的にアルカイダ掃討のための反テロ戦争（war against terror）を、まずはアフガニスタンを舞台に展開した。当時は国際社会もアメリカに同情を寄せ、アフガニスタン戦争を支援した。平和と安定のためにはやはりハードな安全保障、軍事的な伝統的安全保障が要となる、との論調が主流を占め、このような流れの中で「人間の安全保障」の議論は萎むとさえ言われた。

しかし、アメリカはアフガニスタン戦争を経てもオサマ・ビン・ラディンを捕捉することが出来なかった。ついで二〇〇三年三月には、大量破壊兵器開発疑惑もあいまってイラク戦争に踏み切ったが、国際社会の意見はアメリカと行動を共にする国と、これを批判し距離をおく国とに分かれた。イラク戦争でアメリカは、サダム・フセイン（Saddam Hussein）元イラク大統領の捕捉に成功したものの、ついに大量破壊兵器開発の証拠を見つけることは出来なかった。その上、戦闘後のアフガニスタン、イラク両国の復興にも手間取り、両国

の内政は安定しない状況が続いている。イラク、アフガニスタンの治安維持と復興のために欧米諸国は長期間にわたって要員派遣を続けることとなった。このような経験を経て、国際社会はハードで伝統的な安全保障一本槍では真の平和と安全を確保できないのではないかという考え方に振り子が振れている。すなわち、ハードな安全保障だけでなく、ソフトな安全保障も含めて復興に取り組む全体的な戦略構想が必要であり、ハードとソフトの両面をリンクする概念としての「人間の安全保障」が再び注目されるに至ったのである。

アメリカでは、この反省を込めて、ハードパワーだけに頼らず、ソフトパワーをも組み合わせた「アメリカは『スマート・パワー』たれ」という報告書[★37]が、二〇〇七年に戦略国際問題研究所(Center for Strategic and International Studies＝CSIS)から発表された。アメリカはこれまでハードパワーを背景としてきたが、平時においては経済、文化などのソフトパワーをより活用する必要があるという問題意識の下、リチャード・アーミテージ(Richard Lee Armitage)元国務副長官とジョセフ・ナイ(Joseph Samuel Nye Jr.)ハーバード大学教授が共同議長となった委員会の議論をまとめた報告書である。同報告書は、アメリカは国際公共財を提供するスマート・パワーとして、同盟、パートナーシップなどを再活性化し、世界の開発に寄与し、長期的な人物交流、青少年交流を含むパブリック・ディプロマシー、国際経済の発展、エネルギー安全保障、気候変動への技術的な役割を果たすべきであると述べている。また「スマート・パワー」とはアメリカの目標を達成するためのハードパワーとソフトパワーの両方を活用する総合戦略であると位置づけている[★38]。このような考え方を踏まえて「人間の安全保障」は後述するように欧米の解釈では軍事的なパワーの必要性を否定せず、それでいてソフトパワーの活用を二一世紀に適した形で提示しようとする試みと位置づけられている。

九・一一同時多発テロに際しては、姿を消すのではないかとの議論も生まれた「人間の安全保障」論は、伝統的な安全保障だけで現在の国際の平和と安全は守り切れないという理解の下、再び議論されてきている。次章では「人間の安全保障」が一体どのような理念なのかを詳しく考察したい。

## 註

★1——佐藤誠三郎「『国防』がなぜ『安全保障』になったのか——日本の安全保障の基本問題との関連で」(『外交フォーラム　特別編』一九九九年、五-六頁)

★2——同右、五-六頁

★3——赤根谷達雄「新しい安全保障の総体的分析」(赤根谷達夫、落合浩太郎編『「新しい安全保障」論の視座——人間・環境・経済・情報』亜紀書房、二〇〇一年、二〇-二一頁)

★4——Hussein Solomon, 'From Marginalised to Dominant Discourse: Reflections on the Evolution of New Security Thinking', in Hussein Solomon and Maxi van Aardt (eds.), 'Caring Security in Africa: Theoretical and Practical Consideration in New Security Thinking', *Monograph* No.20, Institute of Strategic Studies, 1 February 1998, http://www.iss.org.za/pubs/Monographs/No20/solomon.html (二〇一〇年五月七日最終アクセス)

★5——Henry Kissinger, *A World Restored: Metternich, Castlereagh, and the Problems of Peace,1812-1822*, Boston, Houghton Mifflin, 1957, p.295.

★6——The Independent Commission on Disarmament and Security Issues, *Common Security: A Blueprint for Survival*, New York, Simon and Schuster, 1982.

★7——デービッド・カピー、ポール・エバンス著、福島安紀子著・訳『レキシコン・アジア太平洋安全保障対話』日本経済評論社、二〇〇二年、一〇九-一一〇頁

★8——同右、一八四-一九六頁

★9——Commission on Global Governance, *Our Global Neighborhood*, New York, Oxford University Press, 1995, p.78.

★10——Barry Buzan, *People, States, and Fear: An Agenda for International Security Studies in the Post-cold War Era* (2nd edition), Boulder, Colo., Lynne Rienner, 1991, p.363.

★11——*Ibid.*, p,363.

★12——*Ibid.*, p.363.

★13——Richard Ullman, 'Redefining Security', *International Security*, Vol.8, No.1, Summer, 1983, pp.129-153.

★14——*Ibid.*, pp.129-153.

★15—Jessica Tuchman Mathews, 'Redefining Security', *Foreign Affairs*, Vol.68, Issue 2, Spring, 1989, p.162.

★16—*Ibid*., p.162.

★17—UNDP, *Human Development Report 1993: People's Participation*, New York, Oxford University Press, 1993, pp.1-2.

★18—*Ibid*., p.23.

★19—*Ibid*., p.iii.

★20—UNDP, *Human Development Report 1994: New Dimension of Human Security*, New York, Oxford University Press, 1994, pp. 230-234.

★21—シャルバナウ・タジバクシュ「人間の安全保障と南北協議——亀裂か和解か?」(大阪大学大学院国際公共政策研究科国際シンポジウム論文集『人間の安全保障と国際公共政策の将来』二〇〇八年、七-八頁)

★22—S. Neil MacFarlane and Yuen Foong Khong, *Human Security and the UN: A Critical History*, Bloomington, Ind., Indiana University Press, 2006, pp.148-150.

★23—Commission on Global Governance, *op.cit*., p.79.

★24—Lloyd Axworthy, 'Introduction', in Rob McRae and Don Hubert (eds.), *Human Security and the New Diplomacy: Protecting People, Promoting Peace*, Montreal, McGill-Queen's University Press, 2001, p.10.

★25—ベトナム国際関係学院主催講演会における小渕恵三総理大臣政策演説「アジアの明るい未来の創造に向けて」一九九八年一二月一六日、http://www.mofa.go.jp/mofaj/press/enzetsu/10/eos_1216.html（二〇一〇年五月七日最終アクセス）

★26—United Nations, *A More Secure World: Our Shared Responsibility: Report of the High-level Panel on Threats, Challenges and Change*, New York, United Nations, 2004.

★27—United Nations General Assembly, 'Resolution Adopted by the General Assembly: 2005 World Summit Outcome', UN Doc, A/RES/60/1, 24 October 2005, para.143.

★28—United Nations General Assembly, 'Human Security: Report of the Secretary-General', UN Doc, A/64/701, 8 March 2010.

★29—Emma Rothschild, 'What is Security?', *Daedalus*, Summer, 1995, pp. 53-90.

★30—Uppsala University, 'Active Conflicts by Conflict Type and Year', http://www.pcr.uu.se/research/UCDP/graphs/charts_and_graphs.htm（二〇一〇年五月六日最終アクセス）。ウプサラ大学では「主要紛争」を国家の政府とある領土、ある

いは一国家の政府又はある領土が関わる対立で、両者の武器使用が最低二五人以上の戦闘による死者を出す場合と定義している。http://www.pcr.uu.se/research/UCDP/links_faq/faq.htm#1（二〇一〇年五月七日最終アクセス）

★31—Barak Obama, 'Renewing American Leadership', *Foreign Affairs*, Vol.86, No.4, July/August, 2007, pp.2-16.

★32—Paul Collier, *The Bottom Billion: Why the Poorest Countries Are Failing and What Can Be Done About It*, New York, Oxford University Press, 2007, p.x.

★33—*Ibid.*, p.19.

★34—Human Security Centre, *Human Security Report 2005: War and Peace in the 21st Century*, New York, Oxford University Press, 2005, pp.152-153.

★35—Thomas L. Friedman, *The Lexus and the Olive Tree*, New York, Farrar, Straus and Giroux, 1999, pp.7-8.

★36—Thomas L. Friedman, *The World is Flat: The Globalized World in the Twenty-first Century*, London, Penguin Books, 2005, p.488.

★37—Craig Cohen, Richard L. Armitage and Joseph S. Nye Jr., *A Smarter, More Secure America: Report of the CSIS Commission on Smart Power*, Center for Strategic and International Studies, November, 2007.

★38—*Ibid.*, p.7.

# 第2章 「人間の安全保障」とは何か

前章で述べたように「人間の安全保障(human security)」は軍事的な脅威をこえた広範な脅威を対象とし、多国間協力を手段とするが、これまで導入されてきた共通の安全保障(common security)、集団安全保障(collective security)、総合安全保障(comprehensive security)などとは、どのように異なるのか検討してみよう。共通の安全保障、集団安全保障、総合安全保障はいずれも国家を基本単位としており、安全保障の客体は国家であり、軍事的な安全保障が第一義的に想定されている(表1参照)。それぞれの安全保障の理念は必ずしも明確に線引きが出来ない要素もあるが、おおむね表1のように考えて良いと思う。

「人間の安全保障」は、これまでの安全保障概念の焼き直しではなく、従来の安全保障の概念の空隙から生まれたものである。たしかに対象とする安全保障上の脅威が幅広い点で総合安全保障に似ている。しかし総合安全保障の客体は第一義的に国家であるが、「人間の安全保障」の客体は人間であり、その総体としてのコミュニティである。安全保障の主体が国家以外、国際機構、市民社会におよぶ点でも異なっている。このような「人間の安全保障」の理念そのものに対しては、積極的な異論は見出せない。しかしながら、現実には「人間の安全保障」ほど、白熱した議論の「戦場(battlefield〔★1〕)」と化した国際関係の用語もないのであ

**表1** 主要な安全保障概念と「人間の安全保障」の比較［★2］

| | 集団安全保障<br>（collective security） | 共通の安全保障<br>（common security） | 総合安全保障<br>（comprehensive security） | 人間の安全保障<br>（human security） |
|---|---|---|---|---|
| **安全保障の客体** | 国家 | 国家 | 国家 | 人間 |
| **安全保障の主体** | ▶国家、国際機構、地域機構 | ▶国家、国際機構 | ▶国家 | ▶国家、国際機構、市民社会 |
| **安全保障の対象とする脅威** | ▶国家、国際機構、地域機構<br>▶国際の平和と安全に対する脅威<br>▶軍事的安全保障が中心。ただし、人権、経済面も含む | ▶戦争（超大国による核戦争を含む）<br>▶大量破壊兵器を含む武器の拡散<br>▶経済、社会、政治的な脅威を含む | ▶軍事的脅威や領土保全を脅かすもの<br>▶政治的秩序の撹乱（国内秩序の騒乱）<br>▶自然災害、食糧不足、エネルギー不足などを含む | ▶紛争<br>▶テロ、その他の暴力<br>▶自然災害、環境破壊<br>▶感染症<br>▶貧困 |
| **安全保障の手段** | ▶加盟国の共同行動（含む制裁、武力行使）により加盟国全体の安全保障を維持する<br>▶新しい世界秩序の形成 | ▶国家間の協調的手段による紛争防止<br>▶相互破壊に頼るのではなく軍縮による平和的共存 | ▶政治的、安全保障的、社会的、経済的手段を総合的に用いる<br>▶国内の結束 | ▶能力強化（エンパワメント）（キャパシティ・ビルディング）<br>▶保護、規範の整備と法の支配<br>▶経済開発・復興 |

る。

「人間の安全保障」は本当に「安全保障」の語彙なのか、それとも「開発」の語彙なのか。すなわち、「人間の安全保障」という言葉を用いることによる付加価値は何か、といった議論がある。これに対し、一九九四年版「UNDP人間開発報告書」の例を引きつつ、「安全保障」という用語を使うことで、より多くの予算を開発援助に誘導しようする狙いがあったとの意見もある［★3］。

日本に理念が紹介された当初、「human」という表現が「国民」ではなく「人間」と訳されたことから「人間の安全保障」が、果たして従来からの「国家安全保障」に代わり得るのかという議論が活発におこなわれた。特に現実主義（リアリズム）の立場を採る論者は「人間の安全保障」を評価するにあたり、国家の安全と個人の安全が対立した場合、「個人の安全を優先すべきであると言う人が少なくないが、これは見当はずれであり、国家の安全保障が確保されてはじめて人間の安全保障が語れる」［★4］と強く批判した。

さらに自国内のガバナンスが問題視されることを懸念する国々からは、国際社会は「人間の安全保障」を盾に主権国家の国内問題に介入できるのか、との反駁がなされた。中でも第二次世界大戦後にようやく独立をはたした諸国、例えばG77諸国や非同盟諸国(Non-Aligned Movement＝NAM)は「人間の安全保障」の名の下に主権が脅かされることを警戒したのである。さらに「人間の安全保障」の理念に「人道的介入」としての武力行使が含まれるのか否かが争点となり、これがある意味で広義と狭義の解釈の分水嶺にもなってきた。

前章でも簡単に触れたが「人間の安全保障」という考え方自体は新しい着眼点ではない。国際関係論において安全保障の主体としては「超国家」「国家」そして「人間」という三つの次元に分けた場合、「人間」が主体であり、客体でもあるということは、ケネス・ウォルツ(Kenneth Neal Waltz)やブザンが論じてきている。しかしながら、二〇世紀の最初の九〇年間は人間の集合体であるところの「国家」が外敵の侵略から国民を守るということ、すなわち、国家安全保障が安全保障の中心的な概念として議論されており、一方で国民を守るべき立場の国家が正当な理由なくして国民の権利を剥奪する、国民を投獄、殺戮するという場合も少なからずあったこともまた、幅広く認知されてきた。ちなみにアンドリュー・マックは、スイスやカナダなどの政府助成を受けて発表した「二〇〇五年人間の安全保障報告書」の冒頭でいみじくも「この一〇〇年間に外国の敵よりも自国政府により多くの人々が殺されてきた」と指摘している[★5]。

この「人間の安全保障」をめぐる論争の中で、この十年余、熾烈な大議論を呼んだのが、その定義と解釈なのである。

## 1 「人間の安全保障」をどのように解釈するか

「人間の安全保障」をどのように解釈するかについて、カナダのカールトン大学教授フェン・ハンプソン(Fen Osler Hampson)は三つの次元に分けて整理をしている(図3参照)。第一の次元は幅広い人間の権利を擁護し、自由を守り、法の支配を中心とする、すなわち権利をベースとしたアプローチ(a rights-based approach)を採る視座である。この次元では人々の権利を守るために法律や国際条約を整備し、人権法を充実することで「人間の安全保障」を実現しようとする。これに対して第二の次元は、戦争を含む非人道的な暴力から人々を守るいわゆる「恐怖からの自由(Freedom from Fear)」を確保しようというものである。

第三の次元が人間開発であり、貧困を軽減し、人々の能力を開発することで危機対処能力を高める、「欠乏からの自由(Freedom from Want)」を中心に据える。前述した一九九四年版「UNDP人間開発報告書」の考え方が引用されている。この第三の次元は「人間の安全保障」の解釈の幅が広く、経済、保健、食糧、環境、政治的な安全保障、具体的にはエイズの感染から麻薬の密輸、人身売買、テロまでもが範疇に含まれる。基本的には人間の不平等と国際関係の社会的正義の欠如が問題であるとする[★6]。

この三つの考え方をさらに突き詰めると、第一の次元と第二の次元は重なっており、「恐怖からの自由」の確保するために法律や条約に基づいたアプローチを採ると整理することができる。そこで本書では「人間の安全保障」の理念を広義と狭義の解釈に分けて論を進めたい(図4参照)。これまで「人間の安全保障」をめぐっては、幅広く貧困や感染症、自然災害などを含めた「欠乏からの自由」と考えるのか、あるいは狭く戦争、紛争やテロなどの暴力に絞る「恐怖からの自由」を中心とするのか、という大きな対立が存在した。

議論の当初は、広義の解釈が「欠乏からの自由」を、狭義の解釈が「恐怖からの自由」を指すと理解され

**図3** 人間の安全保障の3つの次元［★7］

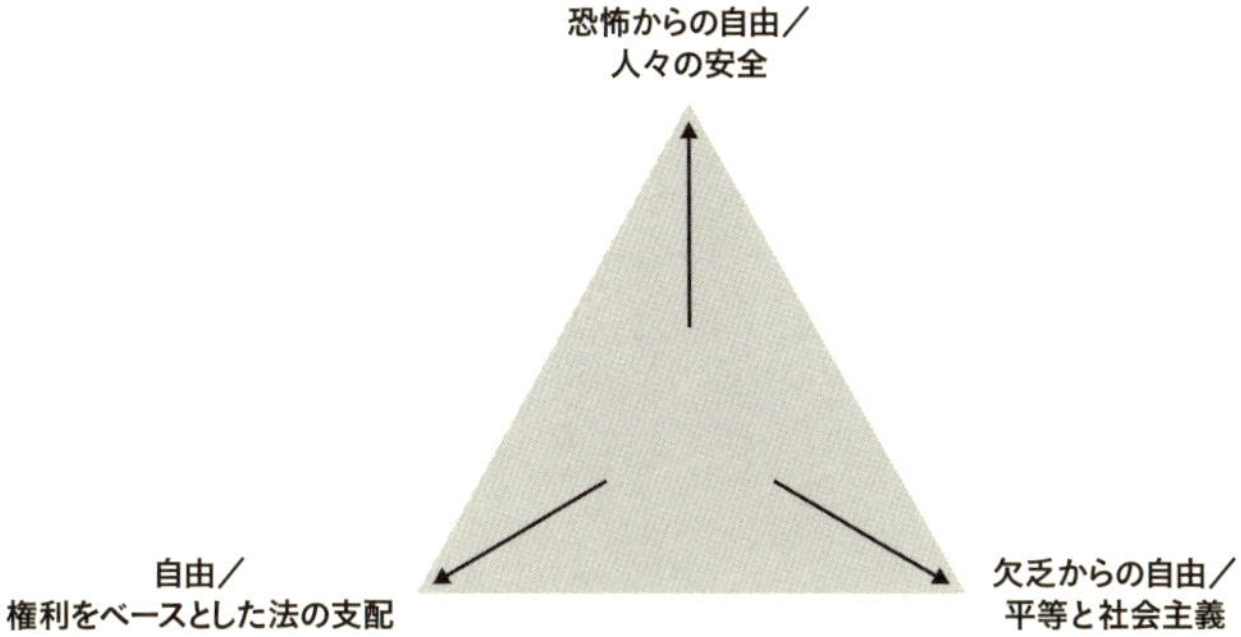


**図4** 人間の安全保障の定義

**狭義**（＝恐怖からの自由）

**手段**
法的規範、国際人道法強化、調停、人道的介入（含武力行使）→保護する責任

**対象脅威**：紛争、大量虐殺、民族浄化、暴力、テロ、対人地雷、小型武器等、人権蹂躙*

**狭義の立場**：カナダ、ノルウェー、オランダ、スイス

Norm Entrepreneurs（規範推進者）：
ロイド・アクスワージー、ブライアン・ジョブ、ポール・エバンス、アンドリュー・マック、メアリー・カルドー、ドン・ヒューバート、アミタヴ・アチャルヤ

*人権蹂躙は広義の定義に含まれない

**広義**
（＝「欠乏からの自由」
＋「尊厳を持って生きる自由」
＋「恐怖からの自由」）

**対象脅威**：貧困、自然災害、環境劣化、気候変動、感染症、栄養不良、麻薬、国内避難民、難民、人身売買、対立・誤解、心の貧困（poverty of dignity）、ガバナンス等

**手段**：保護と能力強化（エンパワーメント）、紛争予防、平和構築、文化活動（信頼醸成、融和、和解、心のケア、誇りの回復など）、貿易へのアクセス、債務軽減、政府開発援助（ODA）、教育、保健衛生、民主化等の能力強化、麻薬取引取り締り等

**広義の立場**：国連、UNDP、日本、タイ、メキシコ、人間の安全保障委員会等

Norm Entrepreneurs（規範推進者）：
小渕恵三、緒方貞子、小倉和夫、山本正、スリン・ピツワン、アマルティア・セン、シャルバナウ・タジバクシュ、メリー・アンソニー、サビナ・アルカイア、ピーター・ユーヴィン、アン・マリー・スローター

出典：著者作成

ていたが、次第にこの二つの集合は重なり合うようになり、現在では広義の解釈も「恐怖からの自由」を含めて考えるようになっている。一方、狭義の解釈も「欠乏からの自由」の必要性を認めるようになってきた。最近ではさらに人間が「尊厳を持って生きる自由」が付加されて論じられることが多い。また、狭義の解釈には人権が含まれているが、広義の解釈を採る場合は人権を明示的に含めることは少なかった。図4において、広義が狭義の解釈を包含するようになってきたものの、一部、部分集合がずれているのは、人道的介入、特に武力行使を広義の解釈では含まないことが多いからである。また、人間の安全保障の用語が導入されて以来、武力行使を含むか否かが、広義と狭義の定義に関する大きな対立軸となってきた。

ちなみにこの「欠乏からの自由」と「恐怖からの自由」も新しい概念ではない。フランクリン・ルーズベルト(Franklin Delano Roosevelt)アメリカ大統領が一九四一年の年頭教書演説の中で取り上げた「四つの自由」の中に含まれているのである(ちなみに残る二つは「言論・表現の自由」と「信教の自由」であった)。そして、同年八月にルーズベルト大統領がウィンストン・チャーチル(Winston Leonard Spencer-Churchill)イギリス首相と連名で発表した「大西洋憲章」には、まさに「恐怖からの自由」と「欠乏からの自由」の二つの自由が採り上げられた。これらの自由が半世紀の時を経て「人間の安全保障」の理念の中で再び採り上げられたことは興味深い。

### ❖広義の解釈

広義の定義には「人間の安全保障」には幅広い課題が包含され、「欠乏からの自由」、「恐怖からの自由」、さらに最近では「尊厳を持って生きる自由」の三つの自由が含まれることはすでに述べたとおりである。そして人間の安全保障の七つの主要な構成要素として、経済、食糧、保健、環境、個人、コミュニティ、並びに政治的安全保障が挙げられた。安全保障の対象となる脅威には、貧困、自然災害、環境劣化、気候変動、感染症、栄養不良、麻薬、国内避難民、難民、人身売買、対立・誤解、尊厳の損失、ガバナンスの弱体化などが含まれている。手段としては保護と能力強化（エンパワーメント）、紛争予防、平和構築、文化交流（融和・和解、信頼醸成、ヒーリング、誇りの回復、芸術活動の維持等）、貿易へのアクセス、債務軽減、ODA、教育、保健衛生、民主化、麻薬取引の取締りなどが挙げられる。この広義の解釈の代表例が前述の「UNDP人間開発報告書」や、日本政府が設立支援し、資金拠出をしてきた「人間の安全保障委員会」の最終報告書である。同報告書の中で「人間の安全保障」は「人間の生にとってかけがえのない中枢部分を守り、すべての人の自由と可能性を実現すること」と定義され、以下のように記述されている。

「人間の安全保障」とは、人が生きていくうえでなくてはならない基本的自由を擁護し、広範かつ深刻な脅威や状況から人間を守ることである。また、「人間の安全保障」は、人間に本来備わっている強さと希望に拠って立ち、人々が生存・生活・尊厳を享受するために必要な基本的手段を手にすることができるよう、政治・社会・環境・経済・軍事・文化といった制度を一体として作り上げていくことをも意味する。

「生」の中枢とは、人が享受すべき基本的な権利と自由を指す［★8］。

しかし、何が人にとってかけがえがなく、生きていく上でなくてはならないものであり、決定的な意味を持つかは、個人によっても社会によっても異なる。だからこそ「人間の安全保障」はダイナミックな概念でなければならず、委員会はこの概念を構成する要素を列挙するようなことは避けた。

日本政府はこの考え方を踏まえ、人間の安全保障を以下のように広義に位置づけている。

人間の安全保障とは人間の生存・生活・尊厳に対する広範かつ深刻な脅威から人々を守り、人々の豊かな可能性を実現するために、人間中心の視点を重視する取り組みを統合し強化しようとする考え方である[★9]。

こうした広義の解釈に基づいて「人間の安全保障」を政策として推進している国には、日本やタイ、最近ではメキシコなど、国際機構としては国連および国連専門機関を挙げることができる。

広義の「人間の安全保障」解釈に対しては反発もある。例えば、発展途上国グループによって一九六四年に国連貿易開発会議（United Nations Conference on Trade and Development ＝ ＵＮＣＴＡＤ）で設立され、現在一三〇カ国が参加しているＧ77は、「人間の安全保障」が、西側諸国が自らの価値観と秩序を押し付け、さらには国内問題に介入してくる口実になるのではないかとの懸念を示した。また、「人間の安全保障」が人権擁護などの形で、援助を受ける際の新たなコンディショナリティ（繰り延べ返済にあたっての条件）を突きつけることになるのではないかとも懸念した[★10]。

## ❖狭義の解釈

「人間の安全保障」の名の下に安全保障上の脅威の対象範囲を拡大することは、概念を不正確で分析に堪えないものにするばかりでなく、具体的な活動につながらないと批判する意見もある。武力紛争をはじめとする様々な暴力から人間とコミュニティを保護することに焦点を絞り、人間の安全保障を考えることを主張するのが狭義の解釈である。

狭義の解釈はいわゆる「恐怖からの自由」に焦点を絞り、内戦状態におかれた人々の安全保障を中心に考える。しかしながら、このような立場を採る人々も近年は広義の解釈を全面的に否定するわけではなく、政策上のアドボカシー（唱道）として、という条件付で広義の解釈は認めるようになっている。ただし、分析や実践のためにはあくまで暴力という脅威に集中して取り組むべきとする解釈は変えていない。

例えばカナダの元外務大臣アクスワージーは、人間の安全保障を以下のように位置づけている。

本質的に人間の安全保障はグローバル社会を建設する取り組みである。グローバル社会では個人の安全が国際社会の優先事項の中心に位置し、国際政策に動機を与える原動力であり、国際人権規範や法の支配が推進され、個人を守る整合的組織に組み込まれており、これらの規範を脅かす者たちは責任を追及され、そして、これらの規範を促進し強化する為に私たちの国際的、地域的、二国間機関を現在から未来にわたって設立し運営する[★11]。

この発言にあらわれているように、狭義の解釈を採る立場では、人権を「人間の安全保障」の範疇に含め、人権擁護が「人間の安全保障」を高めるとの論を展開し、法律や規範の整備による手法、すなわち「権利ベースのアプローチ（a rights-based approach）」を主張している。例えば、狭義の立場の代表格であるサイモン・フレーザー大学教授、アンドリュー・マックは、「二〇〇五年人間の安全保障報告書」の中で、人間の安全保障を人間に対する暴力的な脅威からの保護に絞って論を展開している。そして、広義の解釈については以下のように批判する。

大量虐殺から個人の尊厳までの多様な脅威をまとめた概念は、アドボカシーには有益かもしれないが、政策分析には限られた効用しかない。それが故に、これだけ引用されている一九九四年版「ＵＮＤＰ人間開発報告書」が提示した人間の安全保障の概念が研究プログラムの指針には用いられていないのである[★12]。

狭義の立場をとる人々は、「人間の安全保障という語彙は、その内容が不鮮明かつ曖昧模糊としており、その解釈には混乱が生じており、使いにくい」と批判する。前述のハンプソンも同様に安全保障の概念を広げすぎることにより、「人間の安全保障」が何も意味しなくなり、分析上も政策上も関連性がなくなると批判している[★13]。ニール・マックファーレン(S.Neil MacFarlane)とフーン・コン(Khong Yuen Foong)も、「人間の安全保障」はありとあらゆる人間に降りかかる問題を安全保障の範疇に入れたために概念が分析に耐えなくなってしまった。そのため安全保障を損なう原因について混乱を招き、政治的な問題に対しても軍事的な解決策が用いられることにもなりかねない。従って、人間の次元の安全保障という視点は受け入れるが、何が「人間の安全保障」を損なう脅威かという範囲については国家による物理的な安全を脅かす行為に限定するべきであると主張している。このように脅威を構造的な暴力に限ることで脅威が一体何なのかが判断しやすくなり、安全保障の主流の議論に「人間の安全保障」が入ることができると論じている[★14]。

これに対して人間の安全保障委員会で共同議長をつとめたハーバード大学教授のアマルティア・センは、「人間の安全保障はさまざまな方法で脅かされており、身体的な暴力はそうしたもののひとつにすぎません」と反論している[★15]。

この狭義の解釈にそって人間の安全保障を推進している国としては、カナダ、ノルウェー、オランダ、スイスを挙げることができる。これらの国々は人間の安全保障の効用を認め、後述する人間の安全保障ネットワーク(Human Security Network)を構成して、対人地雷禁止問題、小型武器の不法密輸、ＩＣＣの設立、児童兵士の禁止、児童労働の防止、国際人道法の強化などに取り組んだ。

## ❖「人間の安全保障」の解釈をめぐる論争

このように「人間の安全保障」をめぐっては人道的介入の場合の武力行使を含むかどうかを分水嶺に、広義か狭義かをはじめ、その理念の解釈について激しい論争が展開されてきた。その背景には第1章で論述したように「人間の安全保障」の用語が、数名の有識者の発案を受け、国際機構の場で議論がはじまり、その後いくつかの国々において政治家や政府に政策として採り上げられ、さらにしばらくしてから研究者による議論が高まりを見せたというユニークな経緯を辿っていることがあろう。

「恐怖からの自由」を重視するカナダやノルウェー、オランダ、スイスなどと、「欠乏からの自由」を重視した平和構築を実践し、幅広く環境問題から感染症に至る多様な脅威に取り組み、人道的介入、特に武力行使を「人間の安全保障」に含めない考え方を当初からとっていた日本やタイなどとの考え方の違いが強調された。本来ならばグローバルな協力の対象となるはずの「人間の安全保障」が特に日加間においては対立軸にさえなった。そのため、各国の政策フレームワークにおけるイニシャティブや実践も解釈の差異によって線引きされ、国際協調になかなかつながらなかった。

「人間の安全保障」を採り上げる研究者は少なくないが、後述するように広義から狭義まで、その考え方は様々である。しかしながら、人間中心の安全保障という考え方はいずれの理論学派にもある。ネオリベラル派は人間開発(human development)の考え方に部分的に反映されている経済成長を目的とし、それにより富が再配分されると考える。したがって、安全保障を確保する手段は経済成長である。人間開発の立場を推進する場合は、これに社会政策と人権が加わる。一方、現実主義者(リアリスト)やネオリアリストは、安全保障の対象はあくまでも国家、主権の保全であり、手段は軍事力の強化が中心であるとしてきた。

これに対して「人間の安全保障」は、個人とその集まりとしての国家の両方を対象とするが、その度合いや手段の考え方は人によって様々である。「セキュリティ・ダイアローグ」誌の人間の安全保障特集号

(二〇〇四年)に掲載された二一人の有識者の論文を検討すると、研究者・関係者の数だけ「人間の安全保障」の定義があるといっても過言ではない状況にあり、これが「人間の安全保障」についてのコンセンサスであるといえる定義はない。

あえて分類すれば既に述べたマックやマックファーレンの他、キース・クラウス(Keith Krause)、アミタヴ・アチャルヤ(Amitav Acharya)らは概念の明確さと精密な分析の為に狭義の立場を採る。これに対して広義の立場を採るのはハンプソンやサビナ・アルカイア(Sabina Alkire)、ラメシュ・タクール(Ramesh Thakur)、カンティ・バジパイ(Kanti Bajpai)らである。タクールは「人間の安全保障」を「社会の中の人間の生活の質」と位置づけ、「人々の生活の質を落とす全てのもの——人口圧力、資源の貯蓄やアクセスの減少——などは安全保障上の脅威だ」と解釈する。アチャルヤは当初は広義の解釈をとったが、次第に武力紛争による人的損害や権利を重視する必要性を念頭に「人間の安全保障」の概念を狭く解釈する。またピーター・ユーヴィン(Peter Uvin)は、人道主義、開発、人権、紛争解決の分野においての重複部分や、相互作用に対する見識と戦略が緊急に必要となっていると考え、やや広い解釈に立つが、規範的なアプローチも支持する。広義の概念の擁護者たちは、「人間の安全保障」の概念は「多面的課題に対して統合された解決策を提供」するとの論陣を張る。

図4に規範推進者(norm entrepreneurs)として示した人々も、各々スタンスは異なる。アクスワージーらが狭義の立場に立つのに対して、スリン・ピツワン(Surin Pitswan)ASEAN事務総長(元タイ外務大臣)などは広義の立場に立って、「人間の安全保障」を外交政策に用いようとしてきた。故小渕恵三首相もこの立場であった。

「人間の安全保障」を外交政策として推進したパイオニアであったハンプソンは「人間の安全保障」を推進する人々は「人間の安全保障を脅かす人道的、社会的、経済的、環境的、開発上の課題に必要な資源と政治的なサポートを確保できなかった」とそもそも「人間の安全保障」の理念に対して批判的である[★16]。一方、アクスワージーのスピーチ・ライターでもあったカナダ外務省のドン・ヒューバート（Don Hubert）はハンプソンの意見に反発し、第5章で詳述する対人地雷禁止条約の締結や国際刑事裁判所（ICC）設立の例を示しつつ、「人間の安全保障」政策の成果は上がっているとし、「実際には人間の安全保障は成立しているが理論上はうまくいっていないのは学者に責任がある」と論駁している[★17]。また、アストリ・スルケ（Astri Suhrke）は、カナダとノルウェーの人間の安全保障政策は、一部国連非常任理事国に立候補するための手段としての側面があり、二〇〇二年から動きがとまっていると批判している[★18]。

定義論争で特徴的なのは、狭義の立場に立つ者は暴力を越えてすべてを安全保障上の脅威にしてしまうことの愚を指摘し、広義の解釈が曖昧模糊としていて学問的な分析に堪えないと非難している点である[★19]。一方、広義の立場に立つ者は、狭義の解釈は伝統的安全保障の域を出ておらず、そのため現在の安全保障の要件を満たさないと批判し、定義をより広く解釈することにより、様々な安全保障上の脅威と課題を関連付けて、政策に反映できると主張するのである。

## 2 「人間の安全保障」をめぐる議論の変遷

### ✣議論の収斂へ

十年余の議論を経てなお「人間の安全保障」の定義は確定していない。境界線が曖昧であらゆる要素が対象になり得るために具体的な政策立案・実践につながらない、人権や開発といった理念のラベルの貼り替えにすぎない、などの疑問や反発も依然としてぬぐうことが出来ずにいる。しかし、一部の論争には収斂の兆しが見えはじめてもいる。

### (1)武力行使問題について

広義と狭義の分水嶺となってきた「人間の安全保障」の確保のために武力行使を含む人道的介入が正当化されるのか否かについても収斂が見られる。人道的介入とは、「ある国において、住民に対して大規模に苦痛や死がもたらされているとき、それを止めることを目的として介入すること」[★20]を指す。すなわち著しい人権侵害を阻止するために介入する場合である。一九九九年に北大西洋条約機構(North Atlantic Treaty Organization＝NATO)加盟国が、コソボにおける人権侵害に対して、ベオグラードを中心に空爆を加えたこと[★21]、ルワンダで大量虐殺が発生しながら国連が有効な介入ができなかったこと[★22]などから、アナン国連事務総長(当時)のミレニアム報告において人道的介入がどのような場合に認められるかについて検討してほしいとの呼びかけがなされた。

これに応えて、カナダ政府がイニシャティブをとり、どのような場合に主権国家に国際社会が軍事的に介入できるかを検討する「介入と国家主権に関する独立国際委員会(ICISS)」が二〇〇一年に設置された。オーストラリアの元外務大臣で、インターナショナル・クライシス・グループ(The International Crisis Group＝ICG)理事長(当時)のガレス・エバンス(Gareth John Evans)と、アルジェリアの外交官で国連事務総長特別代表のモハメッド・サヌーン(Mohammed Sanoon)が共同議長を務めた同委員会の報告書「保護する責任(Responsibility to Protect)」[★23]では、「介入する権利」に代わって「保護する責任(Responsibility to Protect＝R2P)」という考え方が提言された。ICISSは、大量虐殺や民族浄化などの著しい人権侵害の事態が発生し、当該主権国家が事態を収拾する責任をはたせない場合、国連安保理の決議を経て国際社会が介入し、事態を救済し、市民を保護する責任があるとの考え方を提示した。すなわち、国家が自国民を保護できない場合は、国際社会が代わってその責任をはたさなければならないという論理を提言した。これはそれまでの国連憲章上の武力行使禁止、主権国家への内政不干渉という原則からの転換であった。

さらに同報告書では保護する責任は、軍事介入部分のみに焦点をあてているのではなく、紛争予防から平和構築までを視野に入れ、予防する責任(responsibility to prevent)、対応する責任(responsibility to react)、再建する責任(responsibility to rebuild)から構成されており、特に介入の段階に至る前に、紛争を予防する責任が強調された。

その後のハイ・レベル・パネル報告では、ICISSの共同議長であったエバンスが委員になったこともあり、この保護する責任の考え方が盛り込まれ「ジェノサイドおよびその他の大規模殺戮、民族浄化、国際人道法の重大な侵害の際に、主権を持つ当該政府が無力また無関心な場合に、安保理の許可する軍事介入を最後の手段として認める」[★24]と記述された。この報告書ではICISSの報告書よりも保護する責任が発生する状況を国連の枠内に限定した。国連加盟国が主権への強いこだわりを示す中で、受け入れやすい表現になっている。

さらに国連創設六〇周年の機会に国連改革を提言した二〇〇五年三月アナン事務総長(当時)の「より大きな自由を求めて」報告書においては、「恐怖からの自由」にあたる部分を「尊厳をもって生きる自由」で取り上げ、法の支配の中で保護する責任に触れた[★25]。さらに同報告書の補章において、「ジェノサイド、民族浄化および人道に対する罪に対して自らの住民を保護することに国家が無力または無関心な場合、住民を保護する責任は国家から国際社会に移り、外交的、人道的その他の方法を用いて住民を保護する。仮にそれらの手段では不十分であることが明らかになった場合には、安保理が国連憲章に基づいて必要な措置をとり、強制行動をとることも含む」と述べた[★26]。

二〇〇五年九月、国連創立六〇周年を記念して開かれた国連総会首脳会合の成果文書は、この「保護する責任」[★27]という概念を導入した[★28]。成果文書では大量虐殺、戦争犯罪、民族浄化ならびに人類に対する犯罪から人々を守る責任はまずそれぞれの国家にあるとされた。主権尊重を明示した上で、国家が自国民を保護することができない場合には国際社会が国連を通じて国連憲章の第六章と第八章に基づき、適切な外交的、人道的、あるいはその他の平和的手段を用いてこれらの犯罪から人々を守る責任を持つ道筋をつけたのである。そして最後の手段として、国連憲章第七章措置を含め、安全保障理事会を通じて必要な強制的手段をとる責任が加盟国にあることが述べられている。この記述によって、紛争時にはまず国家がその主権の責任の一部として国民を保護すべしとされ、これができない場合は国際社会の武力介入は安全保障理事会の決議を要件とすることとなり、「人間の安全保障」名目による諸外国の国内管轄権への介入について一定の基準が設けられた。依然、人間の安全保障の名の下の人道的介入の可能性を懸念する国は残るが、ある程度まで「人間の安全保障」への懸念が払拭された国々もある。

二〇一〇年に発表された国連事務総長の人間の安全保障報告書においても同様に第一義的には主権国家が国民を保護する責任があり、これをはたせない場合には国際社会が人々を保護するために国連安保理決議を経て介入するとの記述になっている。そして、人間の安全保障において主権国家への武力行使は含まれない[★29]とされた。すなわち、同報告書では武力行使は人間の安全保障概念の適用においては考えられておらず、むしろ政府ならびにコミュニティの危機や課題への対応能力を強化することに焦点があるとされている。いわば予防する責任が強調されている。ただし、R2Pで指摘されているような危機的状況においては、国際社会は国連憲章の原則に従って対応するとの記述が加えられており、人間の安全保障という名目よりも保護する責任の視点からの武力介入の必要性が位置づけられた。

この保護する責任のテストケースとなったのが、二〇〇三年二月にスーダンのダルフール地方において、アフリカ系住民組織が石油の利益配分と自由権を要求し、スーダン政府が住民に攻撃を加えたという事件であった。このときはアフリカ系住民に対して殺害、拉致、強姦、略奪、破壊、焼き討ちなどの民族浄化が行われ、二〇〇四年五月国連人権調査団が、ダルフールの事態を人道危機と報告した。これに基づき、国連は安保理決議でスーダンに対する武器禁輸を決め、二〇〇五年三月にはダルフールでの残虐行為の関係者の国際刑事裁判所訴追を安保理で決議し、同年七月に安保理決議一七六九によりダルフール国連・AU合同ミッション(African Union-United Nations Mission in Darfur = UNAMID)を設立した。決議一七六九ではダルフールの事態を人道に対する罪とし、保護する責任をはたすべしとの位置付けをした。一方、ジンバブエのロバート・ムガベ(Robert Gabriel Mugabe)政権の不公正選挙と住民への弾圧については安保理理事国の間で対立があったため保護する責任をはたすという決議が成立しなかった。すなわち欧米諸国は予防的に保護する責任を決議しようとしたが、中国、ロシア、アフリカの一部諸国が反対し、決議案の採択に至らなかった[★30]。

このように保護する責任は武力行使と主権国の内政不干渉を原則とする国連において新しい人道的介入への論理を提供した。しかしながら、安保理が保護する責任をはたす義務を憲章上担っているわけではない。また、ジェノサイドが発生しているか否かの判定も客観的な基準があるわけではなく難しい。保護する責任が実践されるにはまだまだ課題は多い。

しかしながらR2P報告書以来、このような人道的な武力介入についての論点が整理され、それまで人間の安全保障に否定的であった国々の中から、肯定的態度に転じた国々が少なからずある。人間の安全保障に関する議論で武力行使を範疇に入れることには反対してきた日本も、万策つきた最後の手段として武力行使の可能性を排除しない、というところまで歩み寄ってきている[★31]。

## (2) 広義か狭義か

前述のように、当初は人間の安全保障を定義するにあたって「恐怖からの自由」が狭義、「欠乏からの自由」が広義と分類されたが、十年余におよぶ定義論争を経て、現在では広義はもとより狭義の立場の人々も「人間の安全保障」には二つないしは「尊厳をもって生きる自由」含めた三つの自由がともに包含されることを認めるようになっている。例えば、狭義の立場に立つ、マックもアドボカシーには広義の解釈の有用性を認めるようになっている。また、第6章で紹介する人間の安全保障ドクトリンを提案し、狭義の解釈に立つロンドン・スクール・オブ・エコノミックス(London School of Economics and Political Science＝LSE)教授のメアリー・カルドー(Mary Kaldor)も、紛争のみではなく津波などの災害も「人間の安全保障」の範疇に含めている。狭義の立場を採るアクスワージーも貧困などの安全保障への影響は認めている。

国連人道問題調整事務所(United Nations Office for the Coordination of Humanitarian Affairs＝OCHA)の人間の安全保障ユニットは、国連総会首脳会合の成果文書に入った以下の記述をもって「人間の安全保障」について広義の解釈が主流化したという立場をとる[★32]。この成果文書が大きな転換点となり、やや下火になりかけていた人間の安全保障の議論が活発化したことは事実である。また、日本とメキシコが共同議長を務め、OCHAと共催で開催している「人間の安全保障フレンズ会合」でも広義の解釈が受け入れられている。

人間の安全保障

143. 我々は、人間が自由と尊厳を持ち、貧困と絶望から解放されて生きる権利を持つことを強調する。すべての人は、特に弱い立場の人々が恐怖と欠乏から自由に生き、すべての権利を享受し、人間としての潜在力を充分に開発する平等な権利を持つことを認識する。そのために、総会において人間の安全保障の理念を議論し、定義することを約束する[★33]。

また、前述の二〇一〇年の国連事務総長報告でも広義の解釈が用いられている。依然、若干の定義問題は残るものの、「人間の安全保障」の真価は、それをどう実践できるか(operationalize)にかかっているというコンセンサスが生まれている。「人間の安全保障」の実践が成果を挙げれば、政策フレームワークとしての価値も実証されることになろう。

### (3) 安全保障上の脅威の対象範囲

安全保障上の脅威には、伝統的な紛争、暴力、核兵器の拡散などの物理的な脅威にとどまらず、経済、社会、環境、感染症などをも包含する点については、広義、狭義の立場を問わず、共通の理解になってきている。

はたしてこれらすべてが安全保障上の脅威か否かという議論はあり、安全保障化(securitization)の行き過ぎという反論もある。あまりにも安全保障上の脅威が幅広く位置づけられるため、「人間の安全保障」が指すものが曖昧になり、使いにくい概念になっているとの批判があることにも触れた。広義と狭義を橋渡ししようと、広義の安全保障上の脅威に含まれるところの福祉、尊厳や生存が損なわれる「閾値《いきち》(threshold)」を設けよう、すなわち、脅威を原因で分類するのではなく、深刻度で測り、「人間の安全保障」の対象とするか否かを決めようとの提案もある[★34]。とはいえ脅威の定量化には新たな問題も出てくる。

しかしながら、最近では気候変動や感染症、環境破壊、自然災害などの影響が先進国、発展途上国の両方にでており、多様な脅威も国家安全保障を損なう安全保障上の脅威であるという認識が広まっている。カナダのサイモン・フレーザー大学の人間の安全保障センターが実施した調査結果によれば、様々な脅威や危険のうち、日々の暮らしの中で何が最も恐ろしいか、との設問に対する回答結果は、第一に暴力的犯罪であり、

**図5　人々が最も怖れているものは何か**

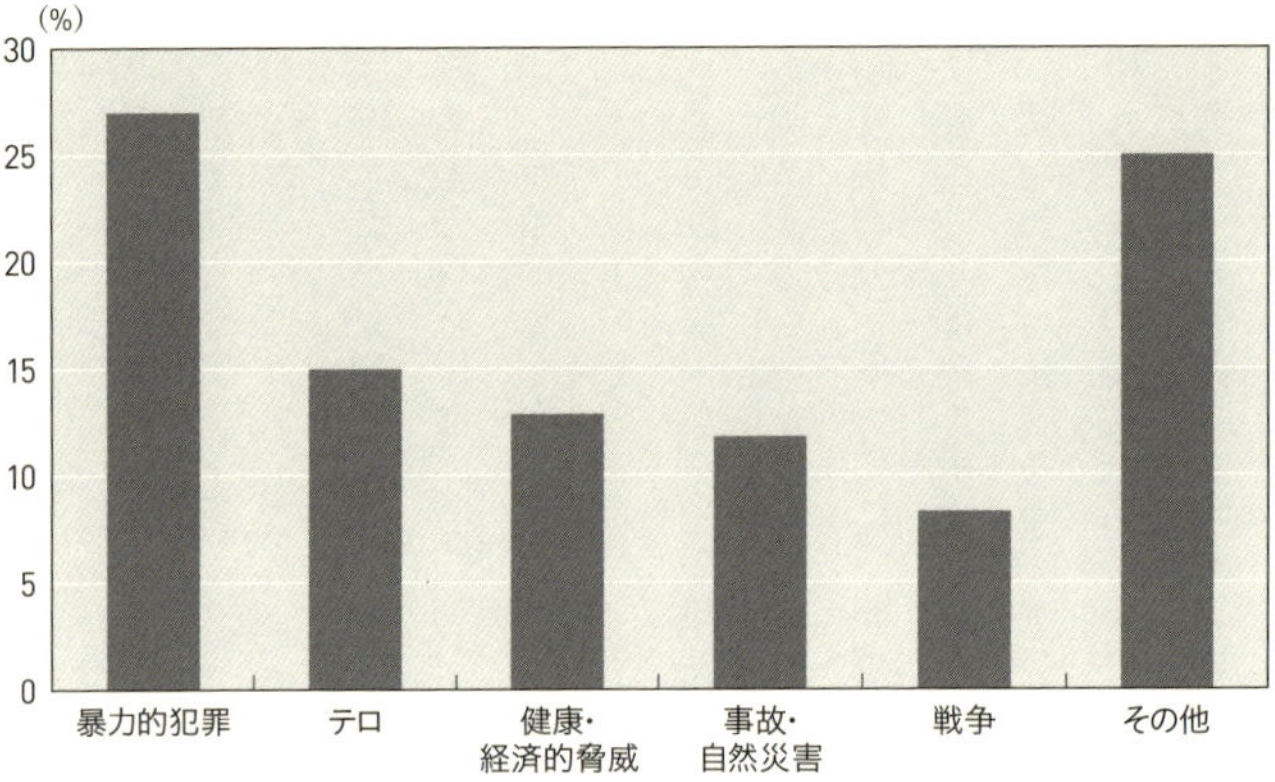


出典：Human Security Report 2005

回答者の四分の一をこえる二七パーセントがこれを挙げている（図5参照）。暴力的犯罪には暴力事件以外に、盗難や誘拐、性犯罪、家庭内暴力なども含まれる。暴力的犯罪についでテロ（一五パーセント）、健康や経済的な脅威（一三パーセント）、事故や自然災害（一二パーセント）、戦争（八パーセント）、その他、の順になっている。これは人々の脅威認識が戦争のみに限らず多様化していることを如実に表しているといえよう［★35］。

　特に旧ユーゴ紛争、アフガニスタン戦争、イラク戦争、東ティモールの独立をめぐる紛争等では初期段階では武力戦闘が中心となったが、主要な戦闘終了後にはそれぞれの戦後復興のプロセスにおいて、軍事的な安全保障とあわせて現地に住む人々や帰還する難民および国内避難民の生活が安定し、現地社会が復興し安定することが、元紛争地の平和が持続するために不可欠であるとの認識が共有されている。そのための手段としては軍事的な措置のみではなく、政治、社会、経済、文化などの幅広い政策が必要であることが共通の認識になってきている。元紛争地が安定し、ガバナンスが回復・構築されないと、その場がテロリスト育成の地と化したり、麻薬、武器などの密輸ルートとなって国や国際社会の安全保障を脅かしたりする。ゆえに二一世紀にあっては安全保障上の脅威を幅広く解釈する必要があるといえよう。

また、範囲の議論に際して大きな問題となっているのが、人権が「人間の安全保障」に含まれるか否かである。第6章で詳述するように、人権を人間の安全保障の中に明確に位置づける欧州に対し、人権は人間の安全保障の範疇外であることを主張するアジアの考え方がある。前者は人権蹂躙状況があれば武力行使を含む強制的な措置を執行する理由となるとするが、後者は人権擁護の名の下に国内に干渉、介入されることを嫌う。双方の立場は相容れないが、少なくとも著しい人権侵害は安全保障を損なうという認識は広がっている。

### (4) 理念か、政策フレームワークか

人間の安全保障が、はたして理念といえるのかが議論されてきている。この論点については、「人間の安全保障」をひとつの思想的な立場と考えるのではなく、国際的な政策課題である平和と安全問題を包括的に取り扱う政策的視点であるとの考え方が主流になりつつある。

UNDPの事例で述べたように、「人間の安全保障」の考え方は様々な政治的な理由から導入されてきた。理念とするには、収斂しつつあるとはいえ、定義の一本化に無理があり、また、理論として精緻な分析や研究が行われたわけでもない。しかし「人間の安全保障」という視座を取り入れることにより、現実問題の解決に向けた効果的な対応や取り組みが可能になるのであれば、あるいは、包括的な問題解決への取り組みにつながるのであれば、「政策フレームワーク」として重要な価値があるのではないか、という意見に収斂しつつある[★36]。

### (5)「安全保障」の概念か、「開発」の概念か

「人間の安全保障」ははたして安全保障の概念なのか、それとも開発援助の概念なのかという議論がある。

「人間の安全保障」の用語が登場した流れには、そもそもこの二つの軸があった。広義の解釈を採るUNDPでは、開発援助により経済インフラが整備されて人々が生活能力をつけ、衛生状態を改善し、環境の劣化を防止することが重要な「人間の安全保障」である、との論理が展開されてきた。これに対して狭義の解釈の立場の人々は、「人間の安全保障」という言葉を用いているものの中身は開発援助に他ならないと批判する。すなわち「人間の安全保障」と「人間開発」の違いが不分明であり、「人間の安全保障」という語彙をわざわざ用いなくとも開発援助は以前から行われているというのである。人間の安全保障という語彙をあえて用いているのは安全保障と呼ぶことによって予算を獲得しやすいというねらいがあるのではないかとさえ批判されている。

しかしながら、図4でも明らかなように「人間の安全保障」は、広義の立場に立つ場合も開発援助に限定された概念ではない。後述するように「人間の安全保障」のラベルのもとで紛争防止、紛争後の緊急人道援助、長期的な平和構築など様々な活動が展開されるようになっており、「人間の安全保障」は単なる開発援助にすぎないという批判も次第に収まってきている。

### (6)「人間の安全保障」と国家安全保障

概念が導入された当初から、「国民の…」と呼ばずに「人間の…」と呼ばれたことから「人間の安全保障」は国家安全保障に代わるのか、もしそうであるとすれば、その考え方は誤りである、との指摘がリアリストからさかんに主張された。しかしトランスナショナルな安全保障上の脅威が増大する中で安全保障は国家のみが独占する課題ではないと理解され、「国家安全保障」と「人間の安全保障」は、どちらかひとつを選択するのではなく両方が必要であり、二つは相互補完関係にあるという考え方に議論が収斂しつつある[★37]。

人間の安全保障委員会も、その最終報告書において「人々を保護し、その能力を強化することは、人々が安全にかつ尊厳をもって暮らせる真の可能性を創造することでもある。こう考えると人間の安全保障は国家の安全保障にとって代わるものではなく、これを強化するものである」[★38]と両者の関係を整理している。

二〇一〇年に発表された国連事務総長の人間の安全保障報告書では、人間の安全保障の推進にあたっては、ルールに基づくシステムをつくる上で政府が重要な役割をはたし、これにコミュニティ、個人が連携していくことで社会の平和と安全が確保されると記述されている。国連という機構の性格上主権尊重が前面に打ち出されているが、人間の安全保障と国家安全保障が国際社会の平和と安全を確保するために相互補完的な役割をはたすという見解が示されている[★39]。当初国家安全保障と人間の安全保障のいずれが主軸となるのかという議論が展開されたが、次第に両者の関係は二者択一ではなく、双方が必要であるとの考え方が広く共有されるようになってきているといえよう。

### ✣議論から実践へ

このように「人間の安全保障」の理念をめぐる論争は、収斂の兆しをみせている。

長らく様々な論争を呼んだだけに「人間の安全保障」は、世界各地の高等教育機関でもコースに採り上げられるようになっている。最も進んでいるのがカナダの大学であり、ブリティッシュ・コロンビア大学、ビクトリア大学、トロント大学、サイモン・フレーザー大学、マギール大学、ケベック大学、カルガリー大学[★40]等において二三〇以上の「人間の安全保障講座」が開設されている。また、第5章で紹介するように「人間の安全保障」を教えるカナダ大学のコンソーシアム(The Canadian Consortium on Human Security)[★41]が設立され、シラバスの共有、フェローシップの提供、論文の紹介などが行われた。

「人間の安全保障」に批判的なアメリカでもタフツ大学に「人間の安全保障研究所」が設けられ、開発から人権問題まで学際的にコースを履修することができるようになっている。カリフォルニア大学アーバイン校[★42]は人間の安全保障で修士・博士課程を開設しており、ピッツバーグ大学でも「フォード人間の安全保障インスティテュート」が研究・講義を実施している[★43]。その他、フランスではパリ政治学院で同様の講座が開かれ、エックス・マルセイユ大学は「人の保護と人間の安全保障」修士課程を設けている[★44]。

イギリスではコベントリー大学[★45]、ノッティンガム・トレント大学[★46]が修士課程を開設し、ブラッドフォード大学[★47]などが研究センターを設けている。オーストラリアではクィーンズランド大学[★48]、オーストラリア国立大学[★49]、南アフリカではウィットウォーターズランド大学[★50]などが人間の安全保障に関するコースを実施している。また、オーストリアのグラッツ大学では「国際法における人間の安全保障」講座が開設されている[★51]。ドイツでは個別研究が主で、マーブルグ大学の人間の安全保障研究室[★52]、ボッフム・ルアー大学「グローバル化の中の人間の安全保障」研究[★53]、エッセン大学の人間の安全保障研究プロジェクト[★54]、そしてノルウェーのオスロ大学「地球環境変動と人間の安全保障研究プロジェクト」[★55]などが積極的に活動している。

日本国内の大学でも相次いで「人間の安全保障講座」が設けられている。

活発な議論と研究機関の対応によって、「人間の安全保障」に関する議論は、いかに実践(operationalize)するかに収斂し、「理念から行動へ」の段階に移った。続く第3章から6章では、各国・地域が「人間の安全保障」をどのように受け止めたか、或いは批判的であったか、積極的に外交政策に取り入れた国々についてはどのように実践、推進されてきたかを概観する。

## 註

★1―Shahrbanou Tadjbakhsh and Anuradha M. Chenoy, *Human Security: Concepts and Implications*, Abingdon, Oxon, Routledge, 2007, p.11.

★2―*Ibid.*, p.75.

★3―篠田英朗「安全保障概念の多義化と『人間の安全保障』」(広島大学平和科学研究センター編『ＩＰＳＨＵ研究報告シリーズ研究報告　人間の安全保障論の再検討』第三一号、二〇〇四年、六六頁)

★4―佐藤誠三郎「『国防』がなぜ『安全保障』になったのか――日本の安全保障の基本問題との関連で」(『外交フォーラム　特別編』一九九九年、四-一九頁)

★5―Human Security Centre, *Human Security Report 2005: War and Peace in the 21st Century*, New York, Oxford University Press, 2005, p.viii.

★6―Fen Osler Hampson(et al.), *Madness in the Multitude: Human Security and World Disorder*, Don Mills Ont., Oxford University Press, 2002, pp.16-18.

★7―*Ibid.*, p.16.

★8―人間の安全保障委員会『安全保障の今日的課題――人間の安全保障委員会報告書』朝日新聞社、二〇〇三年一一頁

★9―国際協力局多国間協力課『人間の安全保障基金――二一世紀を人間中心の世紀とするために』外務省、二〇〇七年三月、二頁

★10―Shahrbanou Tadjbakhsh and Anuradha M. Chenoy, *op.cit.*, p.35.

★11―Lloyd Axworthy, Interview with *Canada World View*, Special Edition, Fall, cited in Shahrbanou Tadjbakhsh and Anuradha M. Chenoy, *op.cit.*, p.113.

★12―Human Security Centre, *op.cit.*, p.viii.

★13―Fen Osler Hampson(et al.), *op.cit.*, p.15.

★14―S. Neil MacFarlane and Yuen Foong Khong, *Human Security and the UN: A Critical History*, Bloomington, Ind., Indiana University Press, 2006, pp. 227-228.

★15―アマルティア・セン(東郷えりか訳)『人間の安全保障』集英社新書、二〇〇六年、九-一〇頁

★16―Fen Osler Hampson, 'A Concept in Need of a Global Policy Response', *Security Dialogue*, Vol. 35, No.3, September, 2004, pp.349-350.

★17―Don Hubert, 'An Idea That Works in Practice', *Security Dialogue*,Vol.35, No.3, September, 2004, pp.351-352.

★18―Astri Suhrke, 'A Stalled Initiative', *Security Dialogue*, Vol.35, No.3, September, 2004, p.365.

★19―S. Neil MacFarlane and Yuen Foong Khong, *op.cit.*, p.17.

★20―最上敏樹『人道的介入――正義の武力行使はあるか』岩波新書、二〇〇一年、一〇頁

★21―同右、九六-一二八頁

★22―同右、六二-六九頁

★23―International Commission on Intervention and State Sovereignty, *The Responsibility to Protect: Report of the International Commission on Intervention and State Sovereignty*, Ottawa, International Development Research Centre, 2001.

★24―United Nations, *A More Secure World: Our Shared Responsibility: Report of the High-level Panel on Threats, Challenges and Change*, New York, United Nations, 2004, para 203.

★25―United Nations Secretary-General, 'In Larger Freedom: Towards Development, Security, and Human Rights for All', UN Doc, A/59/2005, 21 March, 2005, para. 135.

★26―*Ibid.*, Annex III-7.

★27―「保護する責任」の考え方は、コソボ空爆以降、人道的介入が問題となり、設置された介入と国家主権に関する独立国際委員会(International Commission on Intervention and State Sovereignty＝ICISS)により勧告されたものである。

★28―United Nations General Assembly, 'Resolution Adopted by the General Assembly: 2005 World Summit Outcome', UN Doc, A/RES/60/1, 24 October 2005, para.138-142.

★29―United Nations General Assembly, 'Human Security: Report of the Secretary-General', UN Doc, A/64/701, 8 March 2010, para.19.

★30―滝澤美佐子「人間の安全保障と人道的介入――国連における人間の安全保障の展開を軸として」(武者小路公秀編著『人間の安全保障――国家中心主義をこえて』ミネルヴァ書房、二〇〇九年、一一九-一二〇頁)

★31——二〇〇九年一〇月東京での外務省高官による人間の安全保障に関する講演から

★32——筆者によるOCHA人間の安全保障ユニットにおけるインタビューより（二〇〇七年七月）

★33——United Nations General Assembly, *op.cit.*, UN Doc., A/RES/60/1, p.143.

★34——Taylor Owen, 'Human Security–Conflict, Critique and Consensus: Colloquium Remarks and a Proposal for a Threshold-Based Definition', *Security Dialogue*, Vol. 35, No.3, September, 2004, p.384.

★35——Human Security Centre, *op.cit.*, p.51.

★36——篠田英朗、上杉勇司「新しい平和構築のアプローチを求めて」（篠田英朗、上杉勇司編『紛争と人間の安全保障——新しい平和構築のアプローチを求めて』国際書院、二〇〇五年、二九一頁）

★37——人間の安全保障委員会、前掲、二八-二九頁

★38——同右、二八-二九頁

★39——United Nations General Assembly, *op.cit.*, UN Doc, A/64/701, para.20-22

★40——Royal Roads University, 'Master of Arts in Human Security and Peacebuilding', http://www.royalroads.ca/program/human-security-and-peacebuilding-ma（二〇一〇年五月一〇日最終アクセス）

★41——Canadian Consortium on Human Security, 'CCHS: An Academic Network Promoting Policy-based Research on Human Security', http://www.humansecurity.info（二〇一〇年五月一〇日最終アクセス）

★42——Center for Unconventional Security Affairs at the University of California, Irvine, 'Research and Programs', http://www.cusa.uci.edu/programs/research.html（二〇一〇年五月一〇日最終アクセス）

★43——University of Pitsburg Ford Institute for Human Security, 'Ford Institute for Human Security', http://www.fordinstitute.pitt.edu（二〇一〇年五月一〇日最終アクセス）

★44——Institut d'Etudes Humanitaires Internationales de la Faculté de Droit et de Science Politique, Université Paul Cézanne Aix-Marseille III, 'Master Recherche : Protection des personnes et sécurité humaine', http://www.facdedroit.u-3mrs.fr/IEHI/masters.php?master=17（二〇一〇年五月一〇日最終アクセス）

★45——Coventry University, 'Human Security MA Degree', http://wwwm.coventry.ac.uk/postgrad/postgraduate/pages/pgft_InternationalRelations.aspx?itemID=154（二〇一〇年五月一〇日最終アクセス）

★46——Nottingham Trent University, 'MA Human Security and Environmental Change', http://www.ntu.ac.uk/apps/pss/courses/

cf/61007-1/10/MA_Human_Security_and_Environmental_Change.aspx（二〇一〇年五月一〇日最終アクセス）

★47—University of Bradford, ‘Centre for Conflict Resolution’, http://www.brad.ac.uk/acad/confres（二〇一〇年五月一〇日最終アクセス）

★48—University of Queensland, ‘Courses and Programs: Human Security in the Global Politics’, http://www.uq.edu.au/study/course.html?course_code=POLS2222（二〇一〇年五月一〇日最終アクセス）

★49—The Australian National University, ‘Human Security: Conflict, Displacement and Peace Building ASIA2047’, http://studyat.anu.edu.au/courses/ASIA2047;details.html（二〇一〇年五月一〇日最終アクセス）

★50—University of the Witwatersrand, ‘INTR 4005: African Human Security in an International Context’, http://web.wits.ac.za/Academic/Humanities/SocialSciences/InternationalRelations/Postgraduate/Honours/SecondSemester/INTR+4005++African+Human+Security+in.htm（二〇一〇年五月一〇日最終アクセス）

★51—Universität Graz, ‘Human Security in International Law’, https://online.uni-graz.at/kfu_online/lv.detail?clvnr=146605&sprache=2（二〇一〇年五月一〇日最終アクセス）

★52—Universität Marburg, ‘Human Security Research Unit’, http://www.humansecurity.de/index.php?article_id=48&clang=0（二〇一〇年五月一〇日最終アクセス）

★53—Ruhr Universität Bochum, ‘Human Security in the Process of Globalisation’, http://www.research-school.rub.de/cms/human_security.html（二〇一〇年五月一〇日最終アクセス）

★54—Universität Duisburg Essen, ‘Fachbereich Gesellschaftswissenschaften / Institut für Entwicklung und Frieden (INEF)’, http://moodle.uni-duisburg-essen.de/course/category.php?id=37（二〇一〇年五月一〇日最終アクセス）

★55—GECHS, ‘Global Environmental Change and Human Security’, http://www.gechs.org（二〇一〇年五月一〇日最終アクセス）

# 第3章 国連機関と「人間の安全保障」

第3章から第6章では、この十年余、活発な論争を呼んだ「人間の安全保障」を、様々な主体（アクター）がどのように採り上げてきたかを見ていく。国連、欧州やアジアの地域機構といったアクターに加え、各国、とりわけ人間の安全保障推進に熱心であったカナダと日本がどのように取り組んできたかを検証し、「人間の安全保障」に批判的であるアメリカの事情も紹介する。

本章ではまず国連機関の人間の安全保障への取り組みを検証する。一九九四年に国連機関のひとつであるUNDPの人間開発報告書によって導入された人間の安全保障であったが、国連システムの中でもこの理念に反対する意見も少なからず、また第2章で述べたように人間の安全保障の名目の下での介入を懸念する加盟国もあり、なかなか主流化しなかった。一方で成果文書に人間の安全保障の考え方が盛り込まれ、後述するように日本を中心とする国々による人間の安全保障フレンズ会合や、日本が拠出している人間の安全保障基金による具体的なプロジェクトの支援を通じた実践により、次第に受けいれられるようになり、二〇一〇年の国連事務総長報告では、「人間の安全保障は国連において幅広い支持を獲得するに至っている」[★1]と評価されている。以下に国連における人間の安全保障の議論や実践を検証する。

## 1　国連を中心とする国際社会における人間の安全保障をめぐる議論

国際的な枠組みの中で「人間の安全保障」はどのような位置づけを与えられてきたのだろうか。これを見るひとつの方法としてG8首脳会合で発表された宣言等を検証する。

一九九九年のケルン外相会合総括では、「人間の安全保障」という項目が設けられ、「個人としてであれ集団としてであれ、人々の効果的な保護は、引き続き我々の中心的課題である。G8は、人間の安全保障に対する多くの脅威の根底にある原因と闘う決意であり、また、全ての個人の基本的権利、安全及び生存そのものが保障されるような環境を創出することにコミットする。我々は人間の安全保障にとっての非常に重要な基礎は、引き続き民主主義、人権、法の支配、良い統治及び人間開発であることを強調した」[★2]と盛り込まれた。

二〇〇〇年の外相会合総括（宮崎）では、「我々は、急速なグローバリゼーションが進むこの時代において、平和並びに民主主義、法の支配、人権及び開放的な経済という根本的原則に対する永続的なコミットが引き続き不可欠であると信じる。我々は、すべての人々の尊厳、福祉、安全及び人権が確保される環境の創造を通じた人間の安全保障に対するコミットを再確認する」[★3]と述べられた。二〇〇三年の首脳会合（エビアン）の議長総括では、「我々は国際連合事務総長に対して提出された、人間の安全保障委員会の報告書に留意した」[★4]と同委員会の報告への言及がなされた。

さらに二〇〇七年のハイリゲンダム・サミットでは議長総括の「II. アフリカにおける成長と責任」の項目で、「我々は、軍事的解決のみでは長期的に平和を確保することはできないことを確認した。むしろ、人間の安全保障と安定を促進するために必要とされる政治的、経済的および社会的条件が目的とされなくてはならない」[★5]と長期的な平和のために人間の安全保障の確保が重要であることが認識されている。二〇〇八年の北海道洞爺湖サミットでは、首脳宣言で「我々はまた、個人及びコミュニティ保護と能力強化を通じて、人間の安全保障の向上に取り組む」[★6]と言及され、議長総括の「Ⅲ．開発・アフリカ」には「ミレニアム開発目標（MDGs）に向けた中間年にあたり、我々はグレンイーグルズで行ったMDGs及び政府開発援助「ODA」に関するコミットを達成するために開発途上国と協力するという我々のコミットを新たにした。我々はまた、これらの目標を達成するための様々なアプローチ、すなわち、人間の安全保障の向上、良い統治の促進、民間部門主導の経済成長および様々な利害関係者を巻き込む全員参加型のアプローチの重要性を強調する」[★7]と盛り込まれ、アフリカの開発において人間の安全保障の視点が盛り込まれた。

二〇〇九年のラクイラ・サミットでもG8首脳宣言の「開発とアフリカ　持続可能で包括的なグローバリゼーションの促進」の項目に「世界的な経済危機のときに当たって、我々は、すべての人々に対して経済的および社会的機会へのアクセスを促進し、人間の安全保障を改善するため、最貧国の脆弱層に過度の影響を与えている危機の影響への対処について開発途上国を支援すること並びに持続可能な開発、食料安全保障、良い統治、平和及び安全を達成するためにこれらの国々と協力することを決意する」[★8]と記述された。

二〇一〇年ムスコカ・サミットのG8首脳宣言でも「国際社会は現在、MDGsの採択から二〇一五年の目標期日までの間の三分の二地点にある。MDGsを達成するため、人間の安全保障向上のための個人およびコミュニティの保護および能力強化に、より焦点を当てながら、取り組みが、真に地球規模で、すべての政府のみならず、民間セクター、財団、非政府組織、市民社会及び国際機関の行動を含む包括的な『国全体』アプローチを包含したものである必要がある」[★9]と記述されている。

このように濃淡はあるものの、G8首脳会合の文書に「人間の安全保障」という用語が登場し、特にアフリカをはじめとする途上国の平和と安定ならびに開発の促進の脈絡で人間の安全保障が政策を位置付けるものとして用いられている。

続いて、国連における人間の安全保障の議論について検証を行う。国連においては、「人間の安全保障」という表現ではないものの、「恐怖からの自由」と「欠乏からの自由」という概念は古くは世界人権宣言の中に盛り込まれている。また、この考え方は国連憲章作成時点から存在し、前文には「われら連合国の人民は……人間の尊厳……に関する信念をあらためて確認し、……一層大きな自由の中で社会的進歩と生活水準の向上とを促進すること」[★10]と書かれていることに現れている。

国連の文書に「人間の安全保障」という用語そのものが初めて現れるのは、一九九二年の「平和への課題」報告においてである。ブトロス・ガリ(Boutros Boutros-Ghali)事務総長(当時)が平和創造や平和維持、平和構築などに言及する中で、国連の「人間の安全保障への総合的なアプローチ」に触れている[★11]。

国連システムでは、前述の通りUNDPの一九九四年版人間開発報告書で、より本格的に導入された。また国連本体では一九九九年、当時のアナン事務総長がミレニアム報告で「人間の安全保障」を採り上げ、加盟国にその必要性を訴えた。さらに国連創立六〇周年を控え、アナン事務総長が国連改革の方向性を諮問した脅威、課題と変化に関するハイ・レベル・パネル(High-level Panel on Threats, Challenges and Change)は、「より安全な世界——我々の責任(A more secure world: Our shared responsibility)」と題した報告書の中で、国連が設立された当初には想像されなかった多様化する脅威への対応として「人間の安全保障」の概念を採り上げ、国連がこれから取り組むべき不可欠の課題であるとして以下のように記述した。

国連は一九四五年、再び世界大戦の惨事が繰り返されぬよう「後世の世代が戦争に苦しめられることを救うために」設立された。その後六〇年を経て、今日そして今後我々が直面する安全保障の最大の脅威は、国家間の侵略戦争を超えたものであることはよく知られている。脅威は貧困、感染症、環境劣化、戦争、国家内の暴力、さらには核、科学、生物兵器の拡散や使用、テロ、そして越境組織犯罪にまで及ぶ。脅威は非国家主体からも国家主体からも発生し、人間の安全保障も国家安全保障も脅かす[★12]。

このハイ・レベル・パネルの勧告を受け、アナン事務総長が二〇〇五年三月に発表した「より大きな自由を求めて(In Larger Freedom: Towards Development, Security, and Human Rights for All)」[★13]と題する国連改革に関する提言では「人間の安全保障」という言葉こそ登場しないものの、考え方そのものは採り上げられている。アナン事務総長は、「人間の安全保障」が安全保障に対する脅威の分析と政策立案に有効なツールであると評価し、「恐怖からの自由」「欠乏からの自由」に「尊厳をもって生きる自由」を加えて検討するよう国連総会に勧告した。さらに同事務総長は、これらの自由を推進するために「集団的な人間の安全保障システム」を構築する必要があることを説いた[★14]。こうした一連の流れを受け、国連創立六〇周年を記念して二〇〇五年九月に開催された国連総会首脳会合の成果文書に、「人間の安全保障」が単独のパラグラフとしてはじめて採り上げられるに至るのである。

「人間の安全保障」が、国連総会の文書に採用されるまでに加盟国に受け入れられたことは、前述した一九九五年コペンハーゲン社会開発サミットの宣言をめぐる攻防や「人間の安全保障」概念が主権侵害や内政干渉の口実に用いられるのではないかといった一部加盟国の当初の反発を想起すると隔世の感がある。日本政府関係者は、成果文書における記述は人間の安全保障について広義の解釈が主流化したとの見解を示した[★15]。さらに二〇一〇年に潘国連事務総長の人間の安全保障報告書においても広義の解釈が用いられている。

同成果文書の一三八パラグラフから一四二パラグラフに「保護する責任」に関する項目が入ったことにより、また、その中で人道的介入が国連憲章第七章に基づく措置と明示され、介入の基準が明確になったことにより、人道的介入をめぐる考え方の違いは縮まった。これによりそれまで人間の安全保障という用語には懸念を示していた一部の国連加盟国が次第に人間の安全保障を受け入れるようになっていった。メキシコ、インド、ブラジル、エジプトなどのように「人間の安全保障」への抵抗感を薄める国々も現れた。インドは二〇〇七年に日本の安倍晋三首相が訪問した際、首脳会談後の共同声明に、人間の安全保障の概念の共通理解を進展させるために協力をすることを盛り込んだ。一方、キューバのように依然、反対を表明している国も残っている。

また、二〇〇八年五月には人間の安全保障に関する国連総会テーマ別討論(UN General Assembly Thematic Debate)も開催された。これはスルジャン・ケリム(Srgjan Kerim)総会議長(当時)のイニシャティブで全国連加盟国を招待して行われたが「人間の安全保障」を主題とする国連では初めてのテーマ別非公式討論であり、国連が成果文書で「人間の安全保障」を採り上げたことを受け、「人間の安全保障」の実践の方向性などの議論が国連の加盟国間で行われた。ケリム総会議長は討論の冒頭で「人間の安全保障が包含する課題はすでに国連において個々の議題として採り上げられているが、これらの課題に総合的に取り組むためには人間の安全保障という概念が有益であり、危機に対してばらばらな対応にならず、包括的に統合された人間中心の対策になるような連携のための懸け橋の役割を果たす」[★16]と挨拶した。

同討論の内容について、国連関係者は「国連加盟国が描く人間の安全保障の姿について未だ合意が形成されるには至っていないが、日本、ヨルダン、スロベニア、タイ、メキシコ、ギリシャ、アイルランド、リヒテンシュタインなどが、人間の安全保障ならではの考え方に付加価値を見出した」と感想を述べている。そしてこれらの国々は、人間の安全保障とは、①単に人々を守るのみならず、ひとの自己実現と能力強化を支援することであること、②人間の視点から、これまで別々に考えられてきた分野の垣根を崩してそれらの橋渡しをするものであること、③したがって国際社会が統合された対策をとることを指摘したと総括している。しかしながら、このような「人間の安全保障」に付加価値を見出す加盟国に対して、その付加価値を認めず、既存の政策のラベルを貼替えただけだという国々もあるとも指摘している[★17]。

このような系譜をたどりつつ、国連安保理の決議に基づいて派遣された平和支援活動の中にも人間の安全保障の要素を含む活動が見出されることは、つとに指摘されている。議論の余地は残るが、たとえばソマリアにおける統一タスクフォース（Unified Task Force＝UNITAF）から第二次国連ソマリア活動（United Nations Operation in Somalia Ⅱ＝UNOSOMⅡ）の活動においても、国連が守ろうとしたのは国家ではなく「個々の人間であり、その生命と暮らしと尊厳」ではなかったかとの見方がある[★18]。

では国連とその専門機関では、人間の安全保障はどのように捉えられ、実践されているのだろうか。

## 2 国連による人間の安全保障の実践

二〇一〇年の国連事務総長報告では、国連の人間の安全保障を実践する分野として①グローバルな金融経済危機、②食糧価格の変動と危機、③感染症の蔓延およびその他の保健上の脅威、④気候変動と気候関連の災害、⑤紛争予防、平和維持、平和構築の五分野を挙げている。これらの分野では金融経済危機が特に貧困にあえぐ人々に所得削減や失業率の増加を生み、教育や保健衛生への資金不足を生み出した。食糧価格の高騰が気候変動や紛争勃発の影響から発生しており、二〇〇八年から二〇一〇年にかけて世界で歴史上未曾有の一〇億人以上の人々が食糧を確保できない状況に追い込まれている。

さらに気候変動は洪水や干ばつ、森林火災などの災害を生むのみならず、農作物の収穫に影響を与える。また、紛争予防及び紛争後の平和構築が成功しなければ、脆弱な人々が大きな被害を受け、影響は紛争そのものを超えて暮らしを直撃する。紛争予防にあってはその根本原因である貧困も含めた問題の解消に取り組む必要がある。このように各分野の脅威が複合的に作用して、その影響が特に脆弱な人々に及ぶことから、国連は人間の安全保障のフレームワークを用いて包括的な措置を講じ、保護と能力強化の両面から取り組む必要があることを同報告書は提言している[★19]。

このような人間の安全保障を推進するための国連の活動でその中心的な役割を担ってきたのが、国連に設置された「人間の安全保障基金(United Nations Trust Fund for Human Security)」であり、第4章で詳述する人間の安全保障委員会の報告を踏まえ、保護と能力強化の二本柱で世界の人間の安全保障促進に努めている。同基金の活動を次に検証したい。

## 3 人間の安全保障基金による実践

国連には、一九九八年一二月のベトナムにおける政策演説で故小渕恵三首相が提案し、一九九九年三月に日本政府が創設した「人間の安全保障基金」があり、日本は二〇〇八年度末で総額約三七三億円を拠出している[★20]。基金創設以来、この基金に拠出していたのは当初は日本のみであったが、二〇〇七年六月にスロベニアが加わった。その後タイやギリシャなども拠出国となり、現在ではマルチドナーの基金となっている。同基金に支援されたプロジェクトは二〇〇九年八月現在で世界六〇カ国以上、約一九五件、総額三億一二〇〇万ドルにのぼる[★21]。その内訳は、件数による分類では保健・医療が最も多く、次いで貧困削減、紛争の順となっており、予算額では紛争関連の案件が最も多くなっている。地理的には一九九九年から二〇〇九年八月までを見るとアフリカへの拠出額約一億ドル(五六件)が最も多く、次いで、アジア約八〇〇〇万ドル(七二件)とヨーロッパ約七二〇〇万ドル(二〇件)、中南米約二〇〇〇万ドル(一三件)、中近東約九〇〇万ドル（四件）、大洋州約五七〇万ドル（九件）、カリブ海地域約五〇〇万ドル（五件）となっている。また、複数地域にまたがった案件約一〇〇〇万ドル（八件）も実施されている［★22］。

同基金の運用は、OCHAに二〇〇四年五月に設置された人間の安全保障ユニットが担当している。同基金では複数の国際機関やNGOが参加して人々を保護するとともに、その能力を強化することを助成の柱としている。特に紛争から平和への移行期において継ぎ目のない支援を複数分野にまたがって実施することを重視し、人道支援と開発支援の統合を図っている。支援内容も紛争後の犠牲者支援、地雷回避教育、コミュニティ再生、保健教育・サービス、貧困対策、元兵士の社会復帰、食糧確保、教育支援など多岐にわたっている。

設立当初は日本のODAの別の窓口とも批判され、「人間の安全保障」の特色が薄いとも言われたが、二〇〇六年二月に人間の安全保障委員会の後継組織として設置された人間の安全保障諮問委員会の勧告を受けて同基金ガイドラインが改訂され、より効果的で、人間の安全保障に焦点を絞った基金の運用が図られている。具体的には、以下のように人間の安全保障実現のための考え方と手法が明確なパラメーターとして列挙され、これらの条件を満たした事業案が優先的に承認されることになっている。

①生存・生活及び尊厳が脅かされている人々や地域社会に対して具体的かつ持続性のある利益をもたらすこと
②トップダウンの保護手段とボトムアップの能力強化手段の両者を包括的に含む「保護と能力強化」の枠組みを実践するものであること
③市民社会組織、NGO及びその他の地域団体・組織などとの連携を推進し、こうした活動主体による事業の実施を奨励していること

④事業の立案及び実施に際し、複数の国際機関が参画することが望ましく、これにより各機関の取り組みの統合が推進されること

⑤複数の分野にまたがる人間の安全保障の要請を視野に入れ、相互関連性のある課題に幅広く取り組むものであること（紛争と貧困、非自発的移動と保健衛生、教育と紛争予防の相互の関係を考慮することがその例である）

⑥人間の安全保障に関する問題の中で、現在取り組みが充分といえない分野に焦点を当て、既存のプログラムや活動との重複を避けるものであること

なかでも「危険にさらされている人々の生存・生活・尊厳を確保するために具体的かつ持続的な解決策を提示できるかどうか」が最も重視されている。また、基金支援案件として採用するか否かを決定するにあたっては、プロジェクトが保護と能力強化の両方の要素を備えているかどうか、市民社会と積極的に協力するかどうか、複数機関の合同事業（multi-agency）であるか、複数の分野（multi-sector）を対象としているか、単なる調整（coordination）ではなく、統合的アプローチ（integrated approach）をとっているかが承認の要件となっている[★23]。このため、現地のニーズを吸い上げて複数機関が統合戦略を立てることが求められている。

国連改革において「ひとつの国連（One UN）」という考え方が提唱されているが、同基金のガイドラインはまさにその実践と言える。すなわち、それぞれの国連機関が与えられている権限に基づき、表面的な調整をするような案件は人間の安全保障基金では採用されず、本格的に活動を統合する案件の申請しか採用されないのである。では、同基金が支援したプロジェクトにはどのような例があるのだろうか。

## ✣アフガニスタンにおける麻薬問題への支援

アフガニスタンは、かねてから麻薬の原料となるケシの生産地として知られている。かつてはイスラム教徒民兵組織であるムジャヒディーンが武器を調達する資金源としてケシを栽培しており、紛争中は一時減少していたが、紛争後、再びケシの栽培は増加している。国連薬物犯罪事務所(United Nations Office on Drugs and Crime＝UNODC)によれば、二〇〇七年には一九万三〇〇〇平方ヘクタールのケシが栽培され、前年比三四パーセント増の八二〇〇トンの麻薬が生産された。世界の麻薬の九三パーセントがアフガニスタンで生産されているとも報告されている[★24]。現在でも、ケシの栽培と加工はアフガニスタン各地の軍閥やタリバン武装勢力の大きな収入源になっており、彼らはこぞって麻薬売買を行い、活動資金に充てていると言われている。また、麻薬はアフガニスタン国内でも消費されている。常に困窮しているこの国の人々にとって、かりそめにも空腹を紛らせ、痛みを和らげ、恍惚をあたえてくれるアヘンは魔の魅力に満ちている[★25]。アフガニスタンは麻薬の生産地であるばかりでなく、大消費地でもあり、注射器による薬物使用はＨＩＶ／ＡＩＤＳの拡大につながっていると考えられる。

そこでＵＮＯＤＣは、麻薬の国内消費を減らすための教育と麻薬栽培に代替する収入源の確保という両面から、アフガニスタンにおける麻薬問題に取り組んだ。二〇〇四年からは、アフガニスタン政府公衆衛生省と連携して医師やカウンセラーを現地に派遣している。麻薬の使用を防止するための啓発活動にイスラム教指導者の参加を求め、医療や保健の専門家、ソーシャルワーカー、教師などの協力を得て、総合的な対策を進めている。学校教育のカリキュラムに薬物使用の危険性を教える内容を取り入れ、麻薬に手を出すよりも楽しいことを教えようと、クリケットやバスケットボールの講習や試合を主催している

また、薬物依存から回復した元患者が再び麻薬に手を出さないよう、麻薬の生産に頼らず生計を立てられるよう、大工、洋裁などの職業訓練と組み合わせた支援をアフガニスタンの六州で行っている。人間の安全保障基金は、このうちカンダハル州、バダクシャン州、ナンガハル州での事業を支援している[★26]。

### ❖カンボジアにおける人身取引問題

カンボジアでは、貧困や読み書きができないことが、強制売春や強制労働、あるいは臓器の取引を目的とした人身売買につながっているといわれている。国際労働機関(International Labor Organization＝ＩＬＯ)の調査によれば、人身売買による強制労働の被害者数は世界で二五〇万人近くに上っており、被害者には貧しい女性や子供たちが多いとされているが、カンボジアもその例に漏れない[★27]。ＩＬＯは、人間の安全保障基金の支援を受け、カンボジアで寸劇や運動会、討論会、新聞記事、ポスターやチラシを活用して、人身取引問題に関する啓発活動を行っている[★28]。

と同時に、学校のない村も多いことから、能力強化のため、現地ＮＧＯや国連人間居住計画(United Nations Human Settlements Programme＝ＵＮ-ＨＡＢＩＴＡＴ)と協力して読み書き、算数、裁縫を教えている。こうした支援によって能力や知識の底上げを図り、人身取引の被害者を減らそうという狙いである。併せて、人身売買の被害に遭いながらカンボジアへ帰還した若者への職業訓練も行われている[★29]。

### ❖コソボにおける教育問題

「世界の火薬庫」と呼ばれたバルカン半島に位置するコソボでは、アルバニア系とセルビア系住民が殺しあう凄惨な紛争が終結した後も両民族間の対立が続き、相互の憎悪は色濃く残っている。そこで国連児童基金(United Nations Children's Fund＝ＵＮＩＣＥＦ)は、人間の安全保障基金の支援を受けて、一九九〇年代後半の紛争中に破壊された学校を修復し、教材や什器《じゅうき》を提供している。コソボの教育科学省と協力して紛争中に扇動的な指導方法をとった教師の再研修も実施した。また、生徒の父兄に学校に関心を持ってもらうため保護者会も設立した。

コソボでは教育カリキュラムが民族別になっており、授業も二部制、学校の建物も二つに分けるなどの状況が続いている。将来的にはカリキュラムや授業の統一が望まれるが、その実現には親の理解が不可欠である。さらには、コソボの学校に通学している「ロマ」とよばれる子供たちが、クラスの中で孤立しているという実態もある。このような事態が続けば、紛争によって先鋭化した民族対立が一段と深まることが懸念される。教育により、民族間の溝を埋める工夫が必要である。UNICEFではアルバニア系とセルビア系の子供たちの合同美術展やサッカーの試合などの試みを始めている[★30]。

### ✣レバノンにおける不発弾除去と農業支援

二〇〇六年夏、イスラエルによるクラスター爆弾の攻撃を受けたレバノンでは、その除去と新たな農業生産を人間の安全保障基金が支援している。クラスター爆弾は普通の爆弾と異なり、砲弾が広範囲に広がり、かつ相当数の不発弾が残る。誤ってこの不発弾に触れれば誘爆して市民に死傷者が出ることになる。

レバノン南部は農地であるが、不発弾のために農業に従事することが難しくなっている。そこで人間の安全保障基金の支援を受けたイギリスのNGOであるレバノン南部地雷対策調整センター(Mine Action Coordination Centre for South Lebanon = MCAA-SL)とUNDPが協力して、現地関係者、村人に不発弾処理の訓練をしている。農地を復旧し、タバコやオリーブの栽培が再開できるように支援しているのである。地域の住民は自ら不発弾処理をすることで自信を取り戻し、村人も仲間が働いていることで安心している。農業の再開は現地の復興と直結している[★31]。

### ✣コンゴ民主共和国における紛争後の復興

紛争後の復興支援のために、イツリ地域で、UNDP、UNHCR、国連食糧農業機関(Food and Agriculture

Organization＝FAO）、国連人口基金（United Nations Population Fund＝UNFPA）、国連コンゴ民主共和国ミッション（Mission of the United Nations Organizations in the Democratic Republic of the Congo＝MONUC）、世界経済フォーラム（World Economic Forum＝WEF）、世界保健機関（World Health Organization＝WHO）が共同でNGOとの協力の下、現地の紛争後の安全強化、保健並びに教育の向上、経済復興支援や平和的共存の文化の醸成を行っている。このプロジェクトにより人々の不公平感の緩和、国家と社会の関係改善などが図られ、持続的な開発への先鞭が付けられている［★32］。

### ❖ミャンマーにおけるケシの栽培

ミャンマーの高地であるシャン州では、かねてよりケシの栽培で生計を立てている人が多かった。近年の取り締まりで栽培は減少したものの、代替作物がないために収入を失ったグループ間での抗争が再燃することが懸念された。そこで人間の安全保障基金の支援を受けてFAO、UNFPA、UNODC、国連世界食糧計画（World Food Programme＝WFP）等の国連機関とNGOが協力し、以前にケシの栽培をしていた人々の食糧を確保し、ケシ栽培に依存しなくとも暮らせるような支援を行うとともに保健衛生教育、栄養教育などを実施している［★33］。

### ❖チェルノブイリ原子力発電所事故ならびにセミパラチンスク元核実験場被害者への支援

ロシアのベラルーシとウクライナにはチェルノブイリ原子力発電所事故の被害にあった人々が居住しており、また、以前の核実験の場所であったカザフスタンのセミパラチンスク元核実験場近隣の住民は現在も放射能汚染の恐怖を感じており、所得の機会も少なく、社会サービスにも事欠いている。そこで国連の複数の機関が同基金の支援を受けてこれら住民の人間の安全保障ニーズにこたえるべく所得向上、マイクロクレジットの実施、コミュニティの能力強化などの生活水準の改善を支援している。また、チェルノブイリ研究情報ネットワークから被害地域の安全性に関する最新の科学的な情報が提供されている[★34]。

以上の事例に見られるように、国連人間の安全保障基金は、人間の安全保障諮問委員会の勧告を受けて、「人間の安全保障」の実現、特に保護と能力強化に主眼を置いたプロジェクト支援を通じて、国連が「人間の安全保障」を実践するための重要なツールとなっている。また、同基金の運用にあたり複数の国連機関が共同でプロジェクトに取り組むことが基金からの支援の条件にもなっていることから、複数機関の真の協力事業が展開されていることも注目に値する。同基金への拠出国が複数化の傾向を見せる中で、その役割も増大し、今後さらなる重要性を帯びることが期待される。

その他の国連機関も人間の安全保障を採り上げている。一九九四年版人間開発報告書でこの考え方を国連に導入したUNDPは人間開発報告書オフィスにおいて引き続き人間の安全保障の理念の普及に努めている。二十余の国について人間開発報告書をまとめ、人間の安全保障の理念がそれぞれの国の抱える脅威に対応するにあたり、如何に用いられているかを報告している[★35]。

UNDP以外に国連においてどのような取り組みが行われているかを次に述べる。まず、国連教育科学文化機関(United Nations Educational, Scientific, and Cultural Organization=UNESCO)の事例を検証したい。

## 4 UNESCOと「人間の安全保障」

UNESCOは、二〇〇二年から二〇〇七年の中期計画で、後述するように人間の安全保障を戦略目標のひとつとした。関係者によると、一九九九年ごろにカナダ政府代表がUNESCOにおいて「人間の安全保障」を採り上げることを強く主張し、他の加盟国も同調したことが、その契機となったという[★36]。

UNESCOは、二〇〇〇年に国際文化年の事業の一環として「二一世紀の人間の安全保障の課題は何か」をテーマに会合を開催した[★37]。「人間の知識と希望の交差点にあって個人の尊厳を高めるようなすべてのアプローチを慫慂《しょうよう》することをその使命とする」会合には、世界中から平和研究にかかわる研究所、研修所の所長が招待された。会合の結果、UNESCOは「UNESCO グローバル化時代の平和と人間開発に貢献するには（UNESCO: Contributing to Peace and Human Development in an era of Globalization）」と題した二〇〇二年から二〇〇七年までの中期計画（Medium Term Strategy for 2002-2007）の五番目の戦略目標として「環境と社会変化に巧みに対応することにより人間の安全保障を向上させること」を掲げ、その確保のための総合的戦略（integrated strategy）を策定することを謳った。

そして「人間の安全保障」を政治的な定義とせず、社会変化への対応、貧困への対処、文化的次元の視座から採り上げる方針を打ち出したのである。学者、有識者との議論を通じて理念を普及すべく、「人間の安全保障」が世界各地域においてどのように採用されているか議論する「人間の安全保障の促進 倫理的、規範的、教育的なフレームワーク（Promoting Human Security: Ethical, Normative and Educational Framework）」と題した知的対話を順次開催し、地域毎の討議を成果報告書として発表した[★38]。

この地域報告書を見ると地域（東欧、西欧、アフリカ、アラブ諸国、中央アジア、東アジア、東南アジア、ラテンアメリカ・カリブ海地域）によって「人間の安全保障」を損なう脅威は様々であり、「人間の安全保障」に対する考え方も異なることがよくわかる。

例えば、アラブ諸国では政治的自由が損なわれてきたことと外国からの軍事介入が大きな脅威として挙げられ、市民がグローバル化の影響におびえてきたことが指摘されている[★39]。一方、アフリカでは食糧不足、紛争、ジェンダー間の不平等が人々の安全を損なう要因として強調された。ラテンアメリカ・カリブ海地域では、地域経済の相互依存性が高いことから、金融危機、グローバル化への関心が高い一方、組織犯罪が脅威として指摘されている[★40]。中央アジアでは、政治社会問題、宗教問題、資源をめぐる国家間及び国内紛争、麻薬の密輸、ＨＩＶ／ＡＩＤＳ、人の強制移動、人身取引や環境汚染が懸念事項として挙げられた[★41]。また、中央アジアでは、識字率の低さが指摘され、教育の必要性が強調されている[★42]。東欧では、市場経済への移行と民主化が優先課題とされたが、経済体制の移行がうまくいっている国もある反面、武力紛争、貧困、民族問題に直面する国々も多く、紛争の長期化、経済危機、国境紛争、人権問題、人身取引、武器や麻薬の密輸問題が懸念事項として挙げられた[★43]。

いずれも「人間の安全保障」を広義に解釈しつつ、地域毎に平和と安全、安定に関する優先順位や関心事項が異なることは注目に値する。二〇〇八年にはこれらを集大成した報告書、「人間の安全保障――アプローチと課題（Human Security: Approaches and Challenges）」が発表されている。同報告書には地域別知的対話開催後の二〇〇七年、ＵＮＥＳＣＯは有識者を対象とするアンケート調査を実施したが、その結果が報告されている。調査に回答した有識者の多数が人間の安全保障について広義の解釈を支持していると述べた上で、ＵＮＥＳＣＯがどのように人間の安全保障へ取り組むべきかについては教育――人権、民主主義、シティズンシップ、平和などのテーマ――を中心としたものであるべきとの見解が示されている[★44]。

このような知的対話と並行してＵＮＥＳＣＯは、国連の人間の安全保障基金を活用し、いくつかの具体的な人間の安全保障プロジェクトを計画、実施している。

カナダの出資により、ヨルダンに人間の安全保障センターが設立されていたが、その母体である外交研究所が王室直轄となって活動を停止したため、アラブ連盟(League of Arab States)と協力し、「アラブ地域における人間の安全保障概念の推進(Promoting Human Security Concept in Arab Region)」プロジェクトを企画した。二〇〇七年一一月、エジプトのカイロで研究者と市民の代表者を中心にした会議を開催し、環境(特に水)、人権、貧困、民主主義などをテーマに討議を行った。

ボスニア・ヘルツェゴビナでは二〇〇七年六月からUNESCOとUNDPが協力して地雷の除去、廃棄物処理支援を行うとともに、観光産業の振興を図っている。そこには民族融和の取り組みの一環として、ストラッツ市、トレビニエ市、モスタル市での文化財や史跡の修復支援も含まれる。

パレスチナや「アフリカの角《つの》」地域(ジブチ、ケニア、エリトリア、エチオピア、ソマリア)においても、UNESCOは国連人間の安全保障基金の支援を受け、UNDPと協力体制を組んだ女性の教育プロジェクトを実施している。そのほか、ブルンジではUNDP、UNICEF、国連女性開発基金(United Nations Development Fund for Women＝UNIFEM)と共同で戦争被災民への持続的社会復帰プログラムを、ネパールでは地域コミュニティセンターを通じた女性や低所得層に対する人間性回復のための支援を、チェチェンではWHOと共同で児童・教師に対する総合リハビリを目指したキャパシティ・ビルディングのためのプロジェクトを行っている。

このようにUNESCOは二〇〇二年から二〇〇七年にかけて「人間の安全保障」に関する理念の普及と実践の両面に取り組んできたが、その努力は試行錯誤の連続であり、様々な障害に直面しなければならなかった。一例を挙げよう。二〇〇五年一二月、今後の「人間の安全保障」についてUNESCOが刊行物を出版しようと作業会合を開催したところ、アメリカやインドが異議を唱えるという事態が起きた。会合の席上、アメリカ代表は「人間の安全保障の考え方自体は支持するが、人々の安全を保護する一義的な担い手はあくまでも国家であり、国家が人々の自由の剥奪者であるかのごとき分析は、UNESCOの出版物で行われるべきではない。そもそも人間の安全保障の調査手段そのものにも曖昧な点が多い」と反対を表明した。さらにアメリカは、「人間の安全保障」が武力行使の面で国家主権を脅かす可能性があると指摘して、UNESCOが「人間の安全保障」を実現するのにふさわしい組織ではないとも述べた。

アメリカは、UNESCOはあくまで教育(「万人の為の教育」運動、Education for All = EFA)や世界遺産保護等の活動に焦点を絞るべきであり、それ以外の分野、例えば開発援助などに手を広げすぎることは適切ではないと主張した。この作業会合にオブザーバー参加したインドも「今回の会議にインドや中国などが正式に招かれていないことは問題である。UNESCOが人間の安全保障など、専門外の分野に調査を広げすぎていることは不適切である」と不快感を示し、結局、二〇〇八-二〇一三年のUNESCO中期計画に「人間の安全保障」のための活動は盛り込まれないことになったのである[★45]。

## 5　その他の国連システム関連機関と「人間の安全保障」

世界銀行は、広義の解釈の「人間の安全保障」に関心を寄せた。世界の国々はいま希望を求めており、希望がなければ開発はできないという。そこに生きる人々が絶望感から「何が起きても失うものはない」と思うような地域では紛争が発生しやすい。かつて世界銀行のエコノミストであったコリアーがその著書『The Bottom Billion(最底辺の一〇億人)』の中で論じているように、現在一日一ドル以下で暮らしている人が世界に一〇億人以上いるが[★46]、世界銀行の関係者は、この人たちの「人間の安全保障」に投資することは、人々が将来に希望を持つことにつながると語る。いわば、開発援助を通じた「人間の安全保障」である。

世界銀行による実践としてはインドネシア、ネパール、バングラデシュの事例が挙げられる。インドネシアでは、地方政府とコミュニティが貧困削減に参画するための透明性の高い制度を整備している。具体的には情報共有、意思決定の仕組みや財政の基準を導入し、コミュニティがニーズを評価した上でプロジェクトを選び、実施する方法をとっている。ネパールでは、貧困削減基金が設置された。最も貧しく、社会的に排除されている女性、低カーストの人々、少数民族、紛争被害者を対象にコミュニティ単位で収入が得られる活動やインフラ整備に取り組むための支援を行っている。バングラデシュでも、ローカル・ガバナンス・サポート・プロジェクトを実施し、地方政府のサービス向上を図ると共に、コミュニティにとってより優先順位の高いニーズにこたえるシステムつくりを行っている[★47]。

世界銀行が二〇〇五年に開催した会議の報告書は、「ますます脆弱になる世界の中の人間の安全保障(Human Security in an Increasingly Fragile World)」をテーマとしており、弱体国家や破綻国家があらわれる中で、「人間の安全保障」という新たな視座から開発パラダイムを考えたいと呼びかけている[★48]。

また同年、世界銀行の理事会は『社会開発戦略ペーパー』を採択しているが、そこでも社会開発の原則として、社会経済発展にすべての人間が参加し、その恩恵を得ることができる機会の平等が挙げられた。むろん「人間の安全保障」についても言及され、以下のように日本政府のODA大綱を紹介している。

人間の安全保障の理念は日本のODA大綱の基礎を構成するものである。人間の安全保障は「欠乏からの自由」と「恐怖からの自由」を求める弱者の能力強化と保護に主眼をおく。人間の安全保障についてはホーリスティックにみることを求める人間中心のアプローチである。このアプローチに基づき、日本は援助の専門知識とリソースを世界が現在直面している複雑な危機に対して向けている。本報告書の中で紹介しているアプローチもまた人間の安全保障と多くの面で共通点があり、連携していく基礎を強化するものである[★49]。

このように世界銀行社会開発部は「人間の安全保障」の考え方に共感を示しているが、実は世界銀行の文書には上記の例を除いてほとんど「人間の安全保障」という用語が出てこない。それは、世界銀行が開発援助機関であり、人道的援助を担当するのは国連という役割分担があるためである。緊急時にはまず国連やUNDPが現地に入り、HIV/AIDSやマラリアの治療にあたる。ある程度平和と安全が確保されたところで長期的に持続可能な保健衛生制度を構築するための援助を行うのが、世界銀行の役割である。すなわち人道的介入は世界銀行のミッションではなく、当然、戦闘中に介入することはない。ここに国連と世界銀行の棲み分けがある。関係者によると世界銀行は政治的には中立を守ることになっており、「人間の安全保障」は世界銀行のスローガンとして十分な親和性を持つとは言えないという。あくまで貧困の改善、成長に対する不平等感の解消などが世界銀行の中心的課題なのである[★50]。

世界銀行の社会開発という考え方では、環境、食糧から保健衛生まで幅広い持続可能な開発が必要であり、これをまとめるホーリスティックな概念として「人間の安全保障」は非常に適切と言える。ただ、すでに「持続可能な開発(sustainable development)」という表現を用いてきた歴史があり、「人間の安全保障」という用語の採用に単なるラベルの貼替えではないかとの反応もある。しかし、明示的に「人間の安全保障」という表現は使っていないものの、その意味するところは大いに内在しているというのが関係者の見方である[★51]。

UNHCRは、一九九五年、コペンハーゲン社会開発サミット開催当時は第1章でも触れたようにUNDPの「人間の安全保障」の提言に難色を示した。しかし、一九九〇年代半ば以降、紛争地域での活動が増えるに従って、ルワンダにおける大量虐殺や旧ユーゴ地域における民族浄化に遭遇し、人道的危機が発生した場合に、従来の権限では国連機関として十分な役割がはたせないことを痛感したと言われている。すなわち、民族浄化が行われている時に人道援助の物資を届けるだけでは紛争地の人々を救うことにはならないことを、身をもって経験し、そこから「人間の安全保障」への関心が生まれた。

その結果、一九九七年、並びに一九九八年のUNHCRの年次報告書（State of the World's Refugees）では「人間の安全保障」が採り上げられ、避難民が生まれるのは自由と安全保障を損なわれた故であるとし、冷戦後、「経済、社会、人道、生態学的な分野における不安定の非軍事的な原因が安全保障への脅威になっている」と安全保障の概念を広げて位置付けた。また、かつては反発した一九九四年版のUNDP人間開発報告書にも言及して、国家安全保障と市民の厚生の間の関係が深いことを指摘、さらに「人間の安全保障には飢餓、疾病、抑圧等の慢性的な脅威からの安全と日常の暮らしを突然損なわれることからの保護という二つの主要な側面がある」と論じた。

UNHCRの報告書は、暴力や抑圧を受けている難民の保護に的を絞ったもので、UNDPが強調する開発の視点は入っていない。難民の権利や帰還問題が中心に採り上げられている。また、国家のない民の問題も取り上げられている。UNHCRは、どちらかといえば人権問題の流れに近い「人間の安全保障」の採り上げ方をしている[★52]。一九九〇年から二〇〇〇年まで国連難民高等弁務官を務めた緒方貞子は、人々の安全が侵害される状況は国家間関係や国際政治を見ているだけではわからないと述べ、国家が国民を保護する能力と意思がなくなった場合、どのように人々を保護するかが人道援助の課題であり、人間の安全保障という概念は実態的に紛争の現実から出てきたと指摘している[★53]。

また、国連機関の中でもUNICEFのように、当初は「人間の安全保障」という考え方を採り上げなかった組織[★54]においても、二〇〇〇年頃から関係者が国連内外で行うスピーチの中では言葉として用いるようになった。例えば二〇〇〇年、キャロル・ベラミー（Carol Bellamy）事務局長（当時）は「国際的な平和や安全保障の議題において、人間の安全保障や人権、人々の安寧を提起する傾向が世界的に加速している」と述べており[★55]、二〇〇三年には「世界では、貧困や人々が教育を受けられない状況が、大量破壊兵器と同様に人間の安全保障を脅かし、武力紛争やHIV／AIDSの感染拡大が多くの人々を傷つけ、国を荒廃させている」[★56]などと述べ、二〇〇四年には「人間の安全保障は単に戦争やテロがない状態を指すのではない。はしかやマラリアで子供が死ぬことがなく、清潔な水にアクセスでき、適切な公衆衛生の設備が整っており、無償で教育を受けることのできる小学校が家の近くにある状態であり、全ての子供たちが平和で健康で尊厳をもって大人になれる状態である」[★57]と述べている。その他の国連専門機関の人間の安全保障への取り組み方については総会文書(A／六二／六九五)[★58]に紹介されている。

このように当初は反対や抵抗に遭遇した人間の安全保障の理念も、議論が積み重ねられるに従って国連諸機関においても受け入れられるようになり、二〇一〇年三月の潘事務総長の人間の安全保障報告の中では国連において人間の安全保障が幅広い支持を受けていると評価され、広義の概念の脈絡における活動が報告された。同報告において国連事務総長は人間の安全保障を国連において主流化(mainstream)する方途を模索するように国連総会に提言した。

議論を呼んだ人間の安全保障の考え方も国連が貧困や紛争、感染症などに苦しむ人々を支援するための政策フレームワークとして、その価値が次第に認知され始めているといえよう。

註

★1——United Nations General Assembly, 'Human Security: Report of the Secretary-General', UN Doc. A/64/701, 8 March 2010, para.1.

★2——外務省「G8外相会合　於ケルン、『ギュルツェニッヒ』(総括)」一九九九年六月一〇日、http://www.mofa.go.jp/mofaj/gaiko/summit/cologne99/g8_sokat.html（二〇一〇年五月一一日最終アクセス）

★3——外務省「G8外相会合総括(仮訳)」宮崎、二〇〇〇年七月一三日、http://www.mofa.go.jp/mofaj/gaiko/summit/ko_2000/documents/pdfs/conclusion.pdf（二〇一〇年五月一一日最終アクセス）

★4——外務省「議長総括(仮訳)」エビアン、二〇〇三年六月三日、http://www.mofa.go.jp/mofaj/gaiko/summit/evian_paris03/gsoukatu_z.html（二〇一〇年五月一一日最終アクセス）

★5——外務省「議長総括(仮訳)」ハイリゲンダム、二〇〇七年六月八日、http://www.mofa.go.jp/mofaj/gaiko/summit/heiligendamm07/g8_s_gs.html（二〇一〇年五月一一日最終アクセス）

★6——外務省「G8北海道洞爺湖サミット首脳宣言」北海道洞爺湖、二〇〇八年七月八日、http://www.mofa.go.jp/mofaj/gaiko/summit/toyako08/doc/doc080714_ka.html（二〇一〇年五月一一日最終アクセス）

★7——外務省「議長総括(仮訳)」北海道洞爺湖、二〇〇八年七月九日、http://www.mofa.go.jp/mofaj/gaiko/summit/toyako08/doc/doc080709_09_ka.html（二〇一〇年五月一一日最終アクセス）

★8——外務省「G8首脳宣言——持続可能な未来に向けた責任あるリーダーシップ(仮訳)」http://www.mofa.go.jp/mofaj/gaiko/summit/italy09/pdfs/sengen_k.pdf（二〇一〇年五月一一日最終アクセス）

★9——外務省「G8ムスコカ・サミット首脳宣言——回復と新たな始まり(仮訳)」ムスコカ、カナダ、二〇一〇年六月二五－二六日、http://www.mofa.go.jp/mofaj/gaiko/summit/canada10/pdfs/sengen_ky.pdf（二〇一〇年七月二〇日最終アクセス）

★10——国際連合広報センター『国際連合へようこそ——Come to the United Nations・It's Your World』国際連合広報センター、二〇〇〇年、四－五頁

★11——Boutros Boutros-Ghali, 'An Agenda for Peace: Preventive Diplomacy, Peacemaking and Peace-keeping (Report of the Secretary-General Pursuant to the Statement Adopted by the Summit Meeting of the Security Council on 31 January 1992)', UN Doc., A/47/277-S/24111, 17 June 1992.

★12——United Nations, *A More Secure World: Our Shared Responsibility: Report of the High-level Panel on Threats, Challenges and Change*, New York, United Nations, 2004.

★13——United Nations Secretary-General, Report of the Secretary-General, 'In Larger Freedom: Towards Development, Security, and Human Rights for All', UN Doc, A/60/L/40, 21 March, 2005.

★14—Kofi Annan, "In Larger Freedom": Decision Time at the UN', *Foreign Affairs*, Vol.84, No.3, May/June, 2005.

★15—筆者による日本政府国連代表部におけるインタビューより（二〇〇六年七月三日）

★16—President of the 62nd Session, United Nations General Assembly, 'At the Thematic Debate on Human Security', http://www.un.org/ga/president/62/statements/humansecurity220508.shtml（二〇一〇年五月一二日最終アクセス）

★17—田瀬和夫氏の二〇〇八年五月二四日付国連フォーラム（United Nations Forum）への投稿「速報 国連総会テーマ別討論 人間の安全保障」より、http://www.unforum.org（二〇〇八年六月八日最終アクセス）

★18—大泉敬子「ソマリアにおける国連活動人道的干渉性と国家主権のかかわり——人間の安全保障型平和活動への道」（『国際法外交雑誌』国際法学会、二〇〇九年、第九九巻、第五号、五頁）

★19—United Nations General Assembly, *op.cit.*, UN Doc. A/64/701, para. 31-52.

★20—*Ibid.*, para. 31-52.

★21—外務省国際協力局地球規模総括課『人間の安全保障基金——二一世紀を人間中心の世紀とするために』二〇〇九年三月

★22—同右

★23—国際連合人道問題調整部 人間の安全保障ユニット『人が人らしく生きられるために——「人間の安全保障」の現場から』二〇〇七年、三頁

★24—UNODC, *Afghanistan Opium Survey 2007*, August 2007, p.iv.

★25—国際連合人道問題調整部 人間の安全保障ユニット、前掲、四頁

★26—同右、四－六頁

★27—ILO, *ILO Action against Trafficking in Human Beings 2008*, Geneva, ILO, 2008, pp.1-3, p.24, p.33.

★28—国際連合人道問題調整部 人間の安全保障ユニット、前掲、一三－一四頁

★29—同右、一三－一四頁

★30—同右、一六－一八頁

★31—同右、二八－三〇頁

★32—United Nations General Assembly, *op.cit.*, UN Doc. A/64/701, para.66.

★33—*Ibid.*, para.67.

★34—*Ibid.*, para.68.

★35—*Ibid.*, para.63.

★36—筆者によるＵＮＥＳＣＯ関係者へのインタビューより（二〇〇七年五月三一日）

★37—Koichiro Matsuura, 'Inaugural Speech', *What Agenda for Human Security in the Twenty-first Century?: For International Meeting of Directors of Peace Research and Training Institutions*, Paris, UNESCO, 2001, p. 17.

★38—Anara Tabyshalieva, *Promoting Human Security: Ethical, Normative and Educational Frameworks in Central Asia*, Paris, UNESCO, 2006, p.8.

★39—Bechir Chourou, *Promoting Human Security: Ethical, Normative and Educational Frameworks in the Arab States*, Paris, UNESCO, 2005, pp.43-49.

★40—Claudia F. Fuentes and Francisco Rojas Aravena, *Promoting Human Security: Ethical, Normative and Educational Frameworks in Latin America and the Caribbean*, Paris, UNESCO, 2005, p.22.

★41—Anara Tabyshalieva, *op.cit.*, p.11.

★42—*Ibid.*, p.37.

★43—Shahrbanou Tadjbakhsh and Odette Tomescu-Hatto (eds.), *Promoting Human Security: Ethical, Normative and Educational Frameworks in Eastern Europe*, Paris, UNESCO, 2007, pp.27-65.

★44—UNESCO, *Human Security: Approaches and Challenges*, Paris, UNESCO, 2008, pp.140-141.

★45—筆者によるＵＮＥＳＣＯ関係者へのインタビューより（二〇〇七年五月三一日）

★46—Paul Collier, *The Bottom Billion: Why the Poorest Countries Are Failing and What Can Be Done About It*, New York, Oxford University Press, 2007, pp.3-13.

★47—筆者による世界銀行社会開発部（当時）関係者へのインタビューより（二〇〇七年六月二八日）

★48—The World Bank, *A Report from Learning Week 2005: Human Security in an Increasingly Fragile World*, New York, The World Bank, 2005, p.21.

★49—*Ibid.*, p.2.

★50—筆者による世界銀行関係者へのインタビューより（二〇〇七年六月二八日）

★51―筆者による世界銀行関係者へのインタビューより（二〇〇七年六月二八日）

★52―UNHCR, *State of the World's Refugees: A Humanitarian Agenda*, Oxford, Oxford University Press, 1997, p.45.

★53―緒方貞子「人間の安全保障と難民支援」（明石康、高須幸雄、野村彰男、大芝亮、秋山信将編著『オーラルヒストリー　日本と国連の五〇年』ミネルヴァ書房、二〇〇八年、五二頁）

★54―S. Neil MacFarlane and Yuen Foong Khong, *Human Security and the UN: A Critical History*, Bloomington, Ind., Indiana University Press, 2006, p.10.

★55―Carol Bellamy, 'Speeches: International Conference on War-Affected Children', Winnipeg, 16 September 2000, http://www.unicef.org/media/media_11847.html（二〇一〇年五月一二日最終アクセス）

★56―Carol Bellamy, 'Speeches: To the Arco Forum at Harvard's Institute of Politics, John F. Kennedy School of Government', Cambridge, Massachusetts, 19 February 2003, http://www.unicef.org/media/media_9326.html（二〇一〇年五月一二日最終アクセス）

★57―Carol Bellamy, 'Speeches: UNICEF Executive Director Carol Bellamy addresses the Executive Board', New York, 7 June 2004, http://www.unicef.org/media/media_21510.html（二〇一〇年五月一二日最終アクセス）

★58―United Nations General Assembly Sixty-second Session Agenda Item 116, 'Follow-up to the Outcome of the Millennium Summit', UN Doc, A/62/695, 15 February 2008.

第4章

# 日本と「人間の安全保障」

本章では、広義の人間の安全保障の理念の精緻化ならびに普及、そして実践に積極的であると評価されている日本の人間の安全保障への取り組みの系譜をたどる。日本がなぜ人間の安全保障に注目したのか、いかに解釈し、どのような実践を行ってきたかを検証したい。

## 1　日本の「人間の安全保障」の導入

日本で最初に「人間の安全保障」が提唱されたのは一九九八年五月、当時外務大臣であった小渕恵三によってである。小渕は当時訪問中のシンガポールにおける演説で、前年夏のアジア金融危機の影響を受けていた社会的弱者をODAで支援すると述べた。財団法人日本国際交流センター（Japan Center for International Exchange＝JCIE）理事長の山本正によると、この演説の背景には、小渕の外務大臣就任直後、一九九七年一一月に同センターでスタートした学者やジャーナリストによる勉強会、「小渕プロジェクト」の議論があったという。

プロジェクトでは、その年の夏に発生したアジア金融危機を乗り切るために、日本が地域のリーダーとしてどう対応するべきかが重要な検討課題となった。東アジア地域に対する日本の基本姿勢として有識者たちは、小渕外務大臣のシンガポール演説においては、①二一世紀を「平和の世紀」とするための貢献、②二一世紀を「発展の世紀」とするための貢献、③相互理解の促進、そのために「アジアの明日をつくる知的対話」を開催することを提言した。そして、経済危機によって最もしわ寄せを受けやすい貧困層、高齢者、障害者、女性・子供など、社会的な弱者の健康や雇用は「人間の安全保障」の問題であり、このような社会開発分野への取り組みにODAの協力を拡充するという具体案を提示したのである。

シンガポール演説には、その論点が盛り込まれた。一九九八年五月下旬、日本国際交流センターが開催した「二一世紀の外交課題」研究会で、新たな外交指針として政策上も、「人間の安全保障」を明確に位置づけることが議論された。世界が今後不安定化していくことが予想される中で、「人間の安全保障」がキーワードとなる可能性が示唆されたのである。このときの議論は、「人間の安全保障は従来からの国家安全保障や協調的安全保障と対立する概念ではなく、これらとオーバーラップする部分を持ちながら共存するものとして考えるべし」という意見にまとまった[★1]。

一九九八年七月、総理大臣に就任した小渕は、同年一二月二日、東京で日本国際交流センターとシンガポールの東南アジア研究センターが共催した「アジアの明日を創る知的対話」に出席し、「人間の安全保障」に触れて次のように演説した。

『人間の安全保障』とは、比較的新しい言葉ですが、私はこれを人間の生存、生活、尊厳を脅かすあらゆる種類の脅威を包括的に捉え、これらに対する取り組みを強化する考え方であると理解しております。

……アジア経済危機に関してもわが国はこれまでに世界最大規模の支援策を表明し、また、着実に実施してきておりますが、このような支援に際しても『人間の安全保障』の観点から、経済危機から最も深刻な影響を受けている貧困層、高齢者、障害者、女性や子供など社会的弱者対策を重要な柱の一つとして取り組んでいます[★2]。

この演説の際に「human security」を日本語でどのように訳すかが問題になった。たびたび挙げてきた一九九四年版の「UNDP人間開発報告書」に採り上げられて以来、日本でも「ヒューマン・セキュリティ」と表記するか、「人間の安全」とするか、あるいは「人間の安全保障」とすべきか議論されてきたが、この演説以降「人間の安全保障」という訳語が定着した。

同月一六日、続いて小渕はベトナムで開催されたASEAN＋3首脳会議に出席し、ハノイのベトナム国際関係学院で「アジアの明るい未来の創造に向けて」と題した政策演説を行った。ここでアジア金融危機の影響を念頭に、人間の生存、生活、尊厳を守るための支援を日本の「人間の安全保障」への取り組みとして本格的に打ち出した。演説後、日本はアジア金融危機の影響を最も大きく受け、社会不安が深刻になったインドネシアに総額四〇億円の資金供与を行い、医薬品の供給を増やすための製薬工場建設を支援した。また、医薬品の製造に必要となる原材料を調達し、社会的最弱者層への供給を改善した[★3]。

これらふたつの小渕演説は、日本の「人間の安全保障」への取り組みの原点となっている。このように「人間の安全保障」が、アジア金融危機に対する日本の政策のフレームワークとして用いられたことには理由があった。一九九七年のアジア金融危機後、日本は大きな影響を受けたタイやインドネシアなどに対して様々な支援を行っていたにもかかわらず、金融危機に見舞われたアジアの国々に十分な救済の手をさしのべていない、地域の危機に対して消極的であるとの批判が展開され、人民元の為替レートを維持した中国と対比して非難されていた。「人間の安全保障」というラベルによってアジア諸国への様々な支援策を包括し、日本の政策を関係国に強く印象付けたいという狙いがあったことは十分に考えられる。

日本は既に一九八〇年代に総合安全保障の概念を提唱し、軍事面以外の経済的要素も含む安全保障の考え方を示しており、「人間の安全保障」の考え方を受け入れる素地があった。さらに安全保障の分野で常に直面する憲法九条の制約を受けずに、国際平和に貢献できる視座として「人間の安全保障」がふさわしいものであったことも、日本の積極的な取り組みにつながったと言えるだろう。

ベトナムでの演説中、小渕首相は「関係国際機関がこの地域で実施するプロジェクトに対する支援を機動的に実施するため、国連に『人間の安全保障基金』を設置すべく五億円を拠出する」と述べた[★4]。これが第3章で述べたように実現し、日本政府の「人間の安全保障」政策実践のひとつの柱となっている。他にも小渕は、第5章で紹介するようにカナダが人間の安全保障政策のひとつと位置づけて主導した、オタワ・プロセスによる対人地雷全面禁止条約にも賛同し、日本国内での地雷の戦略的重要性を強調する意見を説得し、条約への署名、および国会での批准にこぎつけた。

小渕の急逝後、「人間の安全保障」を日本の外交政策のひとつの柱とする考え方は、後継首相である森喜朗に引き継がれた。二〇〇〇年九月の国連ミレニアム総会で日本は「人間の安全保障を外交の柱にすえ」ることを宣言し[★5]、あわせて後述のように「人間の安全保障」の理念を深めるための有識者による国際委員会の設置を呼びかけた。これが人間の安全保障委員会として実現の運びとなった。

このような日本政府の取り組みは、外務省が刊行する外交青書の記述にも反映されている。「人間の安全保障」が外交青書にはじめて登場したのは一九九九年度版である。一九九八年一二月の小渕演説を取り上げ、アジア金融危機が社会的弱者に深刻な影響を与えたことに言及しつつ、「人間の安全保障という概念を具体的な行動に結びつけるとともに、この分野で中心的な役割をはたしうる国連の改革に反映させていくこと」[★6]が必要であると記述された。ここでは国際的な協力による「人間の安全保障」の実現が強調されている。その後は毎年、外交青書に人間の安全保障が取り上げられているが、二〇〇一年度版外交青書では、国連ミレニアム・サミットにおける森首相(当時)の演説を受け、人間の安全保障が「日本外交の重要な視点」[★7]と位置付けられ、以来、外交青書はこの視点を踏襲している。また、二〇〇六年度版の外交青書においては「人間の安全保障が従来の国家安全保障を補完するものとして定着している」[★8]とし、人間の安全保障か、国家安全保障か、という論争に一定の終止符を打っている。二〇〇七年度版外交青書は、ことさら「人間の安全保障」という独立した項目こそ設けていないが、「国際協力の推進」の節で開発援助に触れ、以下のように記述されている。

……国際社会の中で存在感・影響力を一層高め、国際社会から評価され、尊敬される日本を実現するよう、国際協力により積極的に取り組む必要がある。その際の理念として重要なのはODA大綱に掲げられた諸原則である自由、民主主義、基本的人権そして市場経済化の実現と、ひとりひとりの人間に着目し、保護と能力強化を通じて人間それぞれの持つ豊かな可能性を実現し、人づくり、社会づくりをもって国づくりを目指す「人間の安全保障」の視点である[★9]。

そして、アフリカなど個別の項目でも「人間の安全保障」について言及されている。

二〇〇八年に入ると、この年、北海道洞爺湖で開かれたG8サミットに向け、再び「人間の安全保障」が日本政府の政策フレームワークとして用いられた。感染症は人間の安全保障の重要な実践テーマのひとつだが、二〇〇八年一月、スイスの世界経済フォーラム(ダボス会議)に参加した福田康夫首相(当時)は「人間の安全保障」の観点から保健に焦点をあてたいと述べた[★10]。五月には東京で、世界エイズ・結核・マラリア対策基金（世界基金）支援日本委員会（Friends of the Global Fund, Japan）による「国際シンポジウム　沖縄から洞爺湖へ『人間の安全保障』からみた三大感染症への新たなビジョン」が開催された。ここでも福田は「エイズ、結核、マラリアと闘う世界中の全て人々を支援し、ミレニアム開発目標の達成に向けて努めますことは、我が国が重んじる『人間の安全保障』の実現につながるものであります」と演説し、世界基金に二〇〇九年以降、当面五・六億ドルを拠出することを表明した[★11]。この世界基金は、二〇〇〇年の九州・沖縄サミットにおいてホストを務めた森首相がアフリカの首脳を招待し、サミットではじめて感染症対策を議題としたことを契機に設立されたものである。

ほかにも、二〇〇八年五月に横浜で開催された第四回アフリカ開発会議（Tokyo International Conference on African Development Ⅳ＝TICADⅣ）においても「MDGsの達成及び平和の定着・グッドガバナンスを含む人間の安全保障の確立」が、「成長の加速化」、「環境・気候変動問題への対処」と並ぶ三本柱のひとつとして掲げられた[★12]。

そして、TICADⅣの横浜行動計画では、「アフリカにおけるMDGsの達成を促進するため、TICADプロセスは『人間の安全保障』の理念、即ち人間の生命、生活及び尊厳に対する様々な脅威から人々を守り、自身の持つ可能性を十分に実現できるように能力強化が図られる社会を構築することを目指す考え方に焦点をあてる。『人間の安全保障』の強化に際しては、中央政府、地方政府、国際機関、市民社会等の協力を奨励する、ボトム・アップの取り組み、包括的・マルチセクトラルな対応、全員参加型のアプローチを重視していく」と盛り込まれた[★13]。これは主催国である日本の考え方を反映したものであるといえよう。

また行動計画では「MDGsの各目標間の相互関連性に十分な注意を払いながら、TICADプロセスは、MDGs達成に向けて遅れが最も顕著な保健と教育の分野に積極的に焦点を当てるとともに、コミュニティ開発、ジェンダー平等及び市民社会の積極的な参加を奨励する」[★14]と述べられている。特にコミュニティ開発に関しては、「コミュニティ開発及び能力強化は、地方及び都市のいずれにおいても、人間の安全保障に不可欠な要素である。コミュニティ開発においては女性が重要な役割を占めているため、ジェンダーの視点が不可欠である。また。持続可能なコミュニティ開発を確実にするためには文化的考慮も重要である。さらに。コミュニティを基礎とする取り組みは、移行期における平和の定着にとっても不可欠である」[★15]と述べられ、その重要性が強調されている。

また外交青書二〇〇九年度版では、「平和の定着と国づくり、オーナーシップの尊重、人間の安全保障等の理念・アプローチの深化」が、「国連平和構築委員会等における知的リーダーシップの発揮」と共に、知的貢献分野における平和構築分野での日本の取り組みとして挙げられている。日本は人間の安全保障の視点に立ち、紛争の予防や緊急人道支援とともに、紛争の終結を促進する支援から平和の定着や国づくり支援に至るまで、平和構築支援に積極的に取り組んでいると述べられている[★16]

具体的な日本の人間の安全保障への取り組みとして、TICADⅣの他にも人間の安全保障の概念普及を目指し、メキシコと日本が非公式会合を共催し、さらに国際社会における連携強化に向けた協議が行われたこと[★17]や、アフガニスタンで二〇〇七年にNATOの地方復興チーム（Provincial Reconstruction Team＝PRT）と連携し、日本が草の根・人間の安全保障無償資金協力を通じてNGO等を支援する枠組みが構築され、九つのPRTと連携した四三事業が実施されている例[★18]、日本が国連に設置した人間の安全保障基金を通じて、国連地雷対策信託基金（United Nations Mine Action Service＝UNMAS）およびUNDPがレバノンで実施する「地雷により影響を受けたコミュニティの社会的・経済的エンパワーメント、地雷と不発弾の脅威除去及び復興の促進プロジェクト」（約三億三〇〇〇万円）を支援している例[★19]も紹介されている。

二〇一〇年度版外交青書においても同様の記述がなされ、地球規模の課題の中で人間の安全保障が「一人一人の人間に注目し、その豊かな可能性の実現を目指す」ものとして位置づけられ、日本の援助の理念として紹介されている[★20]。
日本の人間の安全保障に関する動きを時系列的に俯瞰すると、日本政府は二つの道、すなわち知的対話による理念の普及と国連人間の安全保障基金やＯＤＡを通じた開発援助を通じて「人間の安全保障」を実践して来たと言えよう。

## 2　知的対話を通じた理念の普及——人間の安全保障委員会への支援

日本は知的対話を通じて「人間の安全保障」の普及に努めているが、その出発点は前述の一九九八年一二月、ＪＣＩＥとシンガポールの東南アジア研究センターが共催し、小渕首相が「人間の安全保障」に関する本格的な演説を行った「アジアの明日を創る」と題する知的対話であった。それ以降、日本政府は様々な「人間の安全保障」に関するシンポジウムや知的対話を主催、支援してきている[★21]。これらのシンポジウムは公開で開催されたものも多く、有識者、学者、学生、ＮＧＯ関係者などが多く参加し、高い関心が示された。こうした一連の知的対話の一つの帰結が、二〇〇一年、森首相が提案して設置された人間の安全保障委員会であった。

二〇〇〇年の国連ミレニアム総会の報告で、当時国連事務総長であったアナンは、「人間の安全保障」という用語は用いなかったが「恐怖からの自由」と「欠乏からの自由」という人間の安全保障概念の基本となっている自由に言及し、人々を襲う地球規模の様々な問題に対処するための努力の必要性を訴えた。アナン報告を受け、森首相はミレニアム総会で有識者による人間の安全保障委員会の設置を提案したのである。同委員会は日本政府が支援し、二〇〇一年六月の第一回会合以来、五回の会合を重ね、二〇〇三年五月一日には共同議長である緒方貞子とセン(当時ケンブリッジ大学トリニティー・カレッジ学長)が、アナン事務総長へ最終報告書「安全保障の今日的課題(Human Security Now)」[★22]を提出した。

この報告書は国家安全保障を中心とする安全保障の理論的枠組みを再考し、安全保障の焦点を国家から人々に拡大することの重要性を提言するものであった。人間の安全保障を「欠乏からの自由」と「恐怖からの自由」、どちらか一方の問題と捉えるのではなく、その両面にかかわる現象に対する包括的な取り組みを求めたのである。「保護」するという、これまでのトップダウン的視座だけでなく、「能力強化(Empowerment)」というボトム・アップ・アプローチの両面からの「人間の安全保障」の実践という側面が強調されたのもそのためであった。

人間の安全保障委員会が報告書の提出をもって使命を完了した後、人間の安全保障諮問委員会が設置され、第3章で紹介した国連人間の安全保障基金によるプロジェクト支援についての諮問を受けている。同委員会は、当初「人間の安全保障」の特色の薄かった基金の活動に「保護」と「能力強化」という柱を導入し、基金支援のガイドラインの整備を図ることで、より「人間の安全保障」向上につながるプロジェクト支援を実現している。

日本政府は「人間の安全保障」を広義の立場、開発援助を軸に推進してきている。したがって「恐怖からの自由」を決して否定しているわけではないが、第5章で紹介するように狭義の立場を取るカナダやノルウェーが中心となって一九九九年に設立した人間の安全保障ネットワーク(Human Security Network)には加盟しなかった。日本政府は二〇〇六年、国連首脳会議成果文書のフォローアップとして人間の安全保障フレンズ会合(Friends of Human Security Forum)を提案し、同年一〇月に第一回会合を国連本部に近いホテル(Millennium United Nations Plaza Hotel)にて開催し、二〇〇七年四月には第二回会合が開かれている(第二回会合以降は国連本部内会議室で開催)。以降一年に二回のペースで会合が開かれている。

この会合は、日本とメキシコが共同議長となり、国連のOCHAが共催する形で開催されている。第一回会合の参加アクターは二四カ国とUNDP、UNICEFなど七つの国際機関[★23]であったが、第二回会合には中国を除く安保理常任理事国も出席し、全体で三五カ国・地域と一三の国際機関が参加[★24]した。第三回会合以降は中国を含め国連安保理常任理事国も参加するようになり、回を重ねるごとに参加国が増えている[★25]。

フレンズ会合には、カナダをはじめとする人間の安全保障ネットワーク加盟国も参加するなど、賛成、反対にかかわらず「人間の安全保障」に関心のある国に門戸が開放されている、いわゆるopen-endedフォーラムの形をとっている。会合では、各国が人間の安全保障関連の活動を報告したり、人間の安全保障に関する共通理解を醸成したりすることを目的としており、まさに知的対話を通じた理念の普及の場と言えるだろう[★26]。当初、人間の安全保障フレンズ会合が提案された際には、前述の人間の安全保障ネットワークと重複するのではないかと両者の関係が問題とされたが、現在は共存している。二〇〇七-二〇〇八年の国連総会議長をつとめたケリムは、自ら議長として主宰した人間の安全保障に関する国連総会テーマ別討論(第3章で紹介)の冒頭、「フレンズ会合が国連活動において人間の安全保障が理解され、主流化されるように加盟国間の協力を促す場」であると評価した[★27]。

一方の人間の安全保障ネットワークは、毎年閣僚会議の議長国が関心のあるテーマを採り上げるようになっている。タイはHIV/AIDS、スロベニアは紛争下の児童保護、ギリシャは気候変動といった具体的なテーマを議論の対象として取り上げた。ただし、議長国がそれぞれの関心事項をテーマとするようになることで、人間の安全保障ネットワークの会合は次第に「人間の安全保障」という枠組みへのリンクを消失しつつあるとの指摘もあり、同ネットワークから脱退する国もでてきている。また人間の安全保障ネットワーク参加国の中には、ネットワークの会合をフレンズ会合と合体させたいという意見も一部出てきている。

政府間のみならず、市民社会でも「人間の安全保障」に関する知的対話が開催されている。小渕首相による最初の人間の安全保障に関する演説の場となった「アジアの明日を創る対話」を主催したＪＣＩＥは、一九九八年以来継続的に「人間の安全保障」に関する対話フォーラム、共同研究を実施し、特に感染症などの研究成果を発表している。この対話では概念そのものに関する議論のみならず、環境問題、保健、医療問題など具体的な実践課題を取り上げて、ケース・スタディを実施し、具体的な提言が行われている。

## 3　開発援助を通じた「人間の安全保障」の実践

一九九三年のＴＩＣＡＤⅣ以来、知的対話と並んで日本の「人間の安全保障」政策の中核をなしてきたのが開発援助を通じた実践である。第3章で紹介した様に一九九九年三月、国連に人間の安全保障基金を設立すると、それを活用した様々なプロジェクト支援が行われるようになった。

さらに日本政府は、二〇〇三年八月に改訂されたＯＤＡ大綱において、「個々の人間の尊厳を守ることは国際社会の安定と発展にとっても益々重要な課題となっている」との認識を示した。その基本方針には、「紛争・災害や感染症など、人間に対する直接的な脅威に対処するためにはグローバルな視点や地域・国レベルの視点とともに、個々の人間に着目した『人間の安全保障』の視点で考えることが重要である。このため、わが国は人づくりを通じた地域社会の能力強化に向けたＯＤＡを実施する。また、紛争時より復興・開発に至るあらゆる段階において、尊厳のある人生を可能ならしめるよう、個人の保護と能力強化のための協力を行う」との記述がみられる[★28]。大綱で「人間の安全保障」が実践の柱となることが打ち出されたことにより、これまでＯＤＡが届かなかった領域にも手が差し伸べられることになった。また、平和構築を重点事項のひとつに挙げていることは注目に値する。

二〇〇五年二月に策定された新しいODA中期政策では、「人間の安全保障」は開発支援全体にわたって踏まえるべき視点として位置づけられている。ODA中期政策では、「人間の安全保障」を人間の安全保障委員会の報告書に沿った形で以下のように定義している。

「人間の安全保障」は、一人一人の人間を中心に据えて、脅威にさらされ得る、あるいは現に脅威の下にある個人及び地域社会の保護と能力強化を通じ、各人が尊厳ある生命を全うできるような社会づくりを目指す考え方である。具体的には、紛争、テロ、犯罪、人権侵害、難民の発生、感染症の蔓延、環境破壊、経済危機、災害といった「恐怖」や、貧困、飢餓、教育・保健医療サービスの欠如などの「欠乏」といった脅威から個人を保護し、また、脅威に対応するために人々が自らのために選択・行動する能力を強化することである[★29]。

ここでは「恐怖からの自由」と「欠乏からの自由」の両方を含めた人間の安全保障のための開発援助、という考え方が明示され、具体的には「貧困削減」、「持続的成長」、「地球規模の問題への取り組み」、「平和の構築」の四つを重点課題としている。そして人間の安全保障の実現に向けた援助のアプローチとして、住民のニーズの把握、人々に届く援助、地域社会との絆、自立に向けての能力強化、人々が文化的背景のために差別されることなく、文化の多様性が尊重されるための支援、分野横断的な支援などが挙げられている[★30]。ODAを通じた日本の「人間の安全保障」の実践は、第3章で紹介したように二〇〇五年に世界銀行が公表した「社会発展戦略ペーパー」でも評価された[★31]。

また、ODAのように相手国政府からの要請に基づき、その政府に対して資金供与を行う形ではなく、N

GOや地方自治体からの要請を受け、直接現地の大使館の判断で資金供与ができるスキームとして「草の根無償資金協力」があったが、これは二〇〇三年三月に「草の根・人間の安全保障無償資金協力」と衣替えをし、案件審査において「人間の安全保障」の視点が加味された。これは返済が不要な資金協力である。対象分野としては保健・医療、教育、貧困削減、環境などであり、近年では元紛争地への供与、とりわけ水、衛生、輸送インフラ、難民、国内避難民への緊急支援が増えている。この無償援助では、人間の安全保障が加わることにより、従来のように単独分野への援助ではなく、麻薬、貧困撲滅、テロ、あるいは教育と衛生を複眼的に組み合わせる援助など「包括的な」アプローチをとることが重視されるようになっている。

このようなODAの政策を受けて開発途上国において国際協力、特に二国間技術協力を実施することを任務として活動してきたのが国際協力事業団（Japan International Cooperation Agency＝JICA）である。JICAはこれまで個別分野ごとの集中と分業が高度に進み、形態ごとに細分化された援助が行われる傾向にあったが、その活動を見直した。二〇〇三年一〇月に独立行政法人化され、国際協力機構となり、緒方貞子が理事長に就任してからは、開発協力の中でも「保護」と「能力強化」に力を入れ、二〇〇四年三月に発表した「JICA改革プラン第一弾」の中では緒方自身が共同議長を務めた人間の安全保障委員会の報告を踏まえ、「現場主義」、「効果・効率性、迅速性」とともに、改革の三つの柱のひとつとして「人間の安全保障」の概念の導入を掲げた。

JICAが人間の安全保障を掲げた理由として、半世紀を迎えたODAの歴史をふまえ、今改めて「人間中心の援助」を謳う必要が生じていること、冷戦構造の崩壊を契機として、「開発」と「平和」に対する包括的な取り組みがますます必要となってきていること、「より困難な状況にある国や地域」に対する取り組みを強化しなければならないという認識があげられている。JICAの従来の活動にも人間の安全保障の視点が盛り込まれた事業は数多くあったが、「人間の安全保障」が政策的な枠組みとして形成されたことを受け、具体的に人間の安全保障に取り組む七つの視点を打ち出した。

①人々を中心にすえた、人々に確実に届く援助
②人々を、援助の対象としてだけでなく、将来の「開発の担い手」としてとらえ、そのために人々の能力強化（エンパワーメント）を重視する援助
③社会的に弱い立場にある人々、「生命」、「生活」、「人間の尊厳」が危機にさらされている人々、あるいはその可能性の高い人々に対して、真に役立つ援助
④「欠乏からの自由」と「恐怖からの自由」の双方を視野に入れた援助
⑤人々の抱える問題を中心にすえ、問題の構造を分析したうえで、その問題解決のために、さまざまな専門的知見を組み合わせて総合的に取り組む援助
⑥政府（中央政府、地方政府）レベルと地域社会や人々レベルの双方にアプローチし、相手国や地域社会の持続的発展に寄与する援助
⑦途上国のさまざまなアクター（援助関係者・ボランティアを含む）、ほかの援助機関、NGOなどとの連携を通じて、より大きなインパクトをめざす援助[★32]。

これらの視点には、開発援助による「人間の安全保障」の実践でありつつも「欠乏からの自由」だけでなく「恐怖からの自由」が含まれていることに注目したい。二〇〇五年のJICAの年報では「貧困にあえぐ途上国の人々の多くは、同時に、武力紛争がもたらす影響を直接、あるいは間接に受け、それによって生命、生活、尊厳が危機にさらされている」と述べて、開発と平和の関連性を示し、両方を含む包括的な取り組みが必要だとしている[★33]。

ＪＩＣＡは二〇〇八年一〇月の改正機構法の施行により、旧国際協力銀行(Japan Bank for International Cooperation＝ＪＢＩＣ)の海外経済協力業務と統合し、技術協力、有償資金協力、無償資金協力を一元的に担い、年間一兆円を超える予算規模と海外一〇〇カ国にわたる海外ネットワークを持つ世界最大規模の二国間援助の実施機関となった。これ以降、ＪＩＣＡでは、グローバル化に伴う課題への対応、公正な成長と貧困削減、ガバナンスの改善、人間の安全保障の実現を使命に掲げている[★34]。二〇〇八年にＪＩＣＡが出した人間の安全保障に関するパンフレットでは、人間の安全保障につながる実践とは、『恐怖』(紛争や災害)と『欠乏』(貧困)からの自由に包括的に取り組む協力」、「社会的に弱い人々への裨益《ひえき》を強く意識したきめ細かい協力」、「『保護(Protection)』と『能力強化(Empowerment)』双方の実現を目指す協力」、「グローバル・リスクに対処する協力」であると述べられている[★35]。

具体的には、ＪＩＣＡは人間の安全保障の視点を国別事業実施計画や課題別指針などそれぞれの事業に反映させ、支援を行っている。

ボスニア・ヘルツェゴビナのスレブニツァでは、地域の帰還民を含めた住民自立支援が行われた。紛争終結後に難民や国内避難民の帰還が始まったものの、帰還家族や一家の働き手を失った母子家族は経済基盤が脆弱で、援助物資や各種年金、児童育英基金に頼らざるを得ない状況だった。またスレブニツァ地域は紛争末期にボスニア系住民とセルビア系住民の対立が激化し、大量虐殺事件が起きた場所であり、民族間に残された不信感情は、紛争終結後もなお地域社会の発展を妨げていた。

ＪＩＣＡは帰還家族や母子家族を主な対象とし、農牧業の再興を通じて住民の経済的な自立を図るとともに、農作業や技術研修を通じて民族間の対話や交流を活性化し、民族間の和解に特に配慮した復興・開発支援を行っている。このプロジェクトは人間の安全保障の視点から見て、民族間の共同事業を通じ、復興から開発へ継ぎ目のない支援を実施している。また開発の成果を生むことにより、人々の信頼醸成が促進されている。帰還家族や母子家族など特に脆弱な人々を対象とし、保護と能力強化を図っている。また住民やNGO、行政機関など多様なアクターとの連携を進めることによって成果の拡大を図っていることがポイントであると分析されている[★36]。

例えばミャンマー・コーカン特別自治区における麻薬問題への取り組みがある。「黄金の三角地帯」の一角として知られる同地区では一〇〇年以上前からケシ栽培がおこなわれ、生計の中心になってきた。少数民族であるコーカン族は、一九八九年、紛争状態にあったミャンマー政府と停戦協定を結び、ミャンマーの特別区となった。その際に一〇〇年あまりの歴史を持つケシ栽培を禁止することを中央政府と約束し、自ら法的統制を強め、二〇〇三年にケシ栽培撲滅の目標を達成した。

しかしコーカン地区では、慢性的貧困の問題があるにも関わらず、行政サービスが未整備であり、農民は収入の七〇パーセントを占めていたケシ栽培による現金収入源を突如として失ったため、現金で調達していた食糧や肥料、保健医療、教育サービスなどを受けられず、貧困状態が急速に悪化し、同時期に発生したマラリアによる死者も二七〇人に及んだ。JICAは一九九七年から専門家を派遣し、ケシの代替作物としてソバの導入による収入向上に協力してきたが、二〇〇五年より新たに肥料や種子の配布と農民への研修による食糧増産支援や蚊帳の配布によるマラリア等の疫病対策、これらの活動に緊急的に必要とされる道路、給水施設などを整備した。

また緊急支援と並行して、農民への研修による自給作物や換金作物の栽培技術、作付や営農体系の改善、ソバや茶などのケシ代替作物の栽培から加工までの技術や手法の改善を支援している。さらに生活改善活動や学校での保健衛生教育を通じた保健面の改善、識字教育や学校校舎の整備を通じた基礎教育の改善に協力している。このプロジェクトは、人間の安全保障の視点から見て、危機的状況に陥り、慢性的な貧困問題も抱えている少数民族の人々への裨益を強く意識しており、複数のセクターの課題に取り組むクロスセクター・アプローチである。また対象地域が危機的状況の緩和から長期的な開発へと継ぎ目のなく移行できるように継続的に協力が行われている。政府レベル（中央・地方）の行政能力向上による人々の「保護」、参加型開発による地域社会・人々の「能力強化」につながったことがポイントであると分析されている[★37]。

このような二国間での取り組みのみでなく、様々なアクターとの連携を通じて、複数国への協力を行っている事例もある。八つの国と国境を接するザンビアでは、JICAは現地のNGOと連携し、HIV感染のリスクが高い性産業従事者や国境を行き来する長距離トラック運転手などに対し、HIV感染の予防啓発活動やHIV／AIDSに関する知識の向上や性感染症の治療体制の整備を通じ、偏見や差別を軽減するための仲間との知識の共有、予防に向けた行動変容の為の活動を実施している。ケニアではウガンダ国境の町やナイロビへ向かう幹線道路沿いの町で、HIV感染のリスクの高い長距離トラック運転手や性産業従事者、国境付近のコミュニティを対象に、NGOと協力し、地域の住民グループと共にHIV／AIDSに関する情報提供や行動変容を促進する啓発活動の支援、栄養向上支援、収入向上活動を行っている。二〇〇七年から現地に青年海外協力隊員も派遣されており、HIV感染者の家庭訪問やHIV感染者のサポートグループへの協力を通じ、HIV感染者に対する偏見や差別の軽減と感染者の生活の質の向上を目指す活動を行っている[★38]。

## 4 「人間の安全保障」の実践としての保健・医療分野

もうひとつ日本が積極的に取り組んでいる人間の安全保障の実践が医療保健分野である。前述のODA中期政策の中でも謳われている、感染症の蔓延を防ぐことがその中心的課題となっている。二〇〇〇年に九州・沖縄G8サミットを主催した際、当時の森喜朗首相はサミットにアフリカの首脳を招き、感染症対策を主な議題とした。この会議で感染症対策のために世界が協力して資金提供するメカニズムとして世界基金[★39]が設置され、エイズ、結核、マラリアという三大感染症への取り組みが決まった。エイズやマラリアで死亡する人々の八割がサハラ砂漠以南のアフリカに集中している。しかし、感染症は先進国途上国という区別のないグローバルな課題であり、グローバルな取り組みが必要である。世界基金は、設置以来一三六カ国で約二五〇万人の命を救うだけでなく、感染症に苦しむ人々の多い地域における保健システムの改善、医師・看護師の養成、感染症に対する教育などを実践している。

武見敬三らは、「国際保健、人間の安全保障、そして日本の貢献」と題する論文の中で国際保健が人間の安全保障の実践において「エントリー・ポイント」になることを強調している。例えばエイズの流行は途上国が中心かもしれないが、世界銀行が「ある国のHIVの感染率が一〇パーセントになると、国民所得成長率が三分の一減少し、感染率が二〇パーセントになるとGDPが一パーセント下がる」と報告しているように、経済的なインパクトが先進国にも及ぶことは明らかである。感染症は対岸の火事ではないのである[★40]。

医療保健は個人のニーズに応えるとともに、人々の健康への関心を高めることでそれぞれの人間の能力開発につながり、保健衛生システムを整備、充実することによって世界各地の感染症という脅威に対抗する力を育成することになる。それは弱者を保護するばかりでなく、能力強化する側面を持つことから、まさに人間の安全保障の実践のひとつと位置付けられるのである。

二〇〇八年七月のG8北海道洞爺湖サミットを控え、同年五月、世界基金は東京で「国際シンポジウム─沖縄から洞爺湖へ─『人間の安全保障』から見た三大感染症への新たなビジョン」を開催したが、その席上、当時の福田康夫首相は二〇〇九年から五・六億円を世界基金に拠出することを表明した[★41]。

## 5　日本のNGOと「人間の安全保障」

前述のように「人間の安全保障」の担い手が、国際機構、地域機構、各国政府のみならず市民社会にも広がっていることが、今日ひとつの特色となっている。市民社会では、企業、財団やNGO／NPOが様々なかたちで「人間の安全保障」につながる活動を展開している。上述の人間の安全保障に関する知的対話を推進している日本国際交流センターが一つの例である。本節では市民社会のアクターの中で日本のNGOが「人間の安全保障」にどのように取り組んでいるかを概観する。

NGOとはNon-governmental Organizationの略で、日本語では非政府組織と訳されることが多い。これは国連からでた言葉で、国連憲章第七一条の中で「経済社会理事会は、その権限内にある事項に関係のある非政府組織と協議するために、適当な取り決めを行うことができる。この取り決めは国際団体との間に、また適当な場合には関係のある国際連合加盟国と協議した後に国内団体との間に行うことができる」[★42]と明文化され、国連と協力関係をもつ政府以外の民間団体を指す用語として使われている。しかし現在では一般的にNGOとは国連機関との協議資格の有無にかかわりなく、非政府、非営利で開発、人権、環境、平和などの諸問題に取り組む市民主導の国際組織や国内組織を指す言葉として定着している[★43]。

もうひとつ近年よく用いられる言葉としてNPO（Non-profit Organization）があり、非営利組織と一般的に訳される。日本ではNPO法制定の前後から盛んに使われるようになったが、一致された定義はなく、日本ではNGOの多くが特定非営利活動促進法（NPO法）に基づき、NPO法人として認定を受けている。日本では、本節で主に採り上げるような国際的な問題に取り組む団体はNGOという名称を、まちづくりや福祉、環境、子供の健全育成など国内や地域の問題に取り組む団体はNPOという名称を使っていることが多いと分析されている。これは国際的な問題に取り組む団体は、政府と異なった視点を強調し、国内的な問題に取り組む団体は企業とは違って営利目的でないことを強調したいことが理由にあげられている[★44]。国際協力NGOセンター(Japan NGO Center for International Cooperation＝JANIC)では国際協力NGOの概念を「非政府」、「非営利」、「ボランタリズム」、「国際協力」の四つにわけて、説明している[★45]。そして日本のNGOについて以下のようにまとめている。

日本の国際協力NGOの活動分野は多岐にわたるが、開発・環境・人権・平和の4分野に大別することができる。開発分野では、農村や都市スラムにおいて、地域開発、農業指導、保健医療活動、居住環境の改善、教育の普及、職業訓練、小規模産業の育成などを行っている。環境分野では、植林、森林保護、砂漠化の防止、生態系の保全活動などに取り組んでいる。人権の分野では、難民、女性、子供、障害者、被災者、先住・少数民族、被拘禁者、日本における在日外国人労働者などの人権擁護のための活動を行っている。平和の分野では主に軍備撤廃、地雷廃絶、平和教育などの活動に従事している。これらのうち、特に教育・子供、保健医療、職業訓練、ジェンダー・女性、植林などの活動が盛んに行われており、民主主義・良き統治(グッド・ガバナンス)、平和構築などの分野が注目を集めている[★46]。

JANICの調査によると、対象となっている二七五団体の二〇〇四年度における総収入額は約二八六億一三二〇万円で、単純平均では一団体あたり約一億円になる。しかし、これは大規模NGOが存在するためで、実際には約六割の団体が二〇〇〇万円以下の規模で活動している[★47]。NGOの財源には、寄付金、会費、事業収入、民間財団からの助成金、政府からの補助金や委託金などがある。

日本のNGO発展の歴史的な系譜をたどると、①明治時代から第二次世界大戦まで、②終戦後の復興から一九六〇年代の高度成長期、③一九七〇年代から一九八〇年代後半のインドシナ難民の時代、④一九九〇年代の役割増大の時代、⑤一九九七年以降の支援の担い手の時代に大別することができる。多くのNGOが様々なプロジェクトを運営する中で、その試行錯誤の中から、活動内容や手法を時代と共に変化させ、いずれのNGOも、その変化したきっかけや活動内容の有り様は各NGOによって違うものの、その活動は慈善型から技術移転型を経て、参加型への変化をたどっていると分析されている[★48]。

### ❖明治時代から第二次世界大戦まで――慈善事業の時代

この時期はいわば「慈善」の時代であった。市民社会活動の概念がまだ誕生していない時代、政府の方向性とは別に、宗教関係団体が細々と国際協力活動を行っていた。とりわけキリスト教関連団体は、同じ人間としての共感を持ちつつ、近隣のアジア諸国において困難な立場にある人々に対する慈善活動を行っていた。

一九三八年、日中戦争の被害者や避難民の救済や医療活動を目的に、志村卯三郎牧師の呼びかけにより、関西のキリスト教従事者を中心に、京都大学医学部の医師や医学生、看護師の九名で中国難民救済施療班が中国へ派遣され、二カ月の医療活動を行った。戦後、この活動は日本キリスト教青年会医科連盟の結成やアジアでの医療協力を目的としたNGO日本キリスト教海外医療協力会(Japan Overseas Christian Medical Cooperative Service＝JOCS)の発足へ発展した[★49]。

### ❖終戦後の復興から高度成長期――経済発展の時代

戦争の痛手から立ち直り、驚異的な経済成長を遂げると同時に、日本は過去の国際的に孤立した状態を反省し、先進国として国際的に認められたいという願望を持つに至った。この時期日本は、外交の柱のひとつとして国連中心主義を標榜し、国連機関が日本で活動するための拠点として、一九四八年に日本ユネスコ協会連盟が、一九五五年に日本ユネスコ協会が設立された。日本ユネスコ協会連盟はユネスコ憲章の精神にのっとり、民間ユネスコ運動を推進することを目的に、世界寺子屋運動、世界遺産活動、青少年育成を事業の柱にした活動を行っている[★50]。日本ユニセフ協会は民間のユニセフ募金を集めるほか、ユニセフの世界での活動や子供たちについての広報、そして子供の権利の実現を目的としたアドボカシー活動を行っている[★51]。

一九六〇年代に入ると、日本でもＮＧＯが設立されるようになった。先述したように、中国難民救済施療班や日本キリスト教青年会医科連盟が基盤となり、ＪＯＣＳが設立された。ＪＯＣＳは一九六一年からインドネシアやネパールなどへ医師や看護師を長期派遣し、医療活動を行った。またオイスカ（The Organization for Industrial, Spiritual and Cultural Advancement-International）[★52]など一〇ほどの団体が設立され、活動を開始している。

### ❖一九七〇年代から八〇年代後半――インドシナ難民の時代

この時期に市民によって設立されたのがシャプラニール＝市民による海外協力の会である。一九七二年に日本のボランティア五〇名が自発的にバングラデシュ復興農業奉仕団として独立直後のバングラデシュへ行き、農村復興活動を行った。彼らの帰国後も活動を継続していくため、一九七三年にシャプラニールの前身となるヘルプ・バングラデシュ・コミティが結成され（一九八三年に改称）、村の住民の相互扶助グループ「ショミティ」の活動を外から支援する協力活動を行った[★53]。

一九七〇年代後半から一九八〇年代前半にかけ、インドシナ半島での戦闘や政情不安により、カンボジア、ラオス、ベトナムから多くの難民が大量に発生した。特にタイ・カンボジア国境に多くの難民が逃れてきたため、彼らに対する国際的支援が求められた。この状況は世界的に報道され、難民救援のために多くの日本人ボランティアが現地に向かった。そのときのボランティア経験を背景に、難民を助ける会、日本国際ボランティアセンター（Japan International Volunteer Center＝ＪＶＣ）、社団法人シャンティ国際ボランティア会（Shanti Volunteer Association＝ＳＶＡ）など多くのＮＧＯが設立された。

ＪＶＣは、困難な状況にある人々の自立を支援し、地球環境を守る新しい生き方を広め、対等・公正な人間関係を創りだすことを目的に、「農村開発」「緊急救援」「平和活動」「市民のネットワークづくり」など様々な活動を展開している［★54］。

ＳＶＡは文化的な活動を通じた人権擁護、文化の尊重により平和をつくることに主眼をおいており、貧困や戦争、内紛、環境破壊、災害などによって苦しむ人々を支援する。シャンティとは平和という意味であり、絵本や紙芝居で難民の子供たちの心をいやし、同時に難民の自立支援を目的に校舎、教材などの教育設備と教師育成というハードとソフト両面の向上に力を入れている。ワークキャンプやフェスティバルでは子供の国際交流活動も行っている［★55］。

またこのような日本発のＮＧＯの他にも、一九七〇年のアムネスティ・インターナショナル日本［★56］や一九七一年の世界自然保護基金（World Wide Fund for Nature＝ＷＷＦ）ジャパン［★57］、一九八三年の日本フォスター・プラン協会［★58］や一九八六年のセーブ・ザ・チルドレン・ジャパン［★59］など、国際ＮＧＯと呼ばれるＮＧＯの要請を受けた団体の設立も見られるようになった。

この時期にはこの他にも西ベンガル地域の洪水やフィリピン・ネグロス島での飢餓、ソ連軍のアフガン侵攻によるアフガン難民の発生などがあり、これらをきっかけに多くのＮＧＯが設立された。これらのＮＧＯの活動領域は当初は現地での緊急援助や物資の供給、生活の基礎支援が中心であったが、やがて多くのＮＧＯは緊急支援から復興支援への段階へ移り、自立の為の支援や帰還支援、国内定住難民支援へと活動を発展させていった。一九七〇年代後半には三〇弱であったＮＧＯの数は、一九八九年にはその六倍の一八六へ急増した［★60］。ＮＧＯの急増により、ＮＧＯを横につなぐネットワークの必要性が認識されるようになり、一九八七年に国際協力を行うNGO間の協力関係やNGOの健全な発展への貢献、NGO活動の社会的意義の確立を目的にNGO活動推進センター(二〇〇一年よりJANICに改称)が設立された。

### ❖一九九〇年代——役割が増大した時代

この時期、細川護熙首相(当時)のもと『国際文化交流に関する懇談会』が設置され、翌年『新しい時代の国際文化交流』と題する報告書が発表された。そこでは国際社会への貢献が強く提唱され、従来の欧米重視からアジア太平洋州とのネットワーク形成へ、さらに国際文化交流の担い手としての市民と、その活動が注目されるようになり、NGOやNPOの活動の重要性が指摘されていた[★61]。一九九〇年代前半頃から日本政府はNGOに積極的な支援を行うようになった[★62]。一九八九年に外務省は国際開発協力関係民間公益団体補助金(NGO事業補助金制度)を開始し、一九九三年には環境庁(現在の環境省)は地球環境基金を設置し、環境問題に取り組むNGOへの助成を開始した。この動きも手伝い、NGOの数は一九八九年の一八六から一九九〇年代半ばには三五〇を超えるまでに増加した[★63]。

NGOに法人格を与えるべきとの声が高まったのもこの時期であり、一九九八年末にNPO法が施行されると、多くの団体が特定非営利活動法人として申請を行い、認証を取得した。

そのひとつであり、一九九三年に設立されたブリッジ・エーシア・ジャパン(Bridge Asia Japan=BAJ)はアジアにおける社会的弱者、とくに女性、障害児、難民、貧困層など、困難な状況を抱えている人たちの自立を支援している。技術習得や能力強化の機会の提供、収入向上の支援、地域発展のための環境基盤整備を目標に、ミャンマー、ベトナムで活動を実施している。具体的には、視覚障害者の技術習得・就学支援、電気や溶接、エンジン修理など貧困青年への技術研修・訓練、ムスリム女性や帰還難民への識字教育や生活改善運動、マイクロクレジット、住民参加による橋梁や桟橋、道路、学校の建設、生活用水確保のための井戸掘削、既存井戸の修繕などの事業を行っている[★64]。

### ❖一九九七年以降――支援の担い手としての時代

この時期には、より効果的な援助形態を日本の中に構築することが課題となった。その解決に向けた課題の取り組みのひとつがジャパン・プラットフォーム（Japan Platform＝JPF）の設立である。JPFは地域紛争、自然災害が頻発する国際情勢を背景に、国際緊急援助の強化と質の向上を図るために結成された国際人道支援組織で、NGO、経済界、政府が対等なパートナーシップの下、それぞれの特性・資源を生かして協力・連携し、難民発生時・自然災害時の緊急援助をより効率的かつ迅速におこなうためのシステムである。

JPFの設立により、政府の資金拠出、及び企業・市民からの寄付金が、緊急援助実施時に初動活動資金としてNGOに直接、かつ迅速に提供されるようになり、NGOは直ちに現地に出動、援助活動を開始できるようになった。経済界も、経常利益や可処分所得の一パーセント相当額以上を自主的に社会貢献活動に支出しようと努める、日本経済団体連合会（日経連）の1％クラブ（One % club）が中心となり、JPFを支援することを表明した。これにより、企業が有する技術、機材、人材、情報等がJPFに提供され、企業による参加型貢献が進められている。また、JPFの公共性やアカウンタビリティを高めるため、メディア、民間財団、学識経験者らにも参加・協力も呼びかけており、関係アクターが一体となって国際緊急援助に取り組むシステムの構築を目指している。

JPFは、一定規模以上の災害、その他の人道危機が発生した場合、事務局が現場に赴き支援の必要性を調査するだけでなく、支援を決定した場合はその期間中、派遣したNGOの活動のモニタリング、支援後事業評価を行う。また広報活動、企業、メディア、市民、政府の情報共有、連帯を目的とした連絡会、シンポジウム、イベント活動なども手がける。これまでスマトラ島沖地震被災者支援、スリランカ北部の避難民支援、ハイチ地震被災者支援などを、NGOを通じて行ってきた実績を持つ。

JPFの具体的支援をスマトラ島沖地震被災者支援の例でみてみよう。JPFはスマトラ島沖地震発生後、二〇〇四年一二月から二〇〇六年二月にかけて総額七・二億円規模の事業四〇件を、四カ国で一六のNGO団体を通じて行った。支援分野は配給（生活必需品、医薬品）、保健（保健医療、公衆衛生、心のケア、衛生設備修復）、インフラ整備（レンガ撤去、道路／水路修復）などから住居、通信、教育支援、女性支援、生活再建（産業再生、職業訓練、生活環境再建）、コミュニティ復興にまでおよんだ。

日本政府は支援金四・九億円をJPFに提供し、政策協調を行った。経済界では日経連、日本商工会議所（日商）、経済同友会が企業の募金を呼びかけた。また日本労働組合総連合会（連合）は災害募金を呼びかけ、ヤフー株式会社、有限会社クロスワールド・コネクションズはチャリティ・オークションを開催した。株式会社三菱東京UFJ銀行は義援金受付口座を開設し、振込み手数料を無料にした。民間支援金は多数の企業・団体・個人の寄付により総額二・七億円に上ったのである。

被災地への支援物資の輸送は日本郵船グループが請け負い、日本航空は航空券を無償提供した。一八の企業・団体が物資を提供し、メディアは情報発信を行った。JPFは地方のNGOとの連帯によって必要な職員を派遣し、学界は地域研究コンソーシアムを立ち上げてシンポジウムを開催した。さらに、JPF学生ネットワークが事務局をサポートし、独自にシンポジウムを行った［★65］。

このようにスマトラ島沖地震被災者支援事業では、JPFがコーディネーター役をはたし、①支援事業、②物資配給、③理解促進活動、④モニタリングと評価を行い、包括的かつ、大規模、そしてなにより迅速な支援が実行されたのである。

## 6　日本のNGOによる多様な実践

このように発展してきた日本の国際協力NGOの活動分野は多岐にわたる。JANICによると、大きくは開発・環境・人権・平和の四分野に分けられるという。

それぞれは、より細かく分類でき、開発分野は地域開発、農業指導、保健医療活動、居住環境の改善、教育の普及、職業訓練、小規模産業の育成など。環境分野は植林、森林保護、砂漠化の防止、生態系の保全活動など。人権分野は難民、女性、子供、障害者、被災者、先住・少数民族、被拘禁者、在日外国人労働者などの人権擁護。平和分野は、主に軍備撤廃、地雷廃絶、平和教育などがある。JANICによれば、これらのどの分野においても、NGOは「世界の各地において、社会的あるいは経済的に弱い立場に置かれている人々の基本的ニーズに応える活動」[★66]を展開しているとされる。

既に述べたように、新ODA中期政策で述べられている人間の安全保障の実践として、脅威の下にさらされている人々やコミュニティを保護するとともに、将来同様の脅威にさらされたときにこれを予防し、耐えられるような能力強化のための活動もある。それにより、人々が尊厳をもって生きることができる環境を整える事業をまさにNGOは実践している。それは具体的には紛争下におかれた人々の緊急支援の形もあれば、被災地の人々の救援もある。また、貧困の軽減や能力強化のための教育、職業訓練、医療衛生サービスの提供という形態もある[★67]。従ってこれまで見てきたNGOの活動の多くが広義の人間の安全保障の実現につながっていると思しい。

JPF、BAJ、SVA、JVCなどでも「人間の安全保障」と分類できる事業を行っている。しかし、これらのNGO関係者の意見を聞くと、NGOとしては「人間の安全保障」という言葉を通常使用しておらず、そのように銘打った事業もないという回答がかえってくることが多い[★68]。当然、それぞれのNGOにおける、人間の安全保障関連事業の予算額や事業数の統計も存在しない。

「人間の安全保障」という概念は国連や政府から出てきたもので、国連や政府が「国家の枠組みを超え、人間個人に目を向ける」ことを意図したゆえの新しい概念に過ぎないというのがNGO側の評価なのである。NGO関係者は、「新しさ」は国連や政府での認識レベルに限定されると指摘する。つまりNGOは以前から、後に「人間の安全保障」と分類されることになる事業を行っており、日本のNGOにとって「人間の安全保障」は新しい概念などではないとの意識が強い。その結果、「人間の安全保障は、政府の言葉であって、われわれNGOは使用しない」という声さえ聞こえてくる。

NGOの人々の意識にあるのは、「NGOとは事業を実施する機関であり、概念整理を行う機関ではない」ということである。NGOは時代に即しながら、弱者の最も喫緊な要請について試行錯誤を繰り返し、事業を実践してきたとの自負がある。彼らにとって「人間の安全保障」のような概念は、後づけのレッテルとも言えなくないはないのである。たしかに「人間の安全保障」という用語が紹介される以前から、人間開発、社会開発、顔の見える援助、能力強化、参加型開発、コミュニティ開発などの概念は国際協力の分野に存在していた。といってNGOはそうした概念を目的としていたのではなく、そもそも行っていた事業が、たまたま後にそのような概念にも当てはまっただけなのである。したがって長有紀枝JPF共同代表理事は、「これまでのNGOの活動においては、政府や国連に比べて人間の安全保障には距離感があり、必ずしも意識されてこなかった。その一方、専門性を重視し個別に活動してきたNGOがより効果的に活動を行うために、また、政治的介入を恐れる国々において、人間の安全保障は連携と対話を促進する切り口として有効なツールとなりうるのではないか」[★69]と指摘している。

ただしNGOの政府に対する姿勢や考え方は個々に異なっており、それにより「人間の安全保障」に対する考え方も異なってくる。ＢＡＪは「日本政府が人間の安全保障を国家的な援助政策として掲げることは、我々の活動を後押しするものと捉えており、この動きについては賛成である」という。このＮＧＯは二〇〇〇年六月からＪＩＣＡの開発パートナー事業を請け負い、ＮＧＯ－外務省定期協議会等のネットワーク構築にも積極的である。このように、政府と協調路線を歩むＮＧＯは、日本政府が「人間の安全保障」を開発援助方針に据えることを歓迎している。

逆に、アドボカシー活動にも積極的に取り組むＪＶＣでは、国としての援助方針と自分たちの方針は、根本的な考え方が異なっているとの立場である。そして、ＪＶＣとしては、ＮＧＯは「援助する側ではなく、される側に立って援助を行うべきだ」としている。ＪＶＣ関係者は、「ＮＧＯの中には人間の安全保障は、政府の『おもちゃ』もしくは『言葉遊び』としての概念ではないかと危惧する声がある。日本政府が考えた概念がそのまま途上国の現場で使用されて、益よりも害の方が大きくなる場合もあるだろう。特にＮＧＯの活動との齟齬《そご》が起きるのではないかという心配がある。国家権力は、ＮＧＯが地道に築き上げてきた現地での信頼関係を崩したり、ＮＧＯ関係者を危険に巻き込んだりする可能性を秘めている。人間の安全保障という概念を使用するにあたって、そのようなことがないように願いたい」との意見を述べている[★70]。

日本のＮＧＯはその活動に際して必ずしも「人間の安全保障」という単語を用いないが、事例をみると個人の安全、福祉の増進のために様々な活動を展開していることは明らかである。

いくつか例を挙げると、特定非営利活動法人「えひめグローバルネットワーク」は内戦が長く続いたモザンビークの平和構築・復興支援策として松山市から引き取り手のない放置自転車を譲り受けて現地に送り、武器と交換するプロジェクトを実施したり、現地でミシンの使い方を指導したりしている[★71]。

特定非営利活動法人「セカンドハンド」は、市民から無償提供された衣類・生活用品を、無料あるいは格安で貸借した店舗で販売し、全収益をカンボジアでの学校建設などの海外支援に充当した。現在では、カンボジアに一一の小学校、二つの医療施設、職業訓練所、孤児院が建設されるに至っている。販売、物品の仕分けなどの活動はすべて無償のボランティアが行なっており、当初、一軒の小さな店舗から開始した活動は次第に賛同者を集め、二〇〇三年には、県内の中高校生たちが自主的に「学生部小指会《こゆびかい》」を結成、一年間で一二〇万円の募金を集め、カンボジアの中学校建設に大きく貢献した。セカンドハンドは現地とのつながりを重視しており、二〇〇一年には現地の女性の自立支援のためのプロジェクトもスタートし、職業訓練センターに足踏みミシンを贈っている。これにより人々は縫製などの仕事を得て、また商品を販売することにより、現金収入を得るとともに誇りをもって生きることができるようになっている[★72]。

また、特定非営利活動法人「チェルノブイリへのかけはし」は旧ソ連のチェルノブイリ原発事故で被災したベラルーシ共和国の児童を日本に招待し、北海道で一カ月の転地療養をさせる「里親運動」を一四年にわたり実施した。ボランティア家庭が、里親としてベラルーシの児童を受け入れ、寝食をともにし、日本の「親」として接する。単なる療養でなく、生活そのものがお互いにとって丸ごとの「異文化体験」であり、文化や価値観の違いを超えた深い交流の機会となっている。これまでに延べ五五二名の児童が来日しているが、その中から日本文化に関心のある青年を再招聘し、日本とベラルーシの「かけはし」となるように日本語、日本文化の習得の機会を提供している。また、日本の里親たちもロシア語学習会や視察を通じての現地の社会や文化事情への理解、日本の劇団の現地での慰問公演の企画・コーディネートなどを通じて双方向の支援・交流活動を行なっている[★73]。

このように「人間の安全保障」というラベルは必ずしも用いていないが、日本のＮＧＯは数多くの人間の安全保障向上につながる事業を実践している。

## 註

★1――筆者による山本正氏へのインタビューより（二〇〇七年九月一六日）

★2――小渕恵三総理大臣演説「アジアの明日を創る知的対話」一九九八年一二月二日、東京、http://www.mofa.go.jp/mofaj/press/enzetsu/10/eos_1202.html（二〇一〇年五月三一日最終アクセス）

★3――武見敬三「ヒューマン・セキュリティ概念の発展」（JCIE『保健・医療とヒューマン・セキュリティ 概念から行動へ 「アジアの明日を創る知的対話」木更津会議二〇〇二』JCIE、二〇〇二年、六二頁）

★4――小渕恵三総理政策演説「アジアの明るい未来の創造に向けて」一九九八年一二月一六日、ハノイ、http://www.mofa.go.jp/mofaj/press/enzetsu/10/eos_1216.html（二〇一〇年五月三一日最終アクセス）

★5――森喜朗総理大臣演説「国連ミレニアム・サミットにおける森総理演説」二〇〇〇年九月七日、国連本部総会議場、http://www.mofa.go.jp/mofaj/press/enzetsu/12/ems_0907.html（二〇一〇年五月三一日最終アクセス）

★6――外務省『外交青書一九九九』九八‐九九頁

★7――外務省『外交青書二〇〇二』五六‐五七頁、六一‐六二頁

★8――外務省『外交青書二〇〇五』二一七‐二一八頁

★9――外務省『外交青書二〇〇七』一四六‐一四七頁

★10――福田康夫総理大臣演説「ダボス会議における福田総理大臣特別講演」二〇〇八年一月二六日、http://www.mofa.go.jp/mofaj/press/enzetsu/20/efuk_0126b.html（二〇一〇年五月三一日最終アクセス）

★11――福田康夫総理大臣演説「国際シンポジウム―沖縄から洞爺湖へ―『人間の安全保障』から見た三大感染症への新たなビジョン」二〇〇八年五月二三日、東京、http://www.mofa.go.jp/mofaj/press/enzetsu/20/efuk_0523.html（二〇一〇年五月三一日最終アクセス）

★12――外務省「『横浜宣言』――元気なアフリカを目指して」二〇〇八年五月三〇日、http://www.mofa.go.jp/mofaj/area/ticad/tc4_sb/yokohama_s.html（二〇一〇年五月二八日最終アクセス）

★13――外務省「TICADⅣ 横浜行動計画」二〇〇八年五月三〇日、http://www.mofa.go.jp/mofaj/area/ticad/tc4_sb/pdfs/yokohama_kk.pdf（二〇一〇年五月三一日最終アクセス）

★14――同右

★15―同右

★16―外務省『外交青書二〇〇九』一二九－一三〇頁

★17―同右、六九頁

★18―同右、七八頁

★19―同右、一三一頁

★20―外務省『外交青書二〇一〇』一五二頁

★21―日本外務省主催のシンポジウム等については、外務省ウェブサイトなどを参照のこと。外務省「『人間の安全保障』をテーマにした会議・シンポジウム」http://www.mofa.go.jp/mofaj/gaiko/hs/symposium.html（二〇一〇年五月三一日最終アクセス）

★22―Commission on Human Security, *Human Security Now*, New York, Commission on Human Security, 2003. 邦訳は、人間の安全保障委員会『安全保障の今日的課題――人間の安全保障委員会報告書』朝日新聞社、二〇〇三年

★23―第一回人間の安全保障フレンズ会合への参加国は、アルゼンチン、オーストリア、バングラデシュ、カナダ、チリ、フィンランド、フランス、ドイツ、ガーナ、ギリシャ、インドネシア、アイルランド、日本、ケニア、メキシコ、モンゴル、ノルウェー、韓国、スロベニア、南アフリカ、スウェーデン、スイス、タイ、ベトナム。国際機関としては、国連経済社会局（United Nations Department of Economic and Social Affairs＝DESA）、OCHA、国連アフリカ特別顧問（United Nations Office of the Special Advisor on Africa＝UN-OSSA）、UNDP、UNFPA、UNICEF、世界銀行、WHOが参加した。

★24―第二回人間の安全保障フレンズ会合への参加国・地域は、アフガニスタン、アルゼンチン、オーストラリア、オーストリア、カナダ、チリ、コスタリカ、フィンランド、フランス、ドイツ、グァテマラ、インド、インドネシア、アイルランド、イスラエル、日本、ジャマイカ、ヨルダン、カザフスタン、メキシコ、モンゴル、オランダ、ノルウェー、パキスタン、フィリピン、ポルトガル、韓国、ロシア、スロベニア、スペイン、スイス、タイ、イギリス、アメリカ、ベトナム。その他国際機関としては、EU、EU評議会、DESA、OCHA、UN-OSSA、UN-HABITAT、UNDP、UNFPA、UNHCR、UNICEF、WFP、WHO、欧州安全保障協力機構（Organization for Security and Co-operation in Europe＝OSCE）が参加した。

★25―第三回人間の安全保障フレンズ会合への参加国・地域は、オーストラリア、ベラルーシ、カナダ、チリ、デン

マーク、エルサルバドル、ギリシャ、グァテマラ、ヨルダン、ケニア、モーリシャス、モンゴル、ノルウェー、ポーランド、ルーマニア、スロベニア、スペイン、スイス、タイ、アフガニスタン、オーストリア、中国、コロンビア、エジプト、フィンランド、フランス、アイルランド、イスラエル、日本、カザフスタン、ラオス、ラトビア、レソト、リヒテンシュタイン、ルクセンブルク、リビア、メキシコ、モナコ、パキスタン、ペルー、フィリピン、ポルトガル、トルコ、イギリス、アメリカ、セルビア、パレスチナ。また、欧州委員会、OCHA、UN-OSAA、UNFPA、WFP、UNICEFなどの機関も参加した。

★26—筆者による国連関係者へのインタビューによる（二〇〇八年一月一八日）

★27—President of the 62nd Session, United Nations General Assembly, 'At the Thematic Debate on Human Security', United Nations Headquarters, New York, 22 May 2008, http://www.un.org/ga/president/62/statements/humansecurity220508.shtml（二〇一〇年五月三一日最終アクセス）

★28—外務省「政府開発援助大綱」二〇〇三年八月二九日、http://www.mofa.go.jp/mofaj/gaiko/oda/seisaku/taikou/taiko_030829.html（二〇一〇年五月三一日最終アクセス）

★29—外務省「政府開発援助に関する中期政策」二〇〇五年二月四日、http://www.mofa.go.jp/mofaj/gaiko/oda/seisaku/chuuki/pdfs/seisaku_050204.pdf（二〇一〇年五月三一日最終アクセス）

★30—同右

★31—The World Bank, *Empowering People By Transforming Institutions: Social Development in World Bank Operations Strategy*, New York, The World Bank, 2005, p.2.

★32—JICA『国際協力機構年報二〇〇五』一六頁

★33—同右、一六頁

★34—JICA『国際協力機構年次報告書二〇〇九』一〇頁

★35—JICA『JICAにおける「人間の安全保障」への取り組み——アプローチの特徴と事例』二〇〇八年、三頁

★36—JICA「人間の安全保障の実現　JICAの事例紹介」http://www.jica.go.jp/activities/security/case.html（二〇一〇年五月三一日最終アクセス）

★37—JICA、前掲、二〇〇八年、六頁

★38—JICA、前掲、二〇〇八年、一〇-一一頁

★39―世界基金日本支援委員会については、世界基金日本支援委員会のウェブサイトを参照のこと http://www.jcie.or.jp/fgfj/top.html（二〇一〇年六月一日最終アクセス）

★40―Renel Bonnel, 'Economic Analysis of HIV/AIDS', ADF 2000 Background Paper, World Bank（武見敬三、神馬征峰、石井澄江、勝間靖、中村安秀「国際保健、人間の安全保障、そして日本の貢献―国際シンポジウム　沖縄から洞爺湖へ―「人間の安全保障」から見た三大感染症への新たなビジョン、問題提起論文」http://www.jcie.org/japan/j/pdf/gt/cgh-jc/200805takemi_j_nocover.pdf　四頁から引用）

★41―福田総理大臣演説、前掲、二〇〇八年五月二三日

★42―United Nations, 'The Charter of the United Nations and Stature of the International Court of Justice', http://www.un.org/en/documents/charter/index.shtml（二〇一〇年五月三一日最終アクセス）

★43―戸﨑純「国際協力ＮＧＯ」（戸﨑純、横山正樹編『環境を平和学する！「持続可能な開発」からサブシステンス志向へ』法律文化社、二〇〇二年、一八八頁）

★44―馬橋憲男、高柳彰夫編著『グローバル問題とＮＧＯ・市民社会』明石書店、二〇〇七年、一二-一三頁

★45―ＪＡＮＩＣ『ＮＧＯって何だ!?―共に生きる地球社会をめざして』一九九七年、五-七頁

★46―ＪＡＮＩＣ『ＮＧＯダイレクトリー二〇〇四―国際協力に携わる日本の市民組織要覧』二〇〇四年、ｘｖ頁

★47―ＪＡＮＩＣ『ＮＧＯデータブック二〇〇六』二〇〇七年、三七頁

★48―田中治彦『国際協力と開発教育―「援助」の近未来を探る』明石書店、二〇〇八年、九八-九九頁

★49―ＪＯＣＳ「ＪＯＣＳとは」http://www.jocs.or.jp/jocs（二〇一〇年五月三一日最終アクセス）

★50―日本ユネスコ協会連盟「日本ユネスコ協会連盟について　役割と活動」http://www.unesco.jp/contents/about/nfuajrole.html（二〇一〇年五月三一日最終アクセス）

★51―日本ユニセフ協会「ユニセフについて　日本ユニセフ協会について」http://www.unicef.or.jp/about_unicef/about_jcu.html（二〇一〇年五月三一日最終アクセス）

★52―オイスカの活動については、オイスカのウェブサイトを参照のこと http://www.oisca.org/about（二〇一〇年五月三一日最終アクセス）

★53―シャプラニール「シャプラニールの歴史」http://www.shaplaneer.org/about/history.html（二〇一〇年五月三一日最終アクセス）

★54——JVC「JVC活動概要」http://www.ngo-jvc.net/jp/aboutjvc（二〇一〇年五月三一日最終アクセス）
★55——SVA「事業紹介」http://sva.or.jp/thailand/activity（二〇一〇年五月三一日最終アクセス）
★56——アムネスティ・インターナショナルについては、アムネスティ・インターナショナル日本のウェブサイトを参照のこと http://www.amnesty.or.jp（二〇一〇年五月三一日最終アクセス）
★57——WWFジャパンについては、WWFジャパンのウェブサイトを参照のこと http://www.wwf.or.jp/?04241203（二〇一〇年五月三一日最終アクセス）
★58——日本フォスター・プラン協会については、日本フォスター・プラン協会のウェブサイトを参照のこと http://www.plan-japan.org/kodomo（二〇一〇年五月三一日最終アクセス）
★59——セーブ・ザ・チルドレン・ジャパンについては、セーブ・ザ・チルドレン・ジャパンのウェブサイトを参照のこと http://www.savechildren.or.jp（二〇一〇年五月三一日最終アクセス）
★60——池住義憲「NGOの歩みと現在」（若井晋、三好亜矢子、生江明、池住義憲編『学び・未来・NGO——NGOに携わるとは何か』新評論、二〇〇一年、六六頁）
★61——毛受敏浩『国際交流・協力活動入門講座I——草の根の国際交流と国際協力』明石書店、二〇〇三年、八一頁
★62——重田康博『NGOの発展の軌跡——国際協力NGOの発展とその専門性』明石書店、二〇〇五年、一三〇頁
★63——池住、前掲、七二頁
★64——BAJ「BAJとは——団体概要」http://www.baj-npo.org/baj-gaiyou/baj-gaiyou-01.html（二〇一〇年五月三一日最終アクセス）
★65——JPF「スマトラ島沖地震被災者支援事業評価報告書」二〇〇六年八月二五日、http://www.japanplatform.org/area_works/sumatra/sumatra_report.pdf（二〇一〇年五月三一日最終アクセス）
★66——JANIC、前掲、二〇〇四年、xv頁
★67——外務省、前掲、二〇〇五年
★68——筆者による各団体へのインタビューの結果に基づく。JVC（二〇〇七年七月三一日）、BAJ（二〇〇七年八月二二日）、JPF（二〇〇七年九月四日）、SVA（二〇〇七年七月三一日）
★69——外務省「国際連合加盟五〇周年記念　人間の安全保障国際シンポジウム『紛争後の平和構築における人間の安全保障——人道支援から開発への移行』（概要）」二〇〇六年一二月、http://www.mofa.go.jp/mofaj/gaiko/hs/smp_061206g.

html（二〇一〇年五月三一日最終アクセス）

★70――筆者によるJVC関係者へのインタビューによる（二〇〇七年七月三一日）

★71――国際交流基金「二〇〇七年度国際交流基金　地球市民賞　受賞者紹介」（国際交流基金『遠近』二〇〇八年二月／三月号、六四頁

★72――国際交流基金『クロスボーダー宣言　国際交流を担う地球市民たち』一〇九－一一〇頁

★73――国際交流基金「平成17（二〇〇五）年度国際交流基金地球市民賞受賞者」http://www.jpf.go.jp/j/about/citizen/05/chiiki05.html#01（二〇一〇年六月一日最終アクセス）

# 第5章 北米と「人間の安全保障」

北米における「人間の安全保障」に対する考え方は、アメリカとカナダで対照的であった。端的にいえば、アメリカでは、政府はもとより有識者の間でも一部を除いて批判的に受け止められ、政策的にはもちろん、ラベルとしても用いられてこなかった。これに対して隣国のカナダは狭義のアプローチの草分けであり、その推進に熱心であった。カナダの実践例としては、対人地雷全面禁止条約の締結が代表的である。一方、広義の立場に立つ日本との差異、あるいは対立がつとに指摘されてきたところである。本章ではカナダ並びにアメリカの「人間の安全保障」への取り組みとその系譜をたどる。

## 1 カナダと「人間の安全保障」

カナダは、人間の安全保障を熱心に推進した国として国際社会で評価されている。その考え方は第4章で検証した日本と異なり、狭義の解釈に立つ。カナダと日本の人間の安全保障に対する考え方や実践はなにかと比較され、その差異が指摘されてきた。

### ❖ロイド・アクスワージー元外務大臣と「人間の安全保障」

カナダが人間の安全保障を外交政策として熱心に取り組んだ背景には、それまでカナダが国際平和と安全への貢献の主軸に据えてきたPKOの冷戦後の変容があった。カナダは、レスター・ピアソン(Lester Bowles Pearson)外務大臣時代の一九五六年に、PKOの創設を提唱し、冷戦中ほとんどすべてのPKOに軍隊を派遣した。ピアソンがその功績により一九五七年にノーベル平和賞を受賞するなど、カナダのPKOへの貢献は国連でも一目置かれてきた。しかしながら、冷戦後は内戦状態や維持すべき平和がない状態、戦闘状態、場合によっては大量虐殺や民族浄化が発生する紛争地にPKOが派遣されることが多くなった。

一九九二年のソマリアでは、当初、人道目的でPKOが派遣され、カナダも参加したが、その後、徐々に活動内容が変わった。やがてPKOは国連憲章七章に基づく武力行使となり、多国籍軍に変容し、展開する現地で国家が破綻している状況に遭遇するようになった。一九九二年から一九九五年までボスニアに派遣された国連保護隊(United Nations Protection Unit＝UNPROFOR)にもカナダは参加し、現地の安定確保と人道支援をめざしたにもかかわらず、実際には戦争の真っただ中に派遣され、殺戮が続く中で国連安保理から付与された使命と資金や要員の規模の狭間で苦しんだ。このときも結果的には重装備のNATOを中心とする和平履行部隊(Implementation Force＝IFOR)に交代することとなったのである。PKOに長い経験を持つカナダは、こうした平和維持活動の変容に苦しみながら、冷戦後の新たな国際安全保障環境下における国際平和への貢献策を模索していた。

そこで一九九六年に外務国際貿易大臣に就任したアクスワージーは、新しいカナダ外交の柱として、当時カナダのNGOが取り組んでいた「人間の安全保障」の概念に注目した。アクスワージーは、プリンストン大学博士課程在籍中に人道問題に関心を持った。その後、野党の国会議員としてNGOとともに中米で開発援助にかかわる経験を積んだ。そしてこのとき、ニカラグアで戦争の影響に苦しむ現地コミュニティの状況を目の当たりにし、冷戦後の紛争では犠牲者の八〇パーセントが無辜《むこ》の市民であることを特に痛感した[★1]。この個人的な体験とカナダの冷戦後のPKOにおける経験が、アクスワージーをして「人間の安全保障」を外交政策として採り上げさせる動機となった[★2]。

第4章で述べたように日本では一九九七年のアジア金融危機が「人間の安全保障」を外交政策に導入する契機となったが、カナダの場合には冷戦後のPKOで派遣された、アフリカやバルカン地域での凄惨な体験が直接の動機になった[★3]。とりわけ決定的だったのは、一九九四年の国連ルワンダ支援団(United Nations Assistance Mission for Rwanda=UNAMIR)への参加であった。ルワンダのフツ族とツチ族の苛烈を極める民族紛争の中に投入されたUNAMIRであったが、当初は古典的なPKOとして派遣された。このUNAMIRの司令官を務めたのはカナダ人のロメオ・ダレール(Roméo Antonius Dallaire)であった。国連安全保障理事会はルワンダの前線からのダレール司令官の進言を容れず、UNAMIRの増強を許可しない一方、撤退の決定も下さなかった。その結果、ルワンダ全土で八〇万人を超える犠牲者を出すほどの大量虐殺が発生しているにもかかわらず、ダレールはなすすべもなく子供たちが孤児になり、女の子がレイプされるのを目撃せざるをえなかった。配下の兵士はこのような内戦状態を収拾するような訓練を受けておらず、またルワンダの人々を救うだけの権限を国連安全保障理事会から与えられていない中で司令官として苦しみ[★4]、自らを「ルワンダの犠牲者、ルワンダ戦争で傷ついた将校」[★5]と呼んだ。

また、この時期、カナダ政府では外務国際貿易省が組織改革を進めており、グローバルな課題を担当する局(Bureau on Global Issues)が新設されようとしていた。新しい外交政策フレームワークが模索される中で[★6]、「人間の安全保障」が採り上げられたのである。

アクスワージー外務大臣が、最初に「人間の安全保障」の理念を提案したのは一九九六年九月の国連総会演説においてであった。この時には「持続可能な人間の安全保障」という表現を用い、その後の「恐怖からの自由」に限った狭義の考え方よりも広く、経済、保健衛生、食糧などをも含めた概念として「人間の安全保障」を打ち出した。

冷戦後、我々は国際安全保障を再検討し、持続可能な人間の安全保障（sustainable human security）という概念を考えだした。人間は人権と基本的な自由、尊厳をもち、十分な食料と家、健康と教育サービスを受けることができ、法の支配と良き統治の下で生きる権利を持ち、これは軍縮と同じようにグローバルな平和のために重要であるという認識がある。いまや我々は安全保障が国家にのみ限られたものではなく、市民社会を含むものでなければならないことも認識している。

このような認識が生まれた背景には新たに現れつつある恐ろしい脅威がある。ある作家の言を借りるならば「グローバル化の影」、という不安全（insecurity）への認識の深まりがある［★7］。

この演説でアクスワージーは、グローバル化のマイナスの影響に着目し、「尊厳を持って生きる自由」にも言及した。さらに一九九七年に「カナダと人間の安全保障　リーダシップを必要とする」と題した論考の中で以下のように述べた。

人間の安全保障は、軍事的な脅威がないという以上のものである。人間の安全保障には経済的困窮に対する安全、生活の質、人権擁護を含む……人間の安全保障には基本的なニーズが満たされていることが必要であるが、持続的な経済開発もグローバルな平和のためには軍備管理、軍縮と同じように重要である[★8]。

アクスワージーはこの論文の中で、人権を「人間の安全保障」の範疇に含めつつ、持続的な経済開発を軍備管理並びに軍縮と同列に重要と位置付けている。さらに同論文の中で「カナダは経済開発が人間の安全保障の重要な一部を成すと考える[★9]」と明言し、カナダが「人間の安全保障」を通じて「ソフトパワー」を発揮すると論述した。アクスワージーは「ソフトパワー」を、強制力を行使して世界の舞台で影響力を発揮するのではなく、外交、説得、情報並びに軍事的手段を選択的に用いるものと定義し、志を同じくする国々と協力して政策を立案し、多国間機構を活用すべき時であるとカナダの立場を示した。

このように当初は経済・社会的な側面も含めて考えられていた「人間の安全保障」の理念であったが、その後、カナダは次第に恐怖と暴力からの自由に定義を絞りこんでいく。一九九九年、後述する「人間の安全保障ネットワーク（Human Security Network＝HSN）」を立ち上げた際に発表した「人間の安全保障　変化する世界の中の人々の安全（Human Security: Safety for People in a Changing World）」と題する概念ペーパーでは、カナダは経済的な側面を「人間の安全保障」の範疇から外した。そして、「人間の安全保障」と「人間開発」を峻別し、これらのふたつの理念は相互補完関係にあるが、明らかに異なる概念であると整理した[★10]。

二〇〇三年に外務国際貿易省から発表された「恐怖からの自由　カナダの人間の安全保障のための外交政策（Freedom from Fear: Canada's Foreign Policy for Human Security）」には、さらにこの点が明確に示されている[★11]。すなわち、カナダは「人間の安全保障」において武力紛争による人々の犠牲を防ぐことが最優先課題であるとして、「欠乏からの自由」よりも「恐怖からの自由」に力点を置くと明言した。従って、カナダは地雷や小型武器が多くの死傷者を出していることに人道的側面から注目した。

前述の二〇〇三年版の「恐怖からの自由　カナダの人間の安全保障のための外交政策」では公共の安全、

シビリアンの保護、紛争予防、ガバナンスとアカウンタビリティ、平和支援活動の五分野が「人間の安全保障」向上のためのカナダの外交政策の優先課題として挙げられた。

また、アクスワージーは、かつてNGOで働いた経験から、外交政策の実践にあたってもNGOとの連携に力を入れ、NGOを含めたコンソーシアムを結成して、定期的に「人間の安全保障」向上のために政策を協議し、実践にあたり政府単独で外交政策を展開するのではなく、市民社会との連携を重視した。

## ❖カナダの「人間の安全保障」の実践

このように「人間の安全保障」の推進を外交政策の中心に据えたカナダは、積極的に実践にも取り組んだ。本節ではカナダの対人地雷全面禁止条約や国際刑事裁判所（ICC）設立などの具体的な実践例をたどる。

### (1) 対人地雷全面禁止条約の締結

カナダの人間の安全保障の実践の代表例としてよく引用されるのが、対人地雷全面禁止条約締結にいたるプロセス、会議開催地の名前をとってオタワ・プロセスとよばれる条約交渉におけるカナダの役割である。アクスワージーは、「人間の安全保障」の実践に取り組むにあたり、地雷が多くの死傷者を生んでいることに着目し、NGOからの働きかけも受け、その全面禁止を推進した。

対人地雷禁止にあたっては、国連ジュネーブ軍縮会議の場で条約を交渉することが王道であるが、同会議は全会一致を原則としており、対人地雷禁止についてはアメリカ、中国、ロシアをはじめとする地雷保有国の反対が想定されたため、それ以外の場での交渉が模索された。一方、対人地雷禁止条約は、主要な地雷保有国が署名、批准しなければ、地雷を保有しない国々が参加するだけでは条約の意味がないというジレンマもあった。

対人地雷は第一次世界大戦時にはじめて登場し、その後、第二次世界大戦、朝鮮戦争、ベトナム戦争、近年ではボスニア・ヘルツェゴビナやコソボ、アフガニスタンなどの紛争でも広く使用された。対人地雷は敷設された場所が明確に記録されない場合が多く、犠牲者は戦闘員にとどまらず一般市民にもおよぶ。かつ戦闘終了後も残存地雷を誤って踏んで市民が被害を受けることが、大きく問題視された。ただし地雷は安価で、長い防衛ラインを確保するための利便性が高いだけに、これを禁止するには強い反対があった。

一方、対人地雷を規制する条約がなかったわけではない。一九八〇年に特定通常兵器使用禁止・制限条約(Convention on Certain Conventional Weapon＝CCW)の第二議定書において、民間人に対する地雷の無差別使用が禁じられた。しかし、この議定書は内戦に適用されないこと、プラスチック製地雷などが規制の対象外になっていたことが問題として認識されていた。

この地雷問題の深刻さに危機感をもったNGOやベトナム戦争における地雷の悲惨な影響をつぶさに体験したアメリカの退役軍人の団体が中心となって、一九九二年に国際地雷廃絶キャンペーン(International Campaign to Ban Landmines＝ICBL)という国際的なネットワークが立ち上げられた。ICBLは当初、CCWの改訂による対人地雷全面禁止を目指したが、一九九六年五月に採択された改正議定書の内容は、内戦への一部適用や、地雷の移譲規制の強化などの改正にとどまり、全面禁止には程遠いものであった。そこで全面禁止に関心を示していたカナダやノルウェーをはじめとする国々にICBLが働きかけ、志を同じくする国々が通常の締約国間による軍縮交渉の枠外で対人地雷禁止条約交渉を推進した。オタワ・プロセスはカナダ政府が一九九六年一〇月に対人地雷全面禁止に向けた国際戦略会議(通称オタワ会議)を開催し、これにアメリカ、日本、欧州連合(European Union＝EU)を含む五〇カ国が参加したことにはじまる。

この会議では段階的な対人地雷禁止への行動計画が話し合われたが、このオタワ会議の閉会時に当時カナダ外務大臣であったアクスワージーが翌年一二月に対人地雷全面禁止条約の署名をオタワで行うと突然宣言した。この提案は参加者から驚愕をもって受け止められ、なかには無謀との意見もあったが、オスロにおける最終交渉を経て、一九九七年一二月に「対人地雷の使用、貯蔵、生産及び移譲の禁止並びに廃棄に関する条約（通称オタワ条約）」が署名のため各国に開放され、一九九九年三月に発効した。アメリカ、ロシア、中国などの地雷保有国が署名していないという問題はあるが、条約の成立時点で一二二カ国が署名した[★12]これはカナダ政府がNGOと連携してひとつの目標を達成した事例でもある。一九九七年にICBLがノーベル平和賞を受賞したこと、またイギリスの故ダイアナ妃（Diana, Princess of Wales）が対人地雷禁止の熱心な活動家だったことから地雷問題への関心が高まり、NGOの外交における役割が新たに注目された。

このオタワ・プロセスで注目すべきは、対人地雷を禁止するという課題に取り組むにあたり、軍縮、軍備管理のためにこれを禁止するというアプローチがとられなかったことである。むしろ地雷がいかに悲惨な結果をもたらすかということにキャンペーンの焦点が絞られ、非人道的な兵器を禁止すべしという人道的な視点から活動が展開されたことである。また、NGOは地雷被害の最新情報を、交渉する政府代表団に継続的に提供し、アピールすることによって、専門知識を提供する役割を果たした。

記録を調査してみると、オタワ・プロセスの最初からこの地雷禁止条約交渉が人間の安全保障の実践と位置づけられたわけではない。しかし、交渉が最終段階にはいった頃から締結、批准に向かって人間の安全保障政策の一環として言及されるようになった[★13]。

### (2)国際刑事裁判所（ICC）の設立

カナダの「人間の安全保障」政策の事例として次に挙げられるのが、一九九八年のICC設立規程の採択である。国際刑法や刑事裁判所を作ろうという動きは決して新しいものではない。一五世紀から、市民の拷問の禁止などを対象に検討を重ねられてきた。また、一八一五年のウィーン会議では奴隷貿易の首謀者を罰する法廷の設置が議論されている。さらに人権団体がハーグ会議を主催し、国際的に刑法を導入しようとしたが成功しなかった。

第一次世界大戦後には、その戦禍の大きさから戦争責任を問う声が浮上した。非人道的な組織的暴力をふるった人物を国際法上の犯罪者として追及することについては、第一次世界大戦後のベルサイユ条約にも言及がある。実際、ベルサイユ条約においてドイツのヴィルヘルムII世(Friedrich Wilhelm Victor Albert von Preußen)を筆頭に八八五名の戦争犯罪者の処罰が検討されたが、結局連合国は戦犯の処罰よりも政治的な安定を優先し、戦争責任に関する法廷は開かれなかった。また戦間期に入ると各国は戦後復興に力を入れ、結局国際刑事法廷を作ろうという機運は高まらなかった。国際連盟では国際法のコード化が議論され、国際連盟の委員会で国際刑法に関連した条約も検討された。しかし、国際刑事法廷設立に至るまでの政治的な意思が十分にはなかった。

しかし第二次世界大戦の惨劇を経て、戦後再び戦争犯罪問題が取り上げられた。アメリカ中心のニュルンベルグ裁判と極東国際軍事法廷が戦争犯罪追及の場となったが、これらの法廷は必ずしも法理論に則った国際法廷ではなく、勝者の論理が中心となったとの批判も強い。国連憲章では総会も国際法律委員会も国際法を推進することが謳われた。例えば、一九四七年には裁判所設立を検討し、国際法委員会に要請する総会決議も行われたが、国際法廷設立には至らなかった。一九四八年に採択されたジェノサイド条約では将来の国際刑事裁判所がこれを司ると言及されている。一九五四年には国際法律委員会において平和に対する犯罪に関する条約案が作成されたが、侵略の定義をめぐって議論が紛糾し、国際刑事裁判所の創設に至るまでのコンセンサスは生まれなかった。一九七〇年代末にも南アフリカのアパルトヘイトに関する議論の中で国際刑事法の草案が再び検討されたが、米ソの冷戦の狭間で両国が国際刑事裁判所設立に合意しなかったため、まとまらなかった。

冷戦後は米ソとも国際刑事裁判所設立に反対しなくなり、旧ユーゴスラビアとルワンダにおける紛争については、それぞれ国際刑事特別法廷が設けられた。しかし一般市民を巻き込む内戦型の紛争が増加する中で、戦争や紛争毎に戦争犯罪を裁く特別裁判所を設置するのではなく、常設の国際刑事裁判所を設立しようという機運が国際人権グループを中心に高まった。一九九四年には国際刑事裁判所設立のためのアドホック委員会が設立され、その翌年には準備委員会が立ち上げられて、戦争犯罪、国際法の一般原則、罰則手続き事項などが検討された。

国際刑事裁判所の常設を推進しようとするカナダ、ノルウェー、ドイツが中心になり、戦争犯罪人の処罰を求め、被害者の人権回復や擁護を求める国際NGOネットワーク「国際刑事裁判所を求めるNGO連合(NGO Coalition for the International Criminal Court＝CICC)」の活動とも連携して設立準備が進められた[★14]。アメリカなどの反対もあり、ICC設置までの道のりは険しかったが、交渉の中心となった全体委員会議長、カナダのフィリップ・キルシュ(Philippe Kirsch)が条約案を精力的にとりまとめたと評価された[★15]。

そして一九九八年七月一七日、ローマにおいてICC設立規程が採択され、一二〇カ国が署名し、二〇〇二年七月に発効、二〇〇三年ICCがハーグに正式に発足した。

このようにカナダは、「人間の安全保障」を外交の理念として掲げ、対人地雷全面禁止条約やICC設立規程のとりまとめにおいても大きな成果をあげた。その中でNGOと効果的に連携し、NGOのもつ情報や交渉術を活用し、そのPR活動を通じて関係国に条約署名・批准を促すという手法も相乗効果を生み出した。

### (3) 人間の安全保障ネットワーク(HSN)の設立

対人地雷禁止条約に関する活動で密接に協力したカナダのアクスワージー外務大臣とノルウェーのクナト・フォレベック(Knut Vollebæk)外務大臣は、一九九八年に人間の安全保障に関する二国間協力を謳ったリュースン宣言(The Lysoen Declaration)を発表し、地雷、ICC、人権、人道法、小型武器、児童兵士を含む紛争下の児童保護、児童労働などで協力することに合意した。これは政府間で結ばれた「人間の安全保障」に関するはじめての協定であった。そして両者が中心になり、地雷や紛争下の児童保護の問題などを中心とした「人間の安全保障」を推進するHSNを一九九九年に設立し、毎年開催する閣僚級の会合でこれらについて検討することになった[★16]。

これは対人地雷問題での成功を背景に、他の課題についても力を結集して成果をあげようとの狙いであった。HSNの参加国は、カナダ、オーストラリア、チリ、ギリシャ、アイルランド、ヨルダン、マリ、オランダ、ノルウェー、スロベニア、スイス、タイ、南アフリカ(オブザーバー)の一三カ国であった。HSNは、当初対人地雷禁止条約の締結、批准、実施状況のモニタリングやICCの設立に大きく貢献した。

HSN閣僚会議のテーマは、毎年、主催国が選定しており、二〇〇七年にはスロベニアが紛争下の児童保護について問題提起を行った。二〇〇八年にはギリシャが気候変動を採り上げている。気候変動による水面上昇などで居住地を移さざるを得なくなる人々もでてきており、社会的弱者に気候変動による影響のしわ寄せが及んでいることが指摘された。また同閣僚会合では、気候変動により社会が不安定化し、紛争や人道的危機が発生しやすい状況になっているとの問題提起もされた[★17]。ただし、後述するようにカナダでは、二〇〇六年の政権交代後、自由党の党派色が濃い「人間の安全保障」という用語を保守党政権が使わなくなったことからHSNを積極的に主導する立場ではなくなっていることや、HSNが「人間の安全保障」の課題を追求するよりも閣僚会議主催国の関心事項がテーマとして設定されるようになっていることなどから、次第に求心力を失いつつあるといわれている。

日本は、人間の安全保障を推進する立場であったが、「武力行使を伴う人道的介入が正当化されるためには国連安全保障理事会の武力行使容認決議が必要である」という立場であることと、人道的介入は「人間の安全保障とは別の文脈で論じるべきであること」との見解を示し、HSNには参加しなかった[★18]。元国連日本代表部大使である佐藤行雄は、一九九九年九月、カナダが開催したニューヨークでの人間の安全保障ネットワーク閣僚会議に日本が招待された際、カナダが人道的介入を人間の安全保障に含めて考えており、これを国連加盟国の一部が懸念していることを踏まえ、日本がHSNに参加することには慎重であるべきと進言し、当時の高村正彦外務大臣が会合への出席を見送った経緯を述べている[★19]。

その後、二〇〇三年五月にオーストリアでHSN閣僚会議が開催された折には、人間の安全保障委員会共同議長の立場で緒方貞子がゲストスピーカーに招かれ、同委員会報告書を紹介した。二〇〇四年六月にマリで開催された閣僚会合には佐藤啓太郎アフリカ紛争・難民大使が正式なオブザーバーとして、また、二〇〇五年五月にカナダのオタワで開催された閣僚会合には駒野欽一・人間の安全保障担当大使がゲストとして参加した。二〇〇六年六月のタイのバンコク、二〇〇七年五月のスロベニアにおける同会合には高須幸雄・人間の安全保障担当大使(当時)がゲストとして参加した。

### (4)「保護する責任」(Responsibility to Protect)へ

前述のようにカナダは、「人間の安全保障」において武力行使を含む強制的な手段を使うことも最後の手段として視野に入れている。カナダはいわゆる人道的介入を「人間の安全保障」の中に含めて考える立場であり、この点が日本の「人間の安全保障」の考え方とは大きな相違点となってきた。

カナダはPKOに部隊を派遣したルワンダにおいて大量虐殺に直面し、人道的介入の必要性を痛感した。またNATOの一員としてコソボ空爆に踏み切った際に、主権国家内への空爆への批判が強かったことや、国連安全保障理事会非常任理事国として「人間の安全保障」の実現、とりわけ市民の保護を政府の外交政策の柱としていたこと、アナン事務総長(当時)が一九九九年九月の国連総会において大量虐殺に人道的介入を行う際の基準を設けようと呼びかけたこと、などに応える形で、どのような場合に主権国家に対して国際社会が介入(軍事的介入を含む)を許されるかを議論するため、二〇〇〇年九月、カナダは「介入と国家主権に関する独立国際委員会(ICISS)[★20]」を設立した。ICISSは、地理的バランスを取りながらカナダ、アメリカ、ロシア、ドイツ、南アフリカ、フィリピン、グアテマラ、インド各国の学者、政治家、外交官を委員として任命し、元オーストラリア外相でICGの当時の理事長であるエバンスと、アルジェリアの外交官で国連事務総長特別代表のサヌーンを共同議長に選んだ。ICISSの事務局はカナダの外務国際貿易省に設けられ、資金はカナダ政府、スイス政府、イギリス政府から拠出されたほか、カーネギー財団、ウィリアム・アンド・フローラ・ヒューレット財団、ジョン・D・キャサリン・T・マッカーサー財団、ロックフェラー財団、シモンズ財団から支援された。

ICISSは一年間をかけて人権への著しい侵害が発生した場合の対処について包括的な議論を行い、国連を通じた人道的介入問題に対する政治的コンセンサスを得ることが使命とされたが、介入と国家主権という対立する概念をどのように調整するかということが、難しい課題であった。委員会では、まず主権国家がその市民を保護すべきであることや、紛争や危機的状況の予防に全力を尽くすことを前提とした上で、国際社会が合法的に国内紛争に介入できる時、或いはすべき時とはどのような状況の場合かが議論された。ICISSは人道的介入問題に関する報告書の中で、国際社会の紛争地に対する「対処、予防、復興のための責任」という表現を用い、最終報告書の題名も「保護する責任(Responsibility to Protect)」とした[★21]。

主権侵害を懸念する関係国にとって、「介入する権利」よりも受け入れやすい表現であると考えられたのである。それまでは、人命を守るためには場合によっては国連憲章の規定を超えて国際社会が武力介入する必要があるとの論理の展開で人道的介入が議論されていたため、保護する責任は介入についての大きな考え方の転換であったといっても過言ではなかろう。また、ICISSの議論では、国家間紛争以外の国内紛争についても保護する責任が認められる場合には、これが世界への脅威であると認定することによって介入できるとされた。

これは国連の国際の平和と安全を維持するという使命の中で、安全が指す範囲が拡大したことも意味する。また、この報告書では、予防する責任(responsibility to prevent)も強調されており、紛争勃発前から予防することが含まれていることも特徴のひとつである。

介入に関する「責任」という視座は、一九九六年にブルッキングス研究所が発表した「責任としての主権(Sovereignty as Responsibility)」[★22]に、すでに見られる。ここでは、主権には国内の市民の安全と社会的福祉について最低限の基準を保障する責任があることが指摘されており、その延長線上において国家は自国に対する人道的支援を拒否できないという論理が導かれる[★23]。ICISSの報告書では、主権には人々を保護する責任が伴い、それが失敗した場合に国際機関などが介入できるとされており、人々を保護する責任は国家だけではなく、国際社会によって最終的に担われるという立論となっている。また、国際社会が主権国家に介入する閾値については、大規模な殺戮や民族浄化が行われているか、行われたと理解される場合など、厳しい基準が設けられた。さらに介入にあたっては、国連安全保障理事会の判断、もしくは総会が平和のための結集決議による緊急特別会期の手続きを経て、介入するか否かを決めることが望ましいとする条件も設けられた[★24]。

こうして最終報告書は二〇〇一年一二月に提出されたが、国連においても国際社会においてもそれほど大きな反響を得ることができなかった。アナン事務総長は同報告を歓迎したが、この当時、国際社会は九・一一アメリカ同時多発テロの後始末に追われており、人道的介入問題に関心を示す余裕がなかったのである。二〇〇二年二月に国際平和アカデミー(The International Peace Academy)が主催した国連安全保障理事会ラウンドテーブルでICISS共同議長が最終報告書の内容の説明を行い、その後、議論が行われた。ラウンドテーブルでは、「保護する責任」は文民の保護と人道的介入について有用な指針を与えるものであるとの意見が示されたが、最終報告書を正式に認めるには至らなかった。後に報告書は国連総会にも提出されたが、キューバ、リビア、パキスタンが総会で同報告書に関して議論することに反対し、その結果、ルーム・ドキュメントとして配布されるにとどまった。

同報告書に対する反応について地域別に概観すると、西アフリカ諸国経済共同体（Economic Community of West African States＝ECOWAS）では同報告書は受け入れられた。しかし、伝統的に内政不干渉の原則がある東南アジアでは、西欧諸国が「保護する責任」の基準に従って内政に介入することを警戒して、なかなか受け入れられなかった。アジア太平洋ラウンドテーブルやASEAN人民会議などでは「保護する責任」は議題としては採り上げられ、報告書の趣旨は支持されたが、公式に承認するところとはならなかった。

このように「保護する責任」の考え方は、一気に国際社会のコンセンサスとはならなかったが、人道的介入に関する議論の場を提供し、次第に理解されるようになっていった。また、保護する責任の考え方が紹介されることによって、一部の国々で強かった、武力行使、人道的介入を含むカナダの「人間の安全保障」の考え方に対する警戒感が緩和される結果にもつながった。

このあとICISSの共同議長を務めたエバンスが第3章で紹介したハイ・レベル・パネルの委員に就任し、「保護する責任」の考え方を同委員会の最終報告書に盛り込んだ。これがアナン国連事務総長の二〇〇五年三月の報告書「より大きな自由を求めて（In Larger Freedom: Towards Development, Security and Human Rights for All）」[★25]にも収載され、さらにこれが国連首脳サミットの成果文書に採用されるに至ったことは、すでに述べた通りである。成果文書は、国家が大量虐殺、戦争犯罪、民族浄化及び人道に対する罪からその国の人々を「保護する責任」を負うことを認めた。国家が保護に失敗している場合の国際社会の責任については、まず国連憲章第六章および第八章による平和的手段により取り組み、それが不十分な場合に国連憲章

第七章による強制的手段により、安全保障理事会を通じて集団的行動をとるとした[★26]。この脈絡においてはICISSの報告書とは異なり、国連憲章の枠の中で必要に応じて保護する責任をはたす、すなわち必要ならば人道的介入を行うという立論となった。これが国連加盟国にとって主権との関係から保護する責任の考え方を受け入れやすくしたといえよう。

「保護する責任」の実践については国連事務総長の報告[★27]も提出されており、この考え方を、国際法上にどのように取り入れていくかが今後の課題である。この人道的介入の概念整理にカナダが主導権を発揮したことは、カナダが「人間の安全保障」の実践にあたり、規範の設定と遵守を重視していることの現れといえよう。

### (5) カナダによる人間の安全保障の実践――小型武器と児童保護

「恐怖からの自由」に主眼を置くカナダは、対人地雷やICC設立以外の課題にも取り組んだ。ひとつは小型武器(small arms)の問題である。小型武器の拡散は紛争発生の蓋然性を高めるばかりでなく、紛争のエスカレートにもつながることから、その拡散防止は重要である。カナダは小型武器問題でも対人地雷と同じような国際条約の成立を狙ったが、十分な支持をとりつけることができず、条約締結は断念した[★28]。その代わり国連での小型武器に関する会議の開催、そのフォローアップ、および地域別の小型武器に関する会議の開催に協力した。

日本政府も小型武器問題には会議の議長を送り込むなど積極的に取り組んでおり、「人間の安全保障」の解釈に大きな違いがある日本とカナダの間でも、政策の実践面では両国のイニシャティブが重なっている面が見られる一例といえよう。カナダがNATOを通じアルバニアで、欧州安全保障協力機構(Organization for Security and Co-operation in Europe＝OSCE)を通じモルドバで、それぞれ武器の回収と破棄に取り組んだのと同様、日本もまたアフガニスタンにおいて元兵士の武装解除、動員解除、社会復帰（Disarmament, Demobilization and Reintegration＝DDR）のリード国として役割をはたしたのである。

カナダは難民や国内避難民の保護にも熱心である。特にアクスワージー元外相は紛争下の児童兵士問題を含む児童の保護に熱心であった。同氏は外務大臣に就任する以前、人的資源開発担当大臣を務めており、その任期中に児童が様々な脅威にさらされている現状を目にしていた。兵士として使われる、目の前で両親や兄弟を殺される、あるいは難民キャンプ生活を強いられる、貧しいために教育を受けられないなど、児童が紛争の犠牲になることが多い。

児童労働、性的職業への従事などの実態も熟知したアクスワージーは外務大臣就任後、紛争下の児童の保護を「人間の安全保障」の大きな課題として挙げた[★29]。無論、アクスワージーの個人的な体験ばかりでなく、この時期、拉致され性的奴隷にされたウガンダの少女がHIV／AIDSに罹患したこと、コロンビアで内戦のためにストリート・チルドレンが増加していることなどが大きく報道されたことも、こうした課題が採り上げられた背景にはあった。カナダはこの問題に対する国際社会の関心を高め、武力紛争における児童の関与に関する議定書の採択を促し、児童の保護に力を入れている[★30]。

その他にも、カナダは「人間の安全保障」の課題として司法、警察などの安全保障部門改革に積極的であり、具体的には司法改革、矯正サービス、文民による監視メカニズム、裁判制度の整備などを推進した。

## (6) 理念の普及

「人間の安全保障」は多くの場合、外交政策として着目した政治家がこれを推進した後、政府が政策として取り組み、その実践を学者が研究するという過程を経た（ただし、政治家の提唱前に少数の有識者による提言があるケースも多い）。そして、こうした理念の普及にあたっては、「人間の安全保障」という考え方を広めることに尽力する個人の存在が大きかった。そのため、強力な牽引者(政治家)が政権を去ると、政府レベルでの「人間の安全保障」の推進力が衰えるという現実は否めない[★31]。ハンプソン教授は、カナダにおける「人間の安全保障」のピークはアクスワージーの外務大臣在任中であったと指摘する[★32]。

その一方、カナダの学者、シンクタンク、NGOは、現在も人間の安全保障に積極的に取り組んでいる。カナダの研究者たちが結成した「カナダ人間の安全保障コンソーシアム(The Canadian Consortium on Human Security)」は、人間の安全保障を研究する学者にフェローシップを提供するほか、関連の研究を推進し、さまざまな政策志向型の報告書を発表した。カナダの大学には多い時には二三〇以上の人間の安全保障の講座が開講されている[★33]。また、マックが推進する人間の安全保障報告(The Human Security Report)のプロジェクト事務局は、当初ブリティッシュ・コロンビア大学に置かれていたが、現在はサイモン・フレーザー大学に移して報告書を作成している。これらの研究においても紛争下の「恐怖からの自由」に軸足が置かれていた。しかしながら、人間の安全保障にはそれ以外にも様々な要素があることが認識されるようになっている。例えば、狭義の立場に立つ人間の安全保障報告書プロジェクトで「人間の安全保障」は以下のように解釈されている。

内戦、大量虐殺、避難民などに関わる脅威に対して……人間の安全保障はいかなる形の政治的な暴力に対しても個人とコミュニティを保護するものであり……人間の安全保障を推進する人々にとって主たる目標は人間を保護するという点で意見の一致がある。しかし、いかなる脅威から個人を保護するのかという点ではコンセンサスがない。人間の安全保障報告書のように狭義の人間の安全保障を推進するものは個人への暴力的脅威に焦点を絞るが、この脅威も貧困、国家のキャパシティの欠如、社会・経済・政治面における不平等とも強い関連があるということは認識する。

人間の安全保障を推進する人たちの中では主要な脅威が暴力であると考える人々がいる一方で飢餓、疾病、自然災害などを含む幅広い脅威を対象とする人々もいる。実践的な理由から人間の安全保障報告書プロジェクトでは個人とコミュニティを暴力から守るという狭義の人間の安全保障概念を用いる[★34]。

つまり、カナダが狭義の解釈の立場であることに変わりはないが、貧困、疾病、自然災害なども政策上の課題として懸念事項に入ることは認めている。ブリティッシュ・コロンビア大学のポール・エバンス（Paul Evans）教授も、学者や政策関係者の間で人間の安全保障の概念をめぐる議論は減ってきていると分析している[★35]。多くの実践活動が積み上げられ評価されている現実を前に、「人間の安全保障」についての論点が「理念から実践」へ収斂してきたと見ることもできよう。

## ✤カナダの取り組みの変化

カナダの人間の安全保障への取り組みは時を経て変化を遂げている。アクスワージー元外相が提案した当初、上述のようにカナダは「人間の安全保障」について経済、保健なども含めた広い解釈をしていたものの、その後は狭義の解釈をとり、人間と地域社会に対する物理的な暴力からの安全を指すと定義してきた。

近年は広義の解釈に含まれる貧困、飢餓や病気、自然災害、環境破壊なども重要な課題であると位置付けており、グローバル化の影の部分も課題として認識し、これを否定しなくなった。しかし、これらの対策は開発問題の範疇であり、あえて「人間の安全保障」と定義する必要がない、というのがその立場であった。ゆえにカナダは、人間の安全保障を実現する政策として、戦争における人命という対価を減らすべく平和と人々の保護に力を入れてきた。その中には伝統的にカナダが取り組んできたＰＫＯ、さらには現在の平和支援活動や平和構築活動も含まれる。ただし、国連の成果文書に広義の人間の安全保障の解釈が含まれたこともあり、解釈が広義か狭義かを争うのではなく、カナダはより実践を重んじる立場に変わった。

より詳しくカナダの「人間の安全保障」政策をたどると、最初は国際人道法、人権法をもとに武力紛争における人間の保護のための規範や機構づくりに取り組んできた。それがまさに対人地雷全面禁止条約締結、ICC設立、さらには小型武器規制、児童兵士の保護や、二〇〇〇年の女性、平和と安全保障に関する安保理決議一三二五号の採択などに結実したといえよう。この決議では武力紛争の女性への影響が問題とされ、「人間の安全保障」を含む権利の擁護、平和プロセスへの全面参加などが謳われた。そして平和構築においても女性問題に配慮した訓練の必要性が指摘されている。規範作りという点では前述の「保護する責任」を打ち出し、推進してきている。

その後はこのような規範や制度をモニターすることがカナダの人間の安全保障の実践の中心となった。たとえば「人間の安全保障報告」、「地雷モニター」、「小型武器調査」、「国内避難民調査」、「平和活動のレビュー」といった報告書を通じてモニタリングを実施した。さらに児童兵士の問題については、より堅牢な政府間組織によるモニタリングの必要性を主張してきた。二〇〇五年七月、国連安全保障理事会で児童と武力紛争に関する決議一六一二号が採択され、児童、あるいは学校や病院への攻撃、レイプ、拉致や児童兵士の採用などのモニタリングと報告のメカニズムをつくることが決議されたことが、その成果として挙げられよう。

二〇〇五年以降は、戦争以外の暴力からの安全を課題とした。カナダは、戦争ではないが安全保障が損なわれている状態、暴力事件から人々を救うことを「人間の安全保障」の焦点とするようになった。また、スラムで育った子供たちが民族浄化の対象になり、売春をさせられたり、犯罪組織に勧誘されたりする例がいまだ多いことも挙げ、戦時以外での暴力被害にあっている子供を救うことを「人間の安全保障」の目標のひとつにした[★36]。

そのほかにも、地域グループの対立や、ガードマンを雇って自衛する裕福な市民がいることで公共の安全確保が手薄になるなど、安全保障の個人化(privatization of security)を課題として挙げている[★37]。事例として、コロンビアの内戦による市民の死者より、一九八〇年代、九〇年代の暴力事件によるリオデジャネイロ市民の犠牲者の方が多い事実を挙げ、カナダの第三世代の「人間の安全保障」は、ラテンアメリカなどの都市部における暴力(urban violence)に焦点をあてた[★38]。

このようにカナダは、狭義の「恐怖からの自由」を軸に「人間の安全保障」の実践に取り組んできた。既に述べた通り日本とカナダの「人間の安全保障」に対する考え方が広義と狭義にわかれていることがクローズアップされてきたが、次第に「人間の安全保障」の実践面で平和構築など共通課題も生まれた。

このような日本とカナダの人間の安全保障をめぐる歩み寄りがあった一方で、二〇〇六年一月に自由党と交代した保守党のスティーブン・ハーパー(Stephen Joseph Harper)政権の下では、自由党とアクスワージー元外務大臣のイメージが強い「人間の安全保障」は、リベラル政権の政策ラベルとされ、用いない方針が打ち出された。そのためカナダ政府の政策演説に「人間の安全保障」という用語は一切登場しなくなっている。カナダ外務国際貿易省に設けられていた「人間の安全保障ユニット」も解体された。

結果的に、保守党への政権交代以降のカナダは「人間の安全保障」をめぐる新たな枠組みは打ち出していないが、これまでの努力によって採択された、武力紛争下の児童の保護に関する安保理決議の履行状況のモニター、あるいは大量虐殺に関する安保理決議に基づく国連事務総長特別代表の活動支援などは継続している。

カナダの有識者によれば、たとえ政府として「人間の安全保障」というラベルを使わなくなっても、今後もそこに含まれる理念は実践されるというのが大方の見方である。そして人間の安全保障に含まれる要素を個別テーマとして実践、研究していくことになろうと言われている。このような事情はカナダのみならず、政治家が規範推進者になったその他の国々でも同様の状況が散見される。

## 2　アメリカと「人間の安全保障」

アメリカでは、一九九四年のＵＮＤＰ人間開発報告書の頃から「人間の安全保障」という用語への批判の声が多かった。定義が曖昧で人権との区別がはっきりしないこと、国家安全保障に代替する概念として受け入れられないことなどがその理由であった。しかし一部ではあるが、アメリカにも「人間の安全保障」の理念に関心を寄せた人々がいた。

### ❖アメリカの基本的な考え方

アメリカの公式文書における「人間の安全保障」への言及例としては、二〇〇七年六月二六日に下院で採択された日本の慰安婦問題に関する決議（H.Res.121）がはじめてだと言われている。同決議の中で「下院は日本が人間の安全保障、人権、民主主義的価値、法の支配を推進し、安全保障理事会決議一三二五号を支援していることを評価する」[★39]とした上で、慰安婦問題に対する日本の対応が不十分であることが指摘された脈絡で用いられた。

一方、議会で「人間の安全保障」を取り上げている議員もいる。例えば、カリフォルニア州選出で外交問題委員会委員のバーバラ・ボクサー（Barbara Levy Boxer）上院議員は、結核、マラリア、エイズなどの感染症は単なる健康問題ではなく、対策を講じなければ今後一〇年間に二〇世紀の戦争の被害者総数にも匹敵する死者を生むと述べ、これは国家安全保障を損ないかねない問題であり、「人間の安全保障」の実践として対策を進めなければならないとしている［★40］。

ボクサー上院議員が「人間の安全保障」に注目した背景には、アメリカで結核が再流行する兆しがあり、特に、薬物耐性の強い結核に罹患したアメリカ人が、民間航空機で旅行先のイタリアから帰国した事例がメディアでとりあげられ、関心を呼んだことがある。また、二〇〇四年一二月にインドネシア・スマトラ島沖で地震による津波が発生した際、アメリカが派遣した医療チームが、単に津波による怪我や、感染症を治療しただけでなく、歯科治療やメガネの提供などの支援も実施したところ、現地の住民の生活の質が向上したとの報告があり、国際援助の推進に「人間の安全保障」が使いやすい政策フレームワークであることを認識したのであろう［★41］。

一方、アン・マリー・スローター（Anne-Marie Slaughter）プリンストン大学教授のように「人間の安全保障」の考え方に関心を寄せる研究者もいる。スローターは、どのような場合に武力行使が合法化されるのかを含め、国際環境の変化にあわせて安全保障の問題が再考されなければならないと指摘し、その上で、広義の「人間の安全保障」の対象とされる脅威が本当に安全保障上の脅威かを問う。アメリカでは伝統的に国家安全保障を中心に考えられており、疾病、貧困、低識字率、家庭内暴力などを安全保障に対する脅威に含めることには反対の声が強い。これらは脅威ではなく社会問題であり、安全保障システムによって解決できる問題ではないとの意見が多いことも指摘している。

しかし、スローターは国家安全保障と「人間の安全保障」には密接な関係があり、国家が崩壊すれば、市民はさらにひどい貧困と暴力にさらされるとの議論を展開している。市民の保健衛生の確保には国家制度の整備が不可欠であり、これが国家内秩序を回復し、テロリストの抑制にも役立つとしている［★42］。そして、現在の国連を含む国際機構が多様化する安全保障上の脅威に十分に応えられていないことから、これらの改革を提言した。また、国家主権の考え方を再検討し、市民を保護する責任を国家が担っていることを念頭に、トランスナショナルな脅威に対しては国際的に協力して取り組む必要性を訴えている[★43]。

アメリカの援助関係者はあえて「人間の安全保障」という表現を用いずに、内容的には「人間の安全保障」といいうる課題の実践にあたっている。コロンビア大学地球研究所所長であるジェフリー・サックス(Jeffrey David Sachs)教授は、アナン国連事務総長時代にミレニアム開発目標(Millennium Development Goals＝MDG)担当の顧問に招かれたことを契機に、アフリカ中心に開発のモデルケースとなりうる人口五万人程度の農村を選び、UNDPとともに二〇〇二年から五カ年計画で「ミレニアム・ビレッジ・プロジェクト(Millennium Villages Project)」という開発援助プロジェクトを推進した。

プロジェクトでは、アフリカの一二カ所(ガーナ、マリ、ナイジェリア、セネガル、エチオピア、ケニア、マダガスカル、マラウイ、モザンビーク、ルワンダ、タンザニア、ウガンダ)などにモデル・ビレッジを設置した。ミレニアム・ビレッジは、どのような活動が現地の経済発展に有効かを研究、実践しており、飢餓と保健衛生全般、特に感染症の改善を目的としている。保健衛生状態が改善された場合、当該国の生産性が大幅に向上し、持続可能な経済開発が期待できることを強調している。

また、ミレニアム・ビレッジ・プロジェクトは、企業の協力も得て実施されている。たとえば、感染症の健康診断を実施し、頻繁に発生する治療可能な疾病、回虫、トラコーマ、マラリア、下痢、肺炎などを根絶するための薬の配布を行っている。マラリアは熱帯に多い死亡率の高い感染症であるが、夜間に住居内に侵入した蚊に刺されて感染することが多い。そこで住友化学が開発した防虫剤練り込み蚊帳の提供も受けている。サックス教授によれば、この蚊帳によってアフリカの数十万人の人々が、安心して眠れるようになったという[★44]。

コロンビア大学では、このミレニアム・ビレッジ・プロジェクトを学際的なプログラムと位置付けており、これまで開発援助問題とは無縁であった同大学の医学部、工学部の専門家も参加しているのが特色である。サックス教授は、ミレニアム・ビレッジを持続的開発プログラムと定義している。アメリカ国内では紛争や戦争のイメージを避けるため、このプロジェクトについて「人間の安全保障」という表現を用いていないが、サックス教授が二〇〇七年四月二五日の日本経済新聞に寄せた「アフリカ支援　農村を軸に　開発を通じ貧困解消」と題する記事の中では、日本を意識してか「人間の安全保障」という表現を繰り返し用いている[★45]。ミレニアム・ビレッジ・プロジェクトは「コミュニティに根ざした農村開発を通じて人間の安全保障を実現する」ことを狙いとしている、との紹介にもそれは窺える[★46]。

このように数は限られるものの、アメリカ内でも「人間の安全保障」は研究され、教育にも用いられている。例えばタフツ大学フレッチャー・スクールには、二〇〇〇年に人間の安全保障研究所が設立された。同研究所のユーヴィン教授によると同校において冷戦後の安全保障の脅威の広がりを念頭に軍事的な安全保障のみならず非伝統的な安全保障も採り上げることになったためだという。学生は人道、開発、紛争予防などのコースを学んで単位を取得し、修士号とともに人間の安全保障コース修了証が授与される[★47]。

## ❖アメリカにおける人間の安全保障批判

繰り返し述べてきたように、アメリカでは「人間の安全保障」、特に広義の解釈に対する反対論が根強い。UNESCOの「人間の安全保障」に関する活動にアメリカ政府が強く反対し、二〇〇八年からの中期活動計画で「人間の安全保障」関連の活動が休止に追い込まれたことは、第3章でも触れた通りである。

二〇〇六年九月に発表されたヘリテージ財団の報告書は、「人間の安全保障」が国家安全保障を代替し、多国間機構、特に国連において国家ではなく人間を基本単位としようとする考え方は誤っている、と指摘する。同報告書では、「人間の安全保障」はネオリベラル的な思想であり、二〇世紀前半のウィルソニアン的な考え方の遺物とされている。

ネオリベラリズムは、外交政策と国家安全保障政策は行政府、議会、裁判所、ロビー団体、NGOが協力して立案・実施するものであって、国家のみが主体ではないと考える。国際関係については、構成主義的(constructivism)なアプローチをとり、パワーは国家を通じて行使されるが、考え方の枠組みには国内のアクターとして議会、組合、企業を含め、非国家主体であるNGOや国際組織も含める考え方である。同報告書は「人間の安全保障」はウィルソニアニズムをリパッケージングしたに他ならないと断じた。

個人の権利を集団的な国家パワーで守ろうという考え方は、国家間の戦争により市民も犠牲になるという第二次世界大戦の脈絡の中で生まれた。これは、一九四一年一月六日に行われたルーズベルト大統領の「四つの自由演説」にも表れている。すなわち「言論の自由」、「信教の自由」、「欠乏からの自由」、そして「恐怖からの自由」である。一九四一年七月、これをもとにチャーチル・イギリス首相とルーズベルトによって大西洋憲章が作られると、その中にも「欠乏からの自由」と「恐怖からの自由」が含まれた。ただし、このような自由を確保できる主体は、国家とされたのである。

ヘリテージ財団の報告書は国連において冷戦後、人権にかわって「人間の安全保障」という言葉が「流行」し、国家安全保障とアクターとしての国家から距離をおく安全保障論議が中心的になったと批判した。そうした議論においては、安全保障は物理的な国家安全保障から個々の権利や責任に移ったとされている。グローバル化の進展やそれに伴って社会相互の結びつきが深まったことが「人間の安全保障」に関する議論に弾みをつけたとの見解を示した[★48]。

しかし、「人間の安全保障」という用語は国際協定において人間の望ましい状況を表現するときに使われるのにとどめるべきであり、決して国家安全保障の代替として用いられるべきではないとヘリテージ財団の報告書は記述する[★49]。同報告書は、国連において国家安全保障より上位の概念として「人間の安全保障」

が採り上げられ、最低所得水準、食糧、感染症から災害、そして暴力からの保護、伝統や価値観の喪失までが安全保障の中に含まれて議論されていることは誤りであると批判している。そして、国際社会の議論においては、あくまで国家が国民の安全保障と自由の保証人になるべきであることを強調し、「人間の安全保障」という概念の導入によって国家安全保障を否定することは安全保障そのものを損なうと強く非難した。

さらに報告書は国連専門機関であるUNESCOやUNDPが「人間の安全保障」という語彙を用いることを糾弾するばかりか、カナダや日本などがこの考え方を採用していることも批判するのである。同報告書は安全保障上の脅威が拡大していることは認めつつも、国家安全保障の原則を否定することは誤りだという主張を繰り返し展開する［★50］。

このように安全保障の定義を拡大することは、主権や国家安全保障など、アメリカが基盤としている本来の安全保障を損なうとして論難されがちである。アメリカの有識者の多くは、「人間の安全保障」の概念がいまだに整理されておらず、定義も不鮮明なために混乱と誤解をよんでおり、使えない用語であると批判的である。もし仮に「人間の安全保障」という語彙を用いるのであれば、あくまで狭義の解釈として、紛争時の人道的介入という趣旨で用いるべきだという意見が多数を占めてきた。

## ❖アメリカにおける安全保障観の変容

このように「人間の安全保障」というラベルは議論を混乱させるとの批判が強いアメリカだが、安全保障に広義の「人間の安全保障」が示唆する内容を含むことへの理解は生まれている。アフガニスタン戦争、イラク戦争、さらには二〇〇五年八月にアメリカ南東部を襲ったハリケーン・カトリーナの経験が、第二次世界大戦後の安全保障の考え方は現在の安全保障上の脅威に必ずしも合わなくなっているとの認識を育てたと言えるかもしれない。

安全保障を軍事的なものだけに限るのではなく、非伝統的な安全保障である感染症や環境破壊、気候変動、貧困、テロなども国家安全保障を損ないかねない重要な課題であるという認識が次第に広がってきているのは二〇〇〇年代に入っての変化と言えよう。特に九・一一アメリカ同時多発テロ以降、アメリカは対テロ戦争と命名した軍事的なテロとの対峙姿勢を貫いてきたが、アフガニスタン戦争、イラク戦争とそれぞれの戦後復興を経験して、はたしてこれでよかったのかという疑問と反省がアメリカ国内から出てきている。

従来からの伝統的な領土保全という安全保障の課題はいまもなお残るが、いわば弱体国家(weak state)が、テロ、鳥インフルエンザや耐性の強い結核などの感染症、気候変動による災害、貧困などに十分に対応できない場合、国際安全保障、とりわけアメリカの国家安全保障をも脅かすという議論が生まれている。

例えば、バラク・オバマ(Barack Hussein Obama II)は大統領選挙中に共通の安全保障として幅広い新たな脅威を指摘し、従来の同盟とあわせて貧困削減、気候変動、疾病についてもアメリカは国際社会の中で諸外国をパートナーとしてともに戦うことが国家安全保障につながるという外交政策の考え方を寄稿している[★51]。

スーザン・ライス(Susan Elizabeth Rice)アメリカ国連大使(二〇〇八年のアメリカ大統領選挙でオバマ候補の外交アドバイザーを務め、ブルッキングス研究所で研究員)は、貧困と紛争の関係について以下のように分析している。貧困は世界人口の半分を苦しめており、世界で三〇億人が一日二ドル以下で暮らしている。貧困からくる飢餓、栄養不良、下痢、呼吸器疾患、マラリア、コレラなど予防可能な疾病によって多くの人々が死亡しており、これは当該地域の保健衛生システムが完備されていないことも原因である[★52]。

UNICEFの「世界子供白書二〇一〇」によると、世界では五歳以下の子供が年間八八〇万人も予防可能な病気や栄養失調、不衛生な環境に起因する病気などにより死亡しており、これは一日に二万四〇〇〇人の子供が病死している計算になる[★53]。この被害者数は、九・一一テロの死者三〇〇〇人の八倍に相当する。グローバル化によって人の移動はますます頻繁となり、これらの感染症に罹患している人々がアメリカに入国してくることも少なからずアメリカの脅威を増加させる。

　カンボジアやブルキナファソで発生した鳥インフルエンザがアメリカの現地駐在員に伝染し、その人がアメリカに帰国して治療を受け、そこから感染が広がることも十分にありうる。あるいはイエメンやスーダン沖に展開するアメリカ海軍の艦船をテロリストが襲撃する、生物化学兵器や核物質が旧ソ連の施設から奪われる、タジキスタンやナイジェリアから麻薬が密輸される、気候変動による洪水など、弱体国家がトランスナショナルな脅威の潜在的なインキュベーターやベルトコンベヤーになりがちであることは、広く知られているところである。

　グローバル化する世界ではトランスナショナルな脅威が増え、貧困が国家の統治能力を奪い、紛争を悪化させ、結果的に国家の機関やマーケットの発展を損なう。弱体国家内の安全保障上の問題は近隣諸国、さらには世界全体に影響を及ぼす。ライスは、貧困が深刻であるほど紛争が発生する可能性が高くなる、具体的にはＧＤＰと紛争勃発の間には有意の相関関係があると指摘している。国民一人当たりの所得が二五〇〇ドル以下の国で向こう五年間に内戦が発生する可能性は一五パーセント、五〇〇〇ドルの場合は一パーセント以下という研究結果が発表されている[★54]。

　シエラレオネを例に挙げると、内戦が勃発した一九九一年三月には経済成長率はマイナスになっていた。国民一人当たりのＧＤＰは一九七〇年代の水準よりも三五パーセント下落し、国連人間開発指数でも一九九〇年には世界最低にまで落ちていた。そのため、若年失業率が上がり、若者は反政府活動に参加していったことが紛争勃発の原因と言われている。紛争が発生すると貧困が戦争を長引かせ、紛争が終結しても貧困が続く場合には、紛争再発の蓋然性を高めるとも指摘されている。

　東ティモールにおける二〇〇六年の暴力事件の再発は、その典型的な例と言える。当時、東ティモールは独立に関する住民投票後の騒乱が落ち着き、永続的な平和に向かっていると思われていた。ところが復興に向かっていたはずの現地では住民らが引き続き貧困にあえぎ、経済が好転の兆しを見せなかったため、不満が高まっていたのである。東ティモールにおいて住民の雇用を提供していた国連ミッションの大半が引き揚げた後、失業が増え、貧困が深刻になったことが暴力事件再発の直接の原因であったと分析されている。また、保健サービスや雇用創出に海外からの援助が行われなかったことも原因の一つに挙げられている。アフガニスタンやソマリアの例にもみられるように、紛争後の復興がうまくいかないと国家が弱体化し、社会をコントロールすることが出来なくなる。これが紛争再発の原因となる。

さらに貧困は病原菌への感染の可能性を高める。この三〇年間にあらたに重症急性呼吸器症候群（Severe Acute Respiratory Syndrome＝SARS）、西ナイル熱、HIV／AIDS、C型肝炎、新型インフルエンザなど三〇もの感染症が発生しており、いずれも疾病感染管理体制の整っていない発展途上国で発症している。

貧困国では人口増加により農耕可能な土地、薪、水が不足し、これまで人が住んでいなかった地域にも居住するようになる。貧しい人々は家畜と近接して生活せざるを得ず、その結果家畜の病気が人間に伝染する。鳥インフルエンザの人への感染は、ブルキナファソ、カンボジア、コートジボワール、インドネシア、ラオス、ミャンマー、ナイジェリア、ニジェール、スーダンやベトナムなど四八カ国で報告されている。発症しても、当該国の保健管理体制が不備であると疾病の検出が遅れ、感染は広がる。コンゴはエボラ熱の発祥地であるが、感染症対策がとられていなかったため、近隣諸国のみならず、PKO関係者や援助関係者にも感染が広がった。ラテンアメリカで発生したデング熱も、現地政府が早く対策をとらなかったために蚊を媒体として東南アジアにも感染が広がった。温暖化とグローバル化に伴って、アメリカでも遠隔地で発生した感染症が広がりかねないと指摘されている。アメリカ人の感染症による死亡率は一九八〇年と比較して二〇〇〇年には二倍になっている。

環境問題については、人々が貧困から現金収入を求めて森林伐採を行うことで洪水や水路の汚泥化を招き、農業の生産性を下げる。また森林伐採や干ばつが砂漠化を招き、人々の水へのアクセスが奪われる貧困と紛争の因果関係などのアメリカにおける議論には余地が残されているが、このような考え方は、まさに「人間の安全保障」が広義の解釈において脅威の対象とする要因である。アメリカの研究者の多くは、これを「人間の安全保障」というフレームワークに入れることには反対しているが、貧困と弱体国家はアメリカの安全保障を損なうと考え始めている。

また、感染症問題と安全保障のリンクについては外交問題評議会(Council on Foreign Relations)の「HIVと国家安全保障 そのリンクはいずこに(HIV and National Security: Where are the links)」と題する報告書がその関連性を肯定している。HIV/AIDSに罹患している人は国連合同エイズ計画(Joint United Nations Programme on HIV/AIDS = UNAIDS)の二〇〇七年報告によると、世界で三三〇〇万人、二〇〇七年に新たに発症した患者は二五〇万人、二〇〇七年の死者は二一〇万人に及んでいる[★55]。同報告書では、これだけの被害者を生んでいるHIV/AIDSと安全保障の関連性が問われている。

国家安全保障と感染症のリンクの重要性や有効性は否定されることが多いが、ウイルスはその蔓延を放置すると国家の安定と能力を損なうという議論もある[★56]。二〇〇〇年一月、アルバート・ゴア(Albert Arnold Gore Jr.)副大統領(当時)は、HIV/AIDSは安全保障上の問題であると述べ、市民を脅かすのみならず、労働力が奪われ、経済活動にも影がさすと指摘した。更に学校の教師が罹患すれば、即教育にも影響が出、軍人が罹患すれば部隊全体に伝染し、国防能力も下がるとした[★57]。

二〇〇三年六月にコリン・パウエル(Colin Luther Powell)国務長官(当時)は、HIVウイルスをテロリストに喩え、「HIVウイルスはテロリズムのように無差別かつ無慈悲に人間を殺す」と述べ、その脅威は大量破壊兵器にも匹敵すると指摘した。HIV/AIDSの感染者が多く発生する社会は様々な問題を抱え、その地域の安定が損なわれるとの演説は、感染症と安全保障の関連性を指摘するものであった[★58]。

このようにアメリカでは「人間の安全保障」という言葉を本格的に採り上げるには至っていないものの、その概念に含まれる貧困、環境、感染症などの脅威については安全保障上、特に国家安全保障上の脅威として考えようという議論が九・一一以降のテロ戦争、特にイラク戦争と戦後復興に対する反省も含めて芽生えているように見受けられる。

オバマ政権で国務長官を務めるヒラリー・クリントン(Hillary Rodham Clinton)は二〇一〇年、パリで安全保障についてスピーチを行った。このスピーチの中でクリントンは、真の安全保障とは国家間の平和な関係だけではなく、そこに暮らす人々の機会や人権が伴っていることであると述べている。そして安全な国とは、国民に健全なコミュニティで暮らし、教育を受け、仕事をもち、本人が望めば家族を持ち、自由に旅行ができ、神に与えられた可能性を最大限に発揮できる機会を提供できる国であるとした。また開発と民主主義と人権は互いに補強しあう関係にあり、この関係が壊れたとき、国家は安全な状態ではなくなるとして、具体例として、ヨーロッパの旧社会主義国が民主主義へ移行した後、人々の暮らしが向上したことを挙げ、「アメリカはNATOやEU、OSCEと共に包括的な人間の安全保障を他の地域に広げるために協力していく」と述べた[★59]。

このスピーチに現れているように人間の安全保障の考え方に対して否定的であったアメリカも現在の幅広い安全保障の理解の必要性を認識し、国務長官がスピーチの中で政策を語るにあたって人間の安全保障を採り上げるようになっているのはひとつの変化といえよう。

註

★1——Lloyd Axworthy, 'Introduction', in Rob McRae and Don Hubert (eds.), *Human Security and the New Diplomacy: Protecting*

*People, Promoting Peace*, Montreal, McGill-Queen's University Press, 2001, p.4.

★2—筆者によるアクスワージー元外務大臣へのインタビューによる（二〇〇三年一一月一二日）

★3—筆者によるエバンス教授へのインタビューによる（二〇〇三年九月一八日）

★4—Roméo Dallaire, *Shake Hands with the Devil: The Failure of Humanity in Rwanda*, London, Arrow Books, 2003, pp. xvii-xviii.

★5—Canadian Department of National Defense Press Release, 'Lt.-General Roméo Dallaire to leave Canadian Forces', Ottawa, 12 April 2000.

★6—筆者によるカナダ外務国際貿易省関係者へのインタビューによる（二〇〇三年三月一九日）

★7—Canadian Department of Foreign Affairs and International Trade, 'Notes for an Address by the Honourable Lloyd Axworthy, Minister of Foreign Affairs, to the 51st General Assembly of the United Nations', New York, 24 September 1996.

★8—Lloyd Axworthy, 'Canada and Human Security: The Need for Leadership', *International Journal*, Vol. 52, No.2, Spring, 1997, p. 184.

★9—*Ibid.*, p.190.

★10—Canadian Department of Foreign Affairs and International Trade, *Human Security: Safety for People in a Changing World*, Ottawa, 1999.

★11—Canadian Department of Foreign Affairs and International Trade, *Freedom from Fear: Canada's Foreign Policy for Human Security*, Ottawa, 2003.

★12—Canadian Landmine Foundation, 'The Ottawa Treaty', http://www.canadianlandmine.org/Ottawa_Treaty.cfm （二〇一〇年五月一三日最終アクセス）

★13—Mark Gwozdecky and Jill Sinclair, 'Case Study: Landmines and Human Security', in Rob McRoe and Don Hubert (eds.), *op.cit.*, p.28.

★14—目加田説子「国際刑事裁判所とＮＧＯ」（『世界』七〇四号、二〇〇二年八月、二一〇頁）

★15—塚田洋「カナダ外交における『人間の安全保障』」（『レファレンス』六五一号、二〇〇五年四月、http://www.ndl.go.jp/jp/data/publication/refer/200504_651/065103.pdf）（二〇一〇年五月一四日アクセス）

★16—Michael Small, 'Peacebuilding in Postconflict Societies', in Rob McRoe and Don Hubert (eds.), *op.cit.*, pp75-87.

★17――人間の安全保障ネットワークについては、http://www.humansecuritynetwork.orgを参照

★18――大江博『外交と国益――包括的安全保障とは何か』NHKブックス、二〇〇七年、一九四頁

★19――佐藤行雄「日本の国連外交と人間の安全保障――国連ミレニアムサミットの軌跡」(『国際問題』No.530、二〇〇四年五月、一一頁)

★20――ICISSのInterventionという用語については、介入と干渉のふたつの訳語が用いられているが、ここでは介入を用いた

★21――ICISS, *Responsibility to Protect: Report of the International Commission on Intervention and State Sovereignty*, Ottawa, International Development Research Centre, 2001.

★22――Francis M.Deng (et al.), (eds.), *Sovereignty as Responsibility: Conflict Management in Africa*, Washington D.C., Brookings Institute, 1996.

★23――*Ibid.*, p.28.

★24――ICISS, *op.cit.* pp.29-45.

★25――United Nations Secretary-General, Report of the Secretary-General, 'In Larger Freedom: Towards Development, Security, and Human Rights for All', UN Doc, A/60/L/40, 21 March, 2005.

★26――United Nations General Assembly, 'Resolution Adopted by the General Assembly: 2005 World Summit Outcome', UN Doc, A/RES/60/1, 24 October 2005.

★27――United Nations General Assembly, Report of the Secretary-General, 'Implementing the Responsibility to Protect', UN Doc, A/63/677, 12 January, 2009.

★28――Fen Osler Hampson(et al.), *Madness in the Multitude: Human Security and World Disorder*, Don Mills Ont., Oxford University Press, 2002, pp.98-124.

★29――Carmen Sorger and Eric Hoskins, 'Protecting the Most Vulnerable: War-Affected Children', in Rob McRoe and Don Hubert, (eds.), *op.cit.*, p.137.

★30――*Ibid.*, pp.134-151.

★31――著者によるカナダ政府関係者へのインタビューによる(二〇〇七年七月四、五日)

★32――著者によるハンプソン教授へのインタビューによる(二〇〇七年七月四日)

★33—Paul Evans, 'Human Security at Fourteen: Taking Stock', prepared for the Conference on Human Security and the Future of International Public Policy at Osaka University, 11 February 2008, p.3.

★34—Human Security Report Project, http://www.hsrgroup.org（二〇一〇年五月一四日最終アクセス）

★35—Paul Evans, *op.cit.*, p.3.

★36—Humansecurity-cities.org, *Human Security for an Urban Century: Local Challenges, Global Perspectives*, http://www.cerac.org.co/pdf/Human_Security_for_an_Urban_Century_Fergusson%20extract.pdf（二〇一〇年五月一四日最終アクセス）

★37—二〇〇七年三月、東京において開催された人間の安全保障に関する高級実務者会合(Senior Officials Meeting＝SOM)におけるカナダ政府代表の発言による。

★38—筆者によるカナダ政府関係者へのインタビューによる(二〇〇七年七月四、五日)

★39—110th Congress, H.RES.121, June 26, 2007.

★40—Barbara Boxer, 'Providing Basic Human Security', *The Washington Quarterly*, Vol. 26, No.2, Spring, 2003, pp.199-207.

★41—筆者によるボクサー議員スタッフへのインタビューによる(二〇〇七年六月二七日)

★42—Anne-Marie Slaughter, Carl Bildt and Kazuo Ogura, *The New Challenges to International and Human Security Policy: A Report to the Trilateral Commission*, Washington, The Trilateral Commission, 2004, pp.16-17.

★43—*Ibid.*, p.28.

★44—ジェフリー・サックス「アフリカ支援農村を軸に——コロンビア大学教授・地球研究所長(経済教室)」(日本経済新聞、二〇〇七年四月二五日、二七面)

★45—同右

★46—同右

★47—著者によるユーヴィン教授へのインタビューによる(二〇〇七年六月二六日)

★48—James Carafano, and Janice Smith, 'The Muddled Notion of "Human Security" at the UN: A Guide for U.S. Policymakers', *Backgrounder*, No. 1966, 1 September 2006, p.10.

★49—*Ibid.*, p.24.

★50—The Heritage Foundation, 'Reclaiming the Language of freedom at the United Nations', *Heritage Special Report*, 6 September, 2006, pp. 48-49.

★51——Barack Obama, 'Renewing American Leadership', *Foreign Affairs*, vol.86, No.4, July/August, 2007, pp.2-16.

★52——Susan Rice, 'Poverty Breeds Insecurity', in Lael Rainard and Derek Chollet (eds.), *Too Poor for Peace?: Global Poverty, Conflict and Security in the 21st Century*, Washington D.C., Brookings Institution, 2007, pp.31-49.

★53——UNICEF, *The State of the World's Children Special Edition: Celebrating 20 Years of the Convention on the Rights of the Children*, New York, UNICEF, 2010, p.11.

★54——Susan Rice, *op.cit.*, pp.31-49.

★55——UNAIDS, 'Report on the Global AIDS Epidemic', http://www.unaids.org/en/KnowledgeCentre/HIVData/GlobalReport/2008/2008_Global_report.asp（二〇一〇年五月一四日最終アクセス）

★56——Laurie Garrett, *HIV and National Security: Where are the links?: A Council on Foreign Relations Report*, New York, the Council on Foreign Relations, 2004, pp.14-15.

★57——US Information Agency, 'Vice President Gore's Remarks on AIDS to UN Security Council: Gore Announces Initiatives to Battle the Spread of AIDS', http://www.aegis.com/news/usis/2000/US000102.html（二〇一〇年五月一四日最終アクセス）

★58——Colin Powell, Speech to the Global Business Coalition on AIDS 2003 Awards for Business Excellence, 11 June 2003, http://www.kaisernetwork.org/health_cast/uploaded_files/061103_gbc_awards.pdf（二〇一〇年五月二四日最終アクセス）

★59——Hillary Clinton, 'Secretary Clinton's Speech on Future of European Security: Clinton Emphasizes U.S-European Partnership in Meeting Global Challenges', 29 January 2010, http://www.america.gov/st/texttrans-english/2010/January/20100129153002eaifas0.2912409.html（二〇一〇年五月一四日最終アクセス）

第6章

# 欧州ならびにアジアと「人間の安全保障」

本章では、相対的に狭義の人間の安全保障の解釈に立つ国々が多い欧州と、広義の解釈に立つ国々が多いアジアを対比して考察する。

## 1　欧州と「人間の安全保障」

「人間の安全保障」という概念が導入された一九九四年当時、ノルウェーなど一部の国を除くと、欧州各国で、この概念はあまり注目されなかった。しかし、最近では狭義の解釈に基づく「人間の安全保障」の政策フレームワークとしての効用に関心が高まっている。欧州では「人間の安全保障」の中に人権が重要なファクターとして位置づけられており、北欧諸国やスイスを中心に「人間の安全保障」の実践にあたっては「権利に基づいたアプローチ（rights-based approach）」を採ろうとしている。

## ❖「人間の安全保障」に着目する欧州

欧州では、冷戦後旧ユーゴスラビアにおける紛争をはじめ、域内及び近隣地域で紛争や民族対立が多発し、これらの紛争が欧州の安全保障を脅かすという認識が醸成された。それに伴って、グローバルな安全保障を確保することが、各国の安全保障に直結するという共通認識も生まれた。しかしそれはあくまでも、軍事的安全保障を中心とする考え方にすぎず、多くの国々は一九九〇年代前半には「人間の安全保障」に関心を払わなかった。

しかし近年、地域安全保障環境の変化に応えて、EU、NATO、OSCEなどの地域機構が、今後どのような安全保障に、どのように取り組むのか検討されており、まさに、その過程において「人間の安全保障」の視点が可能性として検討・研究されているのである。

欧州委員会の対外問題担当ベニタ・フェレロ・ワルドナー(Benita Maria Ferrero-Waldner)委員(当時)が、二〇〇五年七月のスピーチで「人間の安全保障がなければ長期的な平和もグローバルな安全保障もない」[★1]と述べたことや、OSCE議長(当時)のカレル・デ・グフト(Karel Lodewijk Georgette Emmerence De Gucht)が「人間の安全保障や民主化、法の支配、人権の尊重を強化していくことが重要である」[★2]と述べたことは、欧州の関心の高まりをあらわすものと言える。

一九九四年、UNDPの『人間開発報告書』発表当時はあまり関心を示さなかった欧州でなぜ「人間の安全保障」への関心が高まったのか。その背景にはアメリカと同様、二一世紀の安全保障の対象が、軍事的な脅威から非軍事的な脅威へと拡大しており、軍事的な安全保障や国家安全保障だけでなく、非伝統的な安全保障の視点もまた必要であるとの認識が生まれていることが挙げられよう。

他にも、コソボ空爆やイラク戦争、アフガニスタンへのNATO軍の派遣、EUの平和維持、平和構築活動への参加等を経て、欧州でアメリカと一線を画した安全保障政策を持ちたいとの機運が高まったこと、N

ATOのみならずEUが独自の部隊を展開し始めたこと、EUの拡大により全欧州的な新しい安全保障ドクトリンが必要になったことが挙げられる。

欧州においては、議論がまだ緒についたばかりのフランスから、ノルウェーのようにカナダとともに人間の安全保障ネットワークを設立して積極的に取り組んできた国、イラク戦争後改めて「人間の安全保障」に注目しているスペイン、永世中立の立場から人権問題を中心に、かねてより「人間の安全保障」に関心を示してきたスイスのような国まで、様々な立場が存在する。それだけに欧州各国の「人間の安全保障」に対するアプローチは国内事情も絡み、それぞれ異なっている。

例えば、ノルウェーは、小国ながら自らの外交プレゼンスを国際社会に印象付けたいと「人道大国」あるいは「アイデア大国」の道を模索しており、人間の安全保障に注目し、カナダとともにHSNの設立に尽力した[★3]。

またフィンランド政府は、後述のようにロンドン・スクール・オブ・エコノミクス(LSE)による「人間の安全保障」研究を支援するなど「人間の安全保障」に熱心に見えるが、HSNには参加していない。ロシアと長い国境を接するフィンランドは対人地雷を戦略的に必要としており、代替兵器が開発されるまでは対人地雷禁止条約の署名ができないという事情がある[★4]。そのため対人地雷禁止条約の履行に力をいれるHSNには参加できなかった。

### ❖LSEによるの「人間の安全保障ドクトリン」提言

欧州で「人間の安全保障」論議が活発化するひとつの契機となったのは、二〇〇四年九月一五日に「欧州の新しい安全保障能力に関する研究グループ(The Study Group on Europe's Security Capabilities)」が立ち上げられたことである。これは二〇〇三年一二月に欧州連合(EU)のハビエル・ソラナ(Francisco Javier Solana de Madariaga)

上級代表（当時）が発表した「欧州安全保障戦略（European Security Strategy＝ＥＳＳ）」を実践するＥＵの安全保障ドクトリンの研究を非公式に依頼されたＬＳＥのメアリー・カルドー（Mary Kaldor）教授が組織したものである。

同研究グループは二〇〇四年に「欧州の人間の安全保障ドクトリン（A Human Security Doctrine for Europe）報告書（通称バルセロナ報告書）」を発表した。同報告書は、非ヨーロッパ地域の不安全（insecurity）が欧州の安全保障を脅かすという前提に立ち、ＥＵがヘルシンキ・ヘッドライン・ゴールに合意し、ＥＵ軍の常設が決定されたことを念頭にＥＵ軍派遣に際してのドクトリンを考案している［★5］。

ヘルシンキ・ヘッドライン・ゴールとは、一九九九年一二月のヘルシンキ欧州理事会によって採択されたＥＵ部隊設置目標で、二〇〇三年までに、ＥＵ条約第一七条の任務（ペータースベルク任務）の全範囲を実施可能で、六〇日以内に投入可能かつ少なくとも一年間維持し得る五〜六万人の部隊を創設することを掲げている［★6］。

また二〇〇四年六月の欧州理事会では「ヘッドライン・ゴール二〇一〇」が採択され、一五〇〇名規模の部隊を一三個編成し、そのうち二個部隊が同時に緊急展開可能とする「バトルグループ（戦闘群）構想」を軍事的取組の中核に位置付けた。この合意では理事会による危機管理概念の承認から五日以内にＥＵとしての決定を採択し、一〇日以内に現地に部隊を展開し、少なくとも三〇日間、現地において活動可能とする、平和維持任務等に対応する部隊の設立が決まっている［★7］。

ＬＳＥの研究グループがＥＵ軍のドクトリンの名称を検討しているとき、ちょうど人間の安全保障委員会の報告書を目にし、ドクトリンの名前に「人間の安全保障」を用いることにしたという［★8］。

バルセロナ報告書の中では、紛争の結果、市民が殺戮、レイプ、拉致などの犠牲となっていると述べ、その行為主体が国家である場合も少なからずあることを指摘している。そして、現在のグローバルな安全保障に貢献するためには、国家安全保障だけでは不十分であり、「人間の安全保障」という視座が重要であると強調している。同報告書は「人間の安全保障」の定義について狭義の解釈をとり、人権を含めている[★9]。

そして一万五〇〇〇名からなる「人間の安全保障対応部隊（Human Security Response Force）」を結成し、うち三分の一の人員を警察、人権モニター、開発・人道専門家、行政官などのシビリアンとすることを提言している。この「人間の安全保障対応部隊」とは、古典的な平和維持活動と軍事的介入の中間の性格を持ち、人権を擁護し、武力行使は最低限にとどめると報告書で述べられている。

また、この報告書はEUが「人間の安全保障」に取り組む理由として以下の四点を挙げている。第一に、安全保障のグローバルな変化に伴う欧州への脅威の変容である。いまやテロ、大量破壊兵器の拡散、地域紛争、破綻国家、並びに組織犯罪が主要な欧州の安全保障を脅かす要素であり、軍隊の利用の目的が変化している。第二に、欧州にとって、大量殺戮、奴隷、失踪、拷問、人道犯罪、戦争法規違反などが今日の安全保障を損なう要因であり、EUは道義的、法律的な利益、啓発された自己利益の三つの側面から「人間の安全保障」に取り組まなければならない。第三に、「人間の安全保障」の実践とは一九九二年に合意されたペータースベルグ任務（人道支援・救難任務、平和維持活動、危機管理の際の平和創造を含む戦闘部隊任務）であるところの軍縮、人道的活動、軍事的アドバイス支援業務、紛争予防、平和維持、並びに危機管理を指すものである。人権を擁護し、法と秩序の維持のために、EUは行動をとらなければならない。第四に、「人間の安全保障」は欧州のこれまでのいわば「平和プロジェクト」に新たなチャンスを与えるものである[★10]。バルセロナ報告書は、このように「人間の安全保障」を採り上げる必要性を示した上で「欧州の人間の安全保障ドクトリン」の原則として以下を挙げる。すなわち人権重視、明確な政治的権限、マルチラテラリズム、ボトム・アップ・アプローチ、地域的焦点、法的措置の活用、適切な武力行使である[★11]。

バルセロナ報告書はソラナ上級代表に提出され、同代表は感謝の意を示したが、その提言がEUで正式に採り上げられるには至っていない。ＥＵ内にも賛否両論があり、関係者のバルセロナ報告書への反応はさまざまである。ひとつは、同報告書が提言している内容については既に実践されており、わざわざ「人間の安全保障」というラベルを用いる必要は無いという意見である。そして人権擁護のために軍事的介入をするという部分については、人権は擁護するものであって軍隊を派遣する根拠にはならないという異論が出されている。また「人間の安全保障」はユートピアの世界であり、実現できるはずがないという意見もある。

同研究グループによると、各論については文民と軍が協力をして紛争後の社会の平和構築に取り組むことに賛成の意見が多く、特に軍関係者は冷戦後のイラクやアフガニスタンにおける活動を正当化するものとして「人間の安全保障」という概念を歓迎しているという。つまり「人間の安全保障」のために軍隊を派遣するとした方が、市民の理解を得やすいというのである。特に北欧諸国は、「人間の安全保障」が欧州の安全保障を考える上でエントリー・ポイントになるという考え方である[★12]。一方、安全保障専門家は「人間の安全保障」概念に反対の人が多く、バルセロナ報告書にも批判的であると言われている[★13]。

ＬＳＥの研究者は当初、人間の安全保障について狭義の解釈をとっていたが、その後津波を「人間の安全保障」の範疇に加えるなど、少しずつ脅威の対象を広げている。同研究グループを主宰するカルドー教授は、人間の安全保障を新しい安全保障のパラダイムであり、開発と安全保障の両面を持つ理念と位置付けている[★14]。なかでも人権と人間開発の両者を組み合わせたアプローチの重要性を強調している[★15]。

## ❖欧州における「人間の安全保障」をめぐる議論

ノルウェーにあるオスロ国際平和研究所（The Peace Research Institute Oslo＝ＰＲＩＯ）のピーター・バルゲス（Peter J. Burgess）は、欧州における「人間の安全保障」に対する考え方について、新たな知識や発見ではなく、事実や価値観、イデオロギーを整理する枠組みであるとしている[★16]。そして、「人間の安全保障」は政治的安全が確保されてはじめて成立するものであり、「恐怖からの自由」という狭義の解釈に近いとの見解を述べている[★17]。

欧州では、前述のように人権を含む狭義の解釈に基づく「人間の安全保障」が多く採り上げられている。これは「恐怖からの自由」に焦点を絞り、暴力的な脅威から守るという考え方のほうが概念的に明確であるとの見方が強いからである。一方、広義の「人間の安全保障」では、何もかもが範疇に入りかねないため、そこに秘かな狙いがあるように思われ、介入先から痛くもない腹を探られるとの意見も北欧諸国にはある。

更に言えば、広義の解釈で謳われている活動はすでに実践されてきており、いまさら新しい看板を使う意味がはたしてあるのかが問われている。欧州では「人間の安全保障」という用語に誰も表立って反対はしないが、EUの共通外交・安全保障政策（Common Foreign and Security Policy＝CFSP）／欧州安全保障・防衛政策（European Security and Defense Policy＝ESDP）の中に「人間の安全保障」という言葉を挿入するには「人間の安全保障」を定義し、実践できるように（Operationalize）する必要があることが強調されている。

ちなみに二〇〇六年一二月一二日のEU理事会に提出され、同理事会で承認された議長国（フィンランド）のESDPに関する文書では「人間の安全保障」については「議長国であるフィンランドのイニシャティブにより、EUがESDPを含む様々な手段を用いて人間の安全保障の課題にどのように取り組めるかを議論した。この議論では二〇〇四年に発表されたバルセロナ報告書に言及された」と記述されるに留まっている[★18]。

ただし、欧州政策センター（European Policy Center）の分析では、欧州バロメーター調査において「人道的危機が発生した場合、EUは速やかにその救援に取り組むべきか」という設問に、「市民を民族浄化から守るべき」、「EUとして必要に応じて緊急展開部隊を派遣すべき」といった意見が大勢を占めていることから、「人間の安全保障」を公共政策として打ち出す素地はあるとされている[★19]。

また、欧州戦略問題研究所(The European Union Institute for Security Studies＝ＥＵＩＳＳ)はＥＵと地中海諸国の関係に関する一九九五年のバルセロナ宣言を踏まえ、今後の両者の関係にして一連の論文を発表した。二〇一〇年二月に出された論文では、ＥＵと地中海諸国との安全保障関係について、今後は人間の安全保障委員会の考え方に沿った広義の解釈に基づき、人間の安全保障を推進すべしと述べている。また基本的な人間の自由を確保・促進することが欧州と地中海諸国の対話に重要であるとも述べられている。そして具体的に地中海諸国のグッド・ガバナンスと政治改革の推進が提言され、人間の安全保障のラベルが正面から採りあげられた。

それまで欧州においては人間の安全保障の広義の解釈には異論が少なくなかったことを考えると、議論の方向性の変化を見出すことができる[★20]。このように政策フレームワークとして「人間の安全保障」が有用であることは共通の認識となりつつあると考えられる。

## 2 アジアと「人間の安全保障」

欧州とは対照的に、アジアでは広義の解釈に立ち人権を「人間の安全保障」に含めることに対して、強い難色が示され、外交政策として「人間の安全保障」を積極的に推進したのはアジア諸国の中では当初、日本、タイ、モンゴルの三カ国だけであった。

タイでは、熱心に「人間の安全保障」に取り組み、社会開発・人間の安全保障省[★21]を設置した。前述のＨＳＮにもタイは発足当初から参加している。日本が支援した人間の安全保障委員会の委員としてもスリン・ピツワン元外務大臣・現ＡＳＥＡＮ事務総長が参加した。

モンゴルもアジア地域では例外的に人間の安全保障に積極的であった。モンゴル政府は一九九四年のモンゴル国家安全保障概念(The National Security Concept of Mongolia, 1994)の中で人間の安全保障の推進を国家安全保障強化のための基本的な柱のひとつと位置づけ、国家開発計画においても二〇〇一－二〇〇四年の計画で「人間の安全保障のためのグッド・ガバナンス(Good Governance for Human Security)」というプログラムを発表している。

また、二〇二一年までの長期的なMDGsベースの開発計画でも、モンゴルの人間の安全保障の確保が謳われていた。他のほとんどの国々が人間の安全保障を外交政策として位置付けているのに対して、モンゴルは国内開発に人間の安全保障という用語を用いている点が注目される。また、モンゴルはASEAN地域フォーラム(ASEAN Regional Forum＝ARF)の会合やOSCEとの共催会合でも人間の安全保障をテーマに採り上げている。

### ✤否定的姿勢から肯定的姿勢へ

しかしながら、一部の知識人を除けばアジア各国は「人間の安全保障」に慎重姿勢、なかには冷淡、もしくは否定的な姿勢を取ることが多かった。例えば、ピツワンがASEAN拡大外相会議(ASEAN Post Ministerial Conference＝ASEAN・PMC)において「人間の安全保障」を検討し、東南アジア地域における人間の不安全を是正する長期的なアプローチを考案するためのグループ設置を提案した時も、ASEAN諸国はこの提案を受け入れなかった経緯がある[★22]。

そもそも「人間の安全保障」とは、パキスタン人の経済学者ハック博士が考え出した理念である。にもかかわらず、同じアジアの中でこのように否定的な反応が生まれた背景には、いくつかの理由が考えられる。まず、何が「人間の安全保障」に具体的に含まれるか不明であることが、一種の不安感を招いた。次にアジアにおいては規範的な意味で「安全保障」という言葉が用いられており、「人間の安全保障」が伝統的な国家主権を損なうとの警戒感があった。

多くのアジア諸国は長い植民地支配を経験し、第二次世界大戦後にようやく国家主権を獲得しており、その主権を損なわれたくない気持ちは極めて強い。ASEANが「内政不干渉」の原則を第一に据えたことも、国家主権へのこだわりの強さの証左である。「ASEANウエイ」という原則の下で「独立、主権、平等、領土保全、国家のアイデンティティを相互に尊重すること」が謳われ、すべてをコンセンサスで決定することが原則になっている[★23]ことは広く知られるところである。この大原則がASEANにおける人権や人間の安全保障理念の普及の妨げになってきている。一九九七年、ピツワンが、インドネシアで発生した山火事によるマレーシアやシンガポールなどでのヘイズ(煙霧)被害に際して「柔軟な関与(flexible engagement)」を掲げ、他の加盟国の国内問題でも越境的要素を含むテーマは議論するよう提案した時もASEAN加盟国は難色を示し、インドネシア自身も受け入れなかった[★24]。

中国は、そもそも「人間の安全保障」という用語を「安全保障問題」と認知していなかった。むしろ、「人間の安全保障」を建前とする人道的介入で、他国、広くは国際社会が中国の内政に干渉してくるのではないかと強く懸念し、人権や民主化が人間の安全保障に含まれるのであれば、それは絶対に容認できないという立場であった。そのため中国の関係者は冷戦後の拡大した安全保障上の脅威、すなわち広義の人間の安全保障の対象となる脅威を「非伝統的安全保障」という呼び方でくくり、これを「新しい安全保障概念」とする協調的アプローチを推奨してきた。

しかし、前述した二〇〇五年の国連成果文書に「人間の安全保障」が盛り込まれたことから中国の姿勢も変化し始め、研究者の間で「人類安全」あるいは「人的安全」という用語で安全保障論の一環に位置づけられるようになった[★25]。あわせて、自然災害、貧困、難民、社会保障、保健衛生などを指して「人間の安全保障」という言葉を使うようになってきている。例えば、カナダのブリティッシュ・コロンビア大学客員研究員だった楚樹龍（Chu Shulong）は、「中国と人間の安全保障」という論文の中で、二〇〇二年当時の中国は「人間の安全保障」ではなく「人的安全（People's Safety）」という表現を用いており、安全保障はまずは国家を対象に用いられ、個人の次元では「安全」という言葉がふさわしいと考えられていると解説している。そして「人間の安全保障」という言葉そのものは用いられていないが、広範囲におよぶ安全保障はよく理解され、検討されていると述べている[★26]。

「人間の安全保障と社会安全保障は国家安全保障の基礎であることを詳らかにするべきである。……人間の安全保障や社会の安定を犠牲にして国家安全保障を求めることは問題の根源に取り組むのではなく、症状だけを治療するものである」[★27]との論調も登場した。そして、現在の国際安全保障環境にあっては、伝統的な軍的安全保障と個人の安全を含む非伝統的安全保障を結合させ、ある程度のバランスを保つことが必要であると論じられている[★28]。

最近では浙江人民出版社の『非伝統安全概論』（二〇〇六年）や、上海人民出版社の『非伝統安全与中国』（二〇〇七年）に非伝統的安全保障に関連する概念のひとつとして「人類安全」が採り上げられている。中国語では「人的安全」という訳語と「人類的安全」という訳語のふたつが使われているが、前者は個々の人間の安全を、後者は人間社会集団的な安全を指す違いがあり、後者が多く使われている[★29]。

中国が共催した「人道主義の地雷除去技術・協力国際シンポジウム」（中国雲南省昆明市、二〇〇四年四月二六—二八日）では、張炎（Zhang Yan）中国外務省軍備管理軍縮局長が、地雷除去活動における国際協力の強化と新しい協力体制を提案した中で、「人的安全」という表現を用いた[★30]。また、二〇〇七年六月六日の国連宇宙空間平和利用委員会における唐国强（Tang Guoqiang）大使の演説では、過去の宇宙平和利用について言及し、「人類的安全」という表現が用いられた[★31]。二〇〇五年九月三日の抗日戦勝五〇周年記念式典での演説では、胡錦涛(Hu Jintao)国家主席が貧困、環境汚染、感染症の蔓延、越境犯罪などを人間の安全保障を脅かすものとして挙げている[★32]。

アジアには国家主権と並んで国家安全保障に固執する国が多く、安全保障はあくまでも国家安全保障の枠組みで考えたいという傾向がある。更にアジアにはいまなお領土紛争や分断国家も残っており、また、内戦の可能性を孕む国もある。

アチャルヤ教授は、「東南アジアでは一九七〇年代から総合安全保障という幅広い概念があり、人間の安全保障は単にラベルを貼り替えただけの流行語だと受け止められた」と分析している。さらに「人間の安全保障」は西欧の政策課題であり、人権や人道的介入を是とするため用語ではないかとの懸念もあったと論じている[★33]。

ブリティッシュ・コロンビア大学教授のエバンスは、アジアにおいて「人間の安全保障はヨーロッパやアフリカ、ラテンアメリカほど熱心に議論されていない。地域機構の基本ドクトリンとなっていない」と述べ、「人間の安全保障への関心はタイ、韓国、フィリピンのようなアジアの新興民主主義諸国において強いが……人間の安全保障に対する最も強い否定的な反応は北朝鮮とミャンマーから生じている」と指摘している[★34]。

このようにアジア各国の人間の安全保障に対する考え方は、国によりばらつきはあるものの、おしなべて否定的であった。しかし、近年アジア各国の「人間の安全保障」に対する姿勢は次第に肯定的に変化してきている。例えば、オン・ケン・ヨン(Ong Keng Yong)前ASEAN事務総長は、二〇〇三年に「人間の安全保障はテロに対する最善の抑止である」[★35]と発言した。さらに、シンガポールのメリー・カラベロ・アンソニー(Mely Callabero-Anthony)南洋工科大学准教授は、「人間の安全保障という考え方は……安全保障を再考するアプローチであり、増大する脅威と不確実性の中で反響を得ている」[★36]と述べている。

各国単位では、当初から積極的に取り組んできたタイ以外に、フィリピンが二〇〇七年に人間の安全保障法(the Human Security Act of 2007)を成立させている。これはテロのあらゆる行為から生命、自由並びに財産を守り、テロをフィリピンの国家安全保障並びに国民の福祉を損なう行為として糾弾し、テロを国民、人類、そして法律に対する犯罪とし、南部のミンダナオの不安定な状況も念頭に、テロ取り締まりを主眼とした法律を作る際に人間の安全保障という用語を用いている。また、二〇〇八年の国連総会テーマ別討論において フィリピンの常駐代表はフィリピン政府がガバナンス改革を通じて保護と能力強化に力を入れ、国民のニーズに応えることとしていると述べている。

このようにアジア諸国が「人間の安全保障」に対する否定的な姿勢から肯定的な姿勢へ変化してきた背景としては、アジアでの最近の一連の出来事がきっかけと考えられる。具体的には、一九九七年のアジア金融危機や、二〇〇二年のバリ島でのテロ爆破事件をはじめ、インドネシア、タイ南部、ミンダナオなどでのテロ事件の続発、さらにはインドネシアにおけるヘイズによる被害、二〇〇三年のSARSや鳥インフルエンザなどの感染症の流行、そして二〇〇四年のスマトラ島沖で発生した大地震と津波といった共通体験を経て、これらの危機が国境を越えたトランスナショナルな性格を帯びており、一国では解決できないという認識が共有されるようになった。

詳述すると一九九七年のアジア金融危機の前後となる一九九七年一月と一九九八年一月を比較すると、アメリカ・ドルに対してタイ・バーツは四〇パーセント、インドネシア・ルピアが八〇パーセント、マレーシア・リンギが四〇パーセント、フィリピン・ペソが三〇パーセントも値を下げた[★37]。タイ・バーツの急落に端を発する金融危機は、インドネシア、マレーシア、フィリピンさらには近隣のシンガポール、ベトナムにも影響を与えた。

外国資本が一斉にひきあげたタイやインドネシアでは財政が逼迫し、国際通貨基金(International Monetary

Fund＝IMF）の救済パッケージを受け入れることになった。これがインドネシアのスハルト（Suharto）政権の崩壊につながり、東南アジア諸国、特にシンガポール、インドネシア、マレーシアの関係緊張を招いた。インドネシアの政情不安定の影響を懸念した近隣諸国も多く、そのために地域としての社会経済的なセーフティ・ネットの重要性が指摘されるに至ったのである。

二〇〇四年一二月二六日に発生したスマトラ島沖で発生した大地震による津波は、インド洋沿岸で二〇万人以上の死者を出した。震源地のインドネシアでは、死者は一七万人近くに達し、スリランカで三万人、インドで一万人、タイで五〇〇〇人の死者を出した。また日本人を含め、この地域を訪問していたオーストラリア、スウェーデン、ドイツからの旅行客に多くの犠牲者を生んだ[★38]。この津波は地域に広く影響を与え、観光産業などに大きなダメージを与えた。これが、自然災害が「人間の安全保障」の一部として認識されるきっかけとなった。津波被災地の犠牲者は、沿岸に住む人々で、貧しい人が多く、子供も多かった。一方、同じ津波被害を受けてもサンゴ礁やマングローブに守られた海岸線では影響が少なかったことから環境保護の重要性にも関心が高まった。

SARSは二〇〇二年一一月に中国の広東省で発生すると、瞬く間にアジアに伝播し、発症が八〇六八例、死者は七七五人に及んだ。当初、中国はSARSの発生をWHOに報告せず、二〇〇三年二月の報告までの間に海外旅行者を通じて感染は香港、ベトナムにも拡がった。WHOの試算によると、アジア地域がSARSに払った対価は三〇〇億ドル、アジア開発銀行（Asian Development Bank＝ADB）の試算では六〇〇億ドルにのぼる[★39]。さらに地域への観光やビジネスによる旅行客が減少し、各国の経済成長率も軒並み下方修正された。

これらの問題は津波を除けばいずれも国内に問題があり、そこから脅威が広がっている。しかし、このような様々な脅威に対しては、国家主権へのこだわりはあろうとも、実践面ではトランスナショナルな地域協力によって立ち向かわなければ、事態を効果的に収拾できないことを各国が痛感したのである。むろん、前述のように国連首脳会議の成果文書に「人間の安全保障」と「保護する責任」が記述され、「人間の安全保障」のラベルを使った国内問題への国際社会の介入に関する懸念が弱まったことも相まっている。

### ✣アジア地域協力の脈絡における「人間の安全保障」

アジア地域の政府間文書を調べると、ASEANでは一九九九年一一月にマニラで開催された第三回非公式首脳会合において賢人会議の議長プレス・ステートメントに「人間の安全保障」の文言が見出せる。さらに二〇〇〇年一一月のシンガポールにおける第四回ASEAN非公式首脳会合に提出されたASEAN賢人会議の「ヴィジョン二〇二〇」に関する報告の中で「(ASEANの)長期的な目的は人間の安全保障の実現とASEAN地域全体の発展である」と言及された[★40]。

さらに二〇〇一年一一月にブルネイのバンダル・スリ・ベガワンで開催された第七回ASEAN首脳会合においても、HIV/AIDSへの脅威という文脈の宣言内で「人間の安全保障」について言及された[★41]。また、ビエンチャンで開催された第一〇回首脳会議では「ASEAN社会文化コミュニティ・アクション・プラン」の中で「人間の安全保障」が言及された[★42]。

二〇〇五年一二月のクアラルンプール、並びに二〇〇七年一月のセブでのASEAN首脳会議では、「人間の安全保障」という語は用いられていない。ただしASEAN社会文化共同体構築構想の中で「人間中心の地域統合(people-centered integration)」を進めることが謳われ、弱い人々、不利な立場に立つ人々のニーズに応えることが盛り込まれている。あわせて、広義の「人間の安全保障」に相当する感染症、貧困削減、ヘイズ問題、テロ対策などが地域協力の項目として言及されている[★43]。

一方、ASEAN+3首脳会合では、これまで議長声明として「人間の安全保障」は採り上げられていないが、その将来像を提言した東アジア・ヴィジョン・グループ(East Asia vision group)という有識者のグループが二〇〇一年に発表した「東アジア共同体をめざして」と題する報告書の中で、「人間の安全保障」を東アジア共同体構築の目標のひとつとすることが謳われている[★44]。

この報告書を検討した政府間組織、東アジア・スタディ・グループ(East Asia Study Group=EASG)もヴィジョン・グループほど強いトーンではなかったが「人間の安全保障」を地域協力のテーマのひとつと位置づけた[★45]。これらのグループには中国が参加しており、「人間の安全保障」を文書に入れることに中国が同意した意味は非常に大きい。

他方、アジアの安全保障を議題とするARFの場合、毎年の閣僚会議の議長声明では「人間の安全保障」について言及されていない。しかし、「インターセッショナル会合」などのサイドイベントで二度「人間の安全保障」への言及がある。最初は、二〇〇四年に非合法な麻薬売買を脅威とする文脈で、信頼醸成措置に関するインターセッショナル・サポート・グループの「共同議長サマリーレポート」の中で言及された[★46]。もう一例は、二〇〇五年にモンゴルで開催された安全保障観の変化に関するARFワークショップの共同議長サマリーにおいて、「人間の安全保障」が安全保障協力の一面であるとの言及がなされたことである[★47]。

アジア太平洋経済協力(Asia-Pacific Economic Cooperation=APEC)の首脳会議の宣言では、かなりの議論を重ねた上で二〇〇三年のバンコク宣言の一項目に「人間の安全保障増進のために」が入り、「APEC諸国の経済の繁栄ばかりではなく、「人間の安全保障(the security of people)」を確保するという補完的な使命のためにAPECを活用することに合意した」という文言が盛り込まれた[★48]。

以降「人間の安全保障」は、「human security」という表現で二〇〇四年から毎年の首脳宣言にも採用され[★49]、人間の安全保障の強化が宣言の中で謳われている。その具体的な対象となる脅威としてはテロ、航空旅客の保護、エネルギー、HIV/AIDS、SARSや鳥インフルエンザを含む感染症、自然災害や気候変動があげられている[★50]。このように見てくると、APECにおける「人間の安全保障」はアメリカのテロに焦点を絞った考え方とアジア諸国の広義の解釈のハイブリッドだと言える。また、人権が「人間の安全保障」と併記されており、「人間の安全保障」の中に人権を含めることに反対の参加国がいることが示唆されている。

## ❖アジアの市民社会と人間の安全保障

アジアにおいては、トラック1と呼ばれる政府間の対話に対し、個人の資格で参加する政府関係者に加えて学者、ジャーナリストなどの民間人が参加するトラック2の対話が活発である。そこでも、ASEAN加盟国のシンクタンクが「人間の安全保障」をASEAN共同体構築の議論の中でテーマとして採り上げるようになっている。

ASEAN戦略国際問題研究所連合(ASEAN Institute of Strategic and International Studies ＝ ASEAN-ISIS)は二〇〇一年の第一回会議(インドネシア・バタム)以来、市民社会、学者、シンクタンク、政策決定者をASEAN加盟国ならびに対話国から招き、「ASEAN People's Assembly」を開催しているが、二〇〇三年九月にフィリピン・マニラで開催された第三回会議で採択された宣言には、ASEAN共同体構築を謳った「ヴィジョン2020」実現のために「人間の安全保障を推進する」という文言が入っている[★51]。以降の同会議において、いずれも「人間の安全保障」の文言が議長報告の中に盛り込まれ、地域の恵まれない人々、グローバル化の進展によりマイナスの影響を受けている人々、原住民、文化的な少数派(cultural minorities)、貧しい人々などは、人間の安全保障の中で優先課題として考えていかねばならないという文脈から言及されている[★52]。

第五回会議(フィリピン、マニラ)では、その会議の目的自体が「ASEAN共同体構築過程における人間中心の開発（people-centered development）」とされた［★53］。この会議の議長をつとめたカロリーナ・ヘルナンデス（Carolina G. Hernandez）は、二〇〇七年一月に開催されたＡＳＥＡＮ首脳会議への報告の中でも、人間の安全保障に取り組む重要性を強調した［★54］。そして第六回会議のテーマにも、明示的に「人間の安全保障」は含まれた。

このように「人間の安全保障」は、アジアの地域協力において広義の解釈で次第に採り上げられるようになっているものの、ＡＰＥＣを除けば地域機構の議長声明といった主要文書に盛り込まれることはまだ少なく、関連の諮問委員会などの報告書で採用されるにとどまっている。アジア地域の会合では、これまで経済を中心に協力を推進し、政治・安全保障面での協力について本格的な議論の対象とされてこなかった歴史をふまえれば、これは無理からぬ側面がある。ただし、今後アジアの地域協力でも政治・安全保障の協力が組上に載せられてくるにしたがって、人間の安全保障が採り上げられていく可能性がある。

年来、アジアはグローバリゼーションの強い波に洗われており、「人間の安全保障」の理念に含まれるような脅威、すなわち、海賊や感染症、国際テロ問題に対する機能的な協力がすでに緒についている。今後、こうした協力が拡大していくことが地域全体の利益にも資するという点では、地域のコンセンサスが生まれている。

一方、近年のアジアでは、広義の「人間の安全保障」が指し示す脅威に対して「人間の安全保障」よりも「非伝統的安全保障（Non-traditional Security＝ＮＴＳ）」という表現が使われるケースが増えている。アチャルヤの言によると、これは「非伝統的安全保障」と呼んだ方が人権の響きが少なく、国家が安全保障の主体兼客体であることが鮮明になるため、多くのアジア諸国にとって望ましいというのが理由である。さらに同教授は「人間の安全保障と言うと軍事的、非軍事的な脅威に対する社会、グループ、個人の安全が焦点となり、人間の福祉を安全保障化することになる」［★55］とも論じている。非伝統的安全保障を研究するアジアグループのネットワークも、シンガポールの国防戦略研究所(Institute of Defense and Strategic Studies)に本部をおいて立ち上げられ、非伝統的安全保障に関する情報交換が域内で活発に行われている[★56]。

## 3 言葉から行動へ

このようにアクター、地域、国、研究者によって「人間の安全保障」に対する考え方は様々である。日本やタイ、ノルウェー、スイス、そして自由党政権下の時代のカナダやメキシコのように積極的に「人間の安全保障」を外交政策に位置づける国がある一方で、国家安全保障の補完であろうとも「人間の安全保障」の考え方が、潜在的に国家権力に挑戦するものとして強い抵抗をみせるアメリカ、ロシア、中国や途上国などの国家群もある[★57]。したがって、国連安保理決議で「人間の安全保障」という語彙は使われない。しかしながら、安全保障に対する考え方は、脅威の多様化に応えて軍事的なものから非軍事的なものにまで拡げていかなければならないという点で国際社会の意見は収斂してきている。

「人間の安全保障」というラベルには賛否両論があり、その用い方も文民の展開に際して使おうとする立場、開発援助のフレームワークとして使う立場、人権などの権利擁護に使おうとする立場など様々である。「人間の安全保障」を外交政策の軸として推進した草分け的存在のカナダにおいて、保守党政権が「人間の安全保障」というラベルを忌避したことは皮肉と言わねばなるまい。

「人間の安全保障」に取り組んできたUNESCOでもアメリカ、インド、中国などによる巻き返しがあり、二〇〇八年からの中期計画で「人間の安全保障」と銘打った活動ができなくなっていることも、既に詳述したとおりである。

一方、日本の発案によって国連に設けられた人間の安全保障基金は、「人間の安全保障」の向上のためのプロジェクト支援を積極的に推進し、着実に成果をあげている。当初、日本だけだった基金供出国もスロベニアやタイ、ギリシャなどの加盟国に拡がり、マルチドナーへと変貌した。これは同基金の活動に対する一定の評価と受け止めることができよう。また、日本とメキシコ、国連人道調整部が共催する人間の安全保障フレンズ会合の参加国も回を重ねるごとに増え、政策ツールとしての「人間の安全保障」への関心は高まっている。ラベルにこだわらない限り、「人間の安全保障」が包含する課題を念頭に安全保障を考えていかねばらないという認識は共有されてきていると言えよう。

紹介したように、欧州、北アメリカ、アジアにおいても「人間の安全保障」に関する理論的あるいは理念的な議論はそろそろ卒業し、理念から行動へ移すべきだというコンセンサスが生まれている。広義の立場に立つ日本と狭義の立場に立つカナダは、とりわけ人道的介入問題をめぐって対立してきたが、考え方の差異は縮まり、日本とカナダの政府も平和構築・復興などで協力するようになっている。「人間の安全保障」に慎重な姿勢を取ってきたアジアでも俎上に載るようになってきた。

広義の人間の安全保障の解釈が受け入れられる一方で、その定義が広いだけにどのように実践するかが、今後の大きな課題である。次章では「人間の安全保障」を実現するひとつの手段である平和構築を考察する。

註

★1——Benita Ferrero-Waldner, 'Human rights, security and development in a globalized world: Speech to Women Building Peace Conference', Vienna, 8 July 2005, http://europa.eu/rapid/pressReleasesAction.do?reference=SPEECH/05/428&format=HTML&aged=1&language=en&guiLanguage=en（二〇一〇年五月一七日最終アクセス）

★2——OSCE Activity Report on the Chairman-in-office (29 June to 05 July), 'OSCE Chairman-in-office addressed OSCE

Parliamentary Assembly', Brussels, 3 July 2006, http://www.osce.org/documents/cio/2006/07/19802_en.pdf（二〇一〇年五月一六日最終アクセス）

★3——Astri Suhrke, 'A Stalled Initiative', *Security Dialogue*, Vol.35, No.3, September 2004, p.365.

★4——筆者によるフィンランド政府関係者へのインタビューによる（二〇〇七年二月六日）

★5——Mary Kaldor (et al.), (eds.), *A Human Security Doctrine for Europe: The Barcelona Report of the Study Group on Europe's Security Capabilities*, Presented to EU High Representative for Common Foreign Policy Javier, Solana, Barcelona, 15 September 2004, http://www.lse.ac.uk/Depts/global/Publications/HumanSecurityDoctrine.pdf（二〇一〇年五月一七日最終アクセス）

★6——Council of the European Union, 'Presidency Conclusions: Helsinki European Council', 10-11 December 1999, http://www.consilium.europa.eu/ueDocs/cms_Data/docs/pressData/en/ec/ACFA4C.htm（二〇一〇年六月一六日最終アクセス）

★7——European Council, 'EU-UN Co-operation in Military Crisis Management Operations: Element of Implementation of EU-UN Joint Declaration' 17-18 June 2004, http://www.consilium.europa.eu/uedocs/cmsUpload/EU-UN%20co-operation%20in%20Military%20Crisis%20Management%20Operations.pdf（二〇一〇年五月一六日最終アクセス）

★8——筆者によるカルドー教授へのインタビューによる（二〇〇七年九月一九日）

★9——Mary Kaldor (et al.), (eds.), *op.cit.*, p.8.

★10——*Ibid.*, pp.9-10.

★11——*Ibid.*, pp.14-20.

★12——筆者によるLSEグループの研究者へのインタビューによる（二〇〇七年二月一八日）

★13——筆者によるLSEグループの研究者へのインタビューによる（二〇〇七年二月一八日）

★14——Mary Kaldor, *Human Security: Reflections on Globalization and Intervention*, Cambridge, Polity Press, 2007, p.15.

★15——*Ibid.*, p.182.

★16——Peter J. Burgess(et al.), *Promoting Human Security: Ethical, Normative and Educational Frameworks in Western Europe*, Paris, UNESCO, 2007, p.12.

★17——*Ibid.*, p.86

★18——COSDP 1044 PESC 1279 CIVCOM 585, Council of European Union, Brussels, 12 December 2006, Annex para 61.

★19—John Kotsopoulos, 'A Human security agenda for the EU?', *European Policy Center Issue Paper*, No.48, June 2006, p.19.

★20—Roberto Aliboni and Abdallah Saaf, *Human Security: A New Perspective for Euro-Mediterranean Cooperation*, 10 Papers for Barcelona 2010, European Institute for Security Studies and European Institute of the Mediterranean, February 2010, pp.7-8.

★21—Thai Ministry of Social Development and Human Security at http://www.m-society.go.th/en/index.php, （二〇一〇年五月一七日最終アクセス）

★22—Post-Ministerial Conference (PMC) 9+10 Session, Manila, Philippines, 28 July 1998.

★23—ASEAN, 'Overview of ASEAN', http://www.aseansec.org/64.htm, （二〇一〇年五月一六日最終アクセス）

★24—Surin Pitsuwan, *Human Security as a Policy Framework for New Cooperation in Asia*, Tokyo, Japan Center for International Exchange, Institute of Southeast Asian Studies, 2002.

★25—筆者による青山学院大学、高木誠一郎教授へのインタビューによる（二〇〇八年七月一七日）

★26—Chu Shulong, 'China and Human Security: North Pacific Policy Papers 8', Program on Canada-Asia Policy Studies, Institute of Asian Research, University of British Columbia, 2002, pp.8-12.

★27—Wang Yizhou, 'China Facing Non-Traditional Security: A Report on Capacity Building', in Ralf Emmers, Mely Caballero-Anthony and Amitav Acharya (eds.), *Studying Non-Traditional Security in Asia: Trends and Issues*, Singapore, Marshall Cavendish Academic, 2006.

★28—王逸舟著（天児慧、青山瑠妙訳）『中国外交の新思考』東京大学出版会、二〇〇七年、五八頁

★29—筆者によるハワイにおける中国国際問題研究所、刘学成（Liu Xuecheng）博士へのインタビューによる（二〇〇八年六月二〇日）

★30—中華人民共和国外交部「中国代表在"人道主义扫雷技术与合作国际研讨会"上关于国际扫雷合作的发言」二〇〇七年四月二七日、http://www.fmprc.gov.cn/chn/wjb/zzjg/jks/jkcjxb/d2/t270580.htm （二〇〇八年七月四日最終アクセス、現在は閉鎖）

★31—中国驻维也纳联合国和其他国际组织代表唐国强大使在联合国外空委第50届会议上发言、二〇〇七年六月八日、http://www.fmprc.gov.cn/ce/cgvienna/chn/zxxx/t327706.htm （二〇一〇年五月一七日最終アクセス）

★32—People's Daily, 'Chinese president's speech on war victory commemoration', 3 September 2005, http://english.people.com.

cn/200509/03/eng20050903_206351.htm（二〇一〇年五月一七日最終アクセス）

★33——Amitav Acharya, *Promoting Human Security: Ethical, Normative and Educational Frameworks in South-East Asia*, Paris, UNESCO, 2007, p.12.

★34——ポール・エバンス（和田賢治訳）「人間の安全保障をめぐるアジアからの視座——保護責任とは何か」（佐藤誠、安藤次男編『人間の安全保障——世界危機への挑戦』東信堂、二〇〇四年、二三四-二三六頁

★35——Ong Keng Yong, Secretary-General of ASEAN, 'Mobilizing multilateral resources in the war against terrorism: the role of ASEAN inside and outside of South-East Asia', speech at Inaugural Asia-Pacific Home land Security Summit, Honolulu, 20 November 2003. 同様の発言が二〇〇五年九月二一日にホノルルで開催されたThird Asia-Pacific Homeland Security Summit and Expositionでも行われた。

★36——Mely Callabero-Anthony and Ralf Emmers, 'Understanding the Dynamics of Securitizing Non-traditional Security', in Mely Caballero-Anthony, Ralf Emmers and Amitav Acharya (eds.), *Non-Traditional Security in Asia: Dilemmas in Securitisation*, London, Ashgate,2006, p.1.

★37——Suthad Setboonsarng, 'ASEAN economic cooperation: adjusting to the crisis', *South East Asian Affairs*, 1998.

★38——外務省緊急対策本部「スマトラ沖大地震及びインド洋津波被害」二〇〇五年一月二一日外務省緊急対策本部、http://www.mofa.go.jp/mofaj/gaiko/oda/seisaku/kondankai/senryaku/20_shiryo/shiryo_6_1.html（二〇一〇年五月二四日最終アクセス）

★39——ADB, 'Assessing the Impact and Cost of SARS in Developing Asia', *Asian Development Outlook 2003 Update*, Manila, Asian Development Bank 2003.

★40——ASEAN Eminent Persons Group, 'Report of the ASEAN Eminent Persons Group (EPG) on Vision 2020: The People's ASEAN', 2000, http://www.aseansec.org/5304.htm（二〇一〇年五月一八日最終アクセス）

★41——ASEAN, '7th ASEAN Summit Declaration on HIV/AIDS', Brunei Darussalam, 5 November 2001, http://www.aseansec.org/8582.htm（二〇一〇年五月一八日最終アクセス）

★42——ASEAN, 'The ASEAN Socio-cultural Community (ASCC) Plan of Action, 2004, para.6, http://www.aseansec.org/16832.htm（二〇一〇年五月一八日最終アクセス）

★43——Chairperson's Statement of the 12th ASEAN Summit, H.E. the President Gloria Macapagal-Arroyo, 'One Caring and

Sharing Community', Cebu, Philippines, 13 January 2007, http://www.aseansec.org/19280.htm （二〇一〇年五月一八日最終アクセス）

★44—East Asia Vision Group Report 2001, 'Towards an East Asian Community: Region of Peace, Prosperity and Progress', 2001, p.7 http://www.mofa.go.jp/region/asia-paci/report2001.pdf （二〇一〇年五月一八日最終アクセス）

★45—ASEAN+3 Summit, 'Final Report of the East Asia Study Group', Phnom Penh, Cambodia, 4 November 2002, http://www.aseansec.org/pdf/easg.pdf （二〇一〇年五月一八日最終アクセス）

★46—ASEAN, 'Co-chairs' Summary Report of the Meeting of the ASEAN Regional Forum Inter-sessional Support Group on Confidence Building Measures, Yangon Myanmar, 11-14 April 2004, para.15, http://www.aseansec.org/16096.htm（二〇一〇年五月一八日最終アクセス）

★47—ASEAN, 'Co-Chair's Summary Report of the ARF Workshop on "Evolving Changes in the Security Perceptions of the ARF Countries"', Ulaanbaatar, 21-22 June 2005, http://www.aseansec.org/arf/12arf/Co-Chairs'%20Summary%20Report,%20Workshop%20on%20Evolving%20Changes,%20Ulaanbataar,%2021-22June05.doc （二〇一〇年五月一八日最終アクセス）

★48—APEC, '2003 Leaders' Declaration: Bangkok Declaration on Partnership for the Future', Bangkok, Thailand, 21 October 2003, http://www.apec.org/apec/leaders__declarations/2003.html# （二〇一〇年五月一八日最終アクセス）

★49—APEC, '2004 Leaders' Declaration: 12th APEC Economic Leaders' Meeting: Santiago Declaration, "One Community, Our Future"', Santiago de Chile, 20-21 November 2004, http://www.apec.org/apec/leaders__declarations/2004.html （二〇一〇年五月一八日最終アクセス）。APEC, '2005 Leaders' Declaration: 13th APEC Economic Leaders' Meeting, Busan Declaration', Busan, Korea, 18-19 November 2005, http://www.apec.org/apec/leaders__declarations/2005.html （二〇一〇年五月一八日最終アクセス）。APEC, '2006 Leaders' Declaration: 14th APEC Economic Leaders' Meeting, Hanoi Declaration', Hanoi, Viet Nam, 18-19 November 2006, http://www.apec.org/apec/leaders__declarations/2006.html# （二〇一〇年五月一八日最終アクセス）。APEC, '2007 Leaders' Declaration: 15th APEC Economic Leaders' Meeting, "Strengthening Our Community, Building a Sustainable Future"', Sydney, Australia, 9 September 2007, http://www.apec.org/apec/leaders__declarations/2007.html （二〇一〇年五月一八日最終アクセス）。APEC, '2008 Leader's Declaration:16th APEC Economic Leader's Meeting, "A New Commitment to Asia-pacific Development"', Lima, Peru,

22-23 November 2008, http://www.apec.org/apec/leaders__declarations/2008.html （二〇一〇年五月一八日最終アクセス）。APEC, '2009 Leader's Declaration: The 17th APEC Economic Leader's Meeting, "Sustaining Growth, Connecting the Region"', Singapore, 14-15 November 2009, http://www.apec.org/apec/leaders__declarations/2009.html# （二〇一〇年五月一八日最終アクセス）

★50—APEC, *op.cit.*, 2007.

★51—ASEAN People's Assembly, 'The ASEAN People's Declaration 2003: Toward an ASEAN Community of Caring Societies', Manila, Philippines, September 27, 2003, http://www.asean-isis-aseanpeoplesassembly.net/declarations.htm （二〇〇八年二月一日最終アクセス）

★52—ASEAN People's Assembly, 'Report of the Chair of the Fifth ASEAN People's Assembly to the 12th ASEAN Summit', Mactan Island, Cebu, Philippines, 13 January 2007, http://www.asean-isis-aseanpeoplesassembly.net/pdf/Final%20Version-APA%202006%20Chairman's%20Report%20(1)pd （二〇〇八年二月一日最終アクセス）

★53—ASEAN People's Assembly, 'Information on the 6th ASEAN People's Assembly', http://www.asean-isis-aseanpeoplesassembly.net/declarations.htm （二〇〇八年二月一日最終アクセス）

★54—ASEAN People's Assembly, 'Review of the Chair of the 5th ASEAN People's Assembly to the 12th ASEAN Summit', 13 January 2007, http;//www.asean-isis-aseanpeoplesassembly.net/about.htm （二〇〇七年一二月一〇日最終アクセス）

★55—Amitav Acharya, 'Securitization in Asia: Functional and Normative Implications', in Mely Caballero-Anthony, Ralf Emmers and Amitav Acharya (eds.), *op.cit.*, p.239

★56—シンガポールの国防戦略研究所のウェブサイトhttp://www.rsis.edu.sg/idssを参照

★57—S. Neil MacFarlane and Yuen Foong Khong, *Human Security and the UN: A Critical History, Bloomington*, Ind., Indiana University Press, 2006, p.10.

第7章

# 「人間の安全保障」と平和構築

前章で述べたように、人間の安全保障をめぐる議論は、定義から実践を問うことに焦点が移ってきている。すなわち、どのように人間の安全保障が推進されるかが、理念の真価を左右するとも言えよう。本章ではその具体的な実践の一例として平和構築を考えてみることにする。まず平和構築とは何かから議論を始めたい。

## 1 平和構築とは

### ❖平和構築の概念

武力紛争はひとたび始まると、終結させるのは難しい。「はじめに」で紹介したように、ウプサラ大学の統計によれば、冷戦後国家紛争は減少し、一時、内戦型紛争の件数が増えたが、最近これも減少傾向に転じている。二〇〇八年は世界で三六の紛争が発生、または継続中であるが、国家間紛争は一つのみで、残りの三五は国内紛争、うち五つが国際社会の関与がある国内紛争である[★1]。しかも、内戦型紛争は一旦収束しても再発率が極めて高く、約四四パーセントの確率で五年以内に紛争が再発するリスクを負っていると報告されている[★2]。内戦型紛争が長く続く間に国家は弱体化し、場合によっては破綻することも多い。ガバナンスが崩壊する中で戦闘が繰り返され、市民に何十万人、何百万人の犠牲者が出るばかりか、極端な場合、対決するグループによって大量虐殺が行われるケースもある。そのため自らの家を捨てて別の土地に移ることを余儀なくなされた国内避難民、あるいは祖国を追われる難民も大量に発生する事態が後を絶たない。

紛争終結後も対立したグループは同じコミュニティ、或いは近隣の村に住まざるを得ないことが多く、また難民の帰還が容易でない事例も多い。このような中では紛争中対立関係になったグループ間の融和、さらには和解が非常に難しい事例が多く、こうした事態が平和構築への関心を高めた。

ワシントンDCにある東西センターは、インドネシアのアチェ和平交渉に取り組みながら失敗したアンリ・デュナン・センターのケースを分析しているが、いみじくも報告書の中で「和平合意の紙切れだけでは平和は来ない」と指摘している[★3]。合意を遵守させるには監視役が必要だが、アチェの事例では対立する当事者間に個人的な信頼が生まれなかったことが和平失敗の原因とされている。和平交渉決裂後、アチェにはインドネシア国軍三万五〇〇〇人の部隊が投入され、独立アチェ運動(Gerakan Aceh Merdeka＝GAM)兵士や陰で支援していると疑われた住民が次々と攻撃されたという。一方的に逮捕された者は拷問にかけられたり、即座に処刑されたと伝えられている。アチェ住民の中には、行方不明者が後を絶たなかった。二〇〇三年には戦闘の為に約一〇万人の住民がやむなく村を離れざるを得なかったともいう[★4]。このように和平交渉の失敗は悲惨な結果を招くケースが少なくない。改めて、どのように平和を構築するかが大きく問われるようになったゆえんである。

平和構築が本格的に国連で始まったのは冷戦後である。これは冷戦終結により、安全保障理事会の麻痺がとけ、紛争地からの要請に基づき、より積極的な活動を行うことができるようになったからである。

国連が平和構築活動を展開するようになった直接の契機は、一九八九年のナミビアの選挙と新政府の樹立であった。第一次大戦後、ナミビアを信託統治していた南アフリカは、第二次世界大戦後の国連によるナミビアの信託統治領への移行を拒否し、自国領に編入する措置をとった。また一九七五年にアンゴラで内戦が激化してからは、ナミビアを経由してアンゴラへ武力介入を行っていた。一九七六年、安保理決議三八五でナミビア独立に際しては国連監督下で自由で公正な選挙が必要であると決議され、一九七九年に安保理決議四三五で国連ナミビア独立支援グループ(United Nations Transition Assistance Group＝UNTAG)の設置が決定されたが、ナミビア独立への動きは進展しなかった。

一九八八年にようやく南アフリカが安保理決議四三五を受け入れ、ナミビアの独立移行作業が開始された。安保理決議四三五を確認した一九八九年二月の安保理決議六三二に基づき、一九八九年四月にUNTAGが活動を開始した。UNTAGは民事部門と軍事部門から構成され、南アフリカ軍と南西アフリカ人民機構(South-west Africa People's Organization＝SWAPO)の停戦を監視し、自由で公正な選挙の実施を目的とし、武装解除、治安維持、選挙支援、難民帰還支援などを行った。このようにして平和構築は一九九〇年代初めには紛争解決において中心的な役割を果たすものとして期待された。

平和構築についても、紛争後に限定するのか、あるいは紛争発生前の予防段階から紛争後復興までを包括的に含むのか、国際機構、政府や識者によって考え方が異なり、国連においても、どのような時間軸で考えるかについては時を経て変遷してきている。これを図6に整理してみた。

ちなみに国連で平和構築が最初に注目されたのは一九九二年、ブトロス・ガリ国連事務総長(当時)の『平和への課題(An Agenda for Peace)』報告書によってであり、以来紛争解決の分野でその役割が期待され、いまや国連の平和活動の中で主要なものになっている[★5]。

『平和への課題』報告書は、平和構築を「紛争の再発を防ぐため平和を強化、固定化するのに役立つ構造を確認、支援する行動」、「平和をさらに永続的な基盤にのせることができるのは、根底にある経済、社会、文化および人道に取り組む持続的かつ協力的な活動以外にはない」とし、その活動を平和維持活動が終了した後、すなわち紛争後に限定した。すなわち平和構築は、紛争のサイクルを時系列で見た場合に予防外交、平和創造、平和維持に続くフェーズとされたのである。

一方、冷戦後の紛争の性格の変化をふまえ、国連のPKOの在り方を再考するため、ラクダール・ブラヒミ(Lakhdar Burahimi)元アルジェリア外務大臣を委員長に、国連平和活動に関する委員会(The Panel on United Nations Peace Operations)が設置された。この委員会が二〇〇〇年に発表した報告書では、平和構築は「平和の基礎を組み立て直し、その基礎に立って単に戦争がないという以上の状態を構築する手段を提供する措置」と定義された。この報告書は平和構築活動を紛争後に限定せず、平和維持活動と平和構築活動が同時期に重なって実施されることを想定し、平和支援活動が継目のない「統合」された活動であることを強調した。そして平和構築活動の内容として、元兵士の社会統合、選挙支援、警察改革等が挙げられ、法の支配の強化を重視した[★6]。

二〇〇四年一二月にアナン国連事務総長(当時)の委託を受けて国連改革を議論した「脅威・挑戦および変革に関するハイ・レベル・パネル」は、その報告書「より安全な世界」の中で、ブラヒミ報告同様、平和構築を包括的な紛争サイクルに必要な活動と解釈した。また平和構築を紛争発生以前の紛争予防から紛争終結後の復興活動を含むものとして、図6に示すように紛争のサイクル全体に関わる多次元的な活動と位置付けた[★7]。

あわせて、平和構築の担い手が国連諸機関に加え、国際金融機関、当事国政府、ドナー、市民社会等に広がっており、平和構築を効果的に実施するためには、アクター間の調整が不可欠であることが認識されたこ

**図6** 平和構築の理念

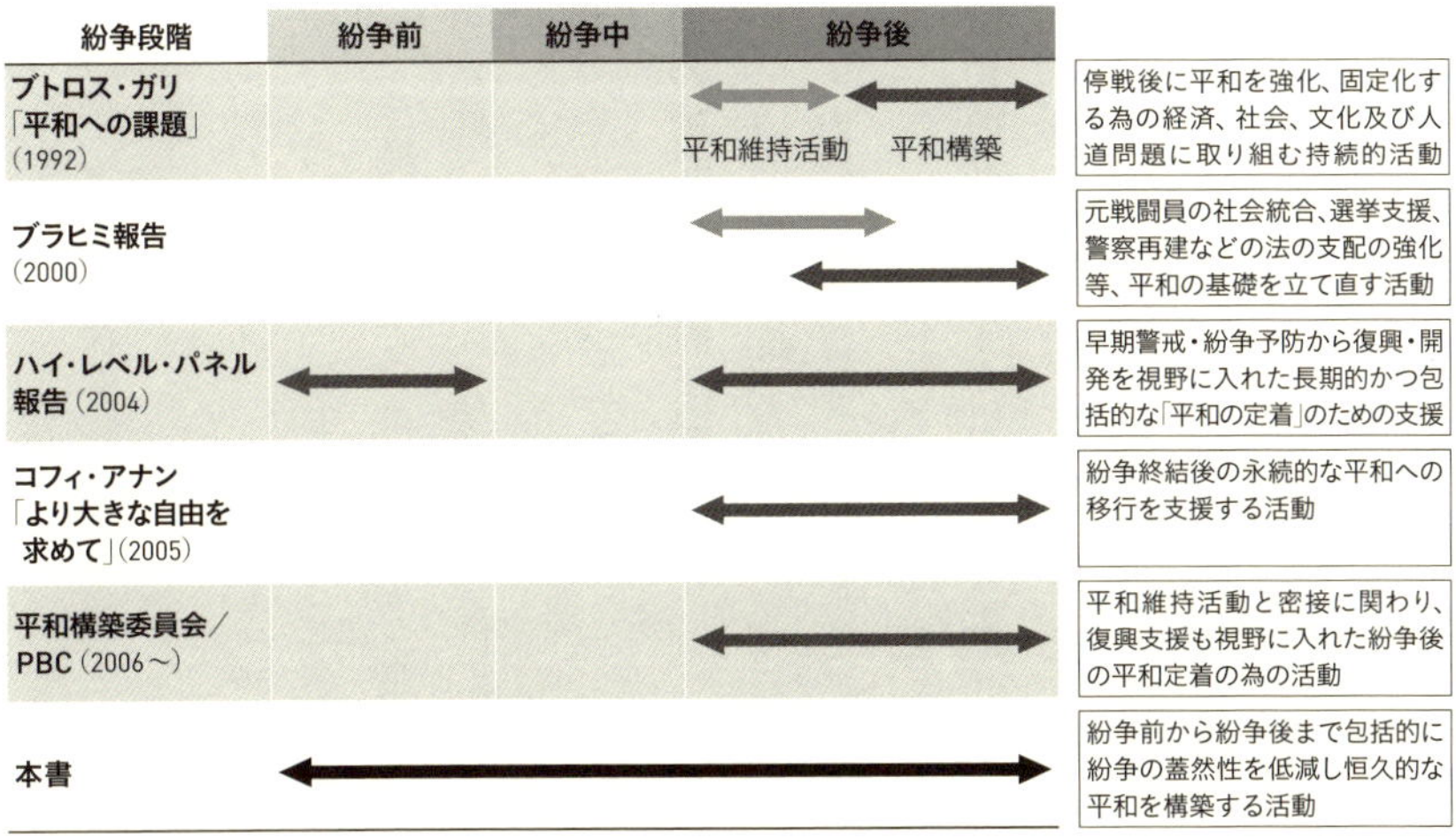

紛争段階
紛争前
紛争中
紛争後
ブトロス・ガリ「平和への課題」(1992)
平和維持活動
平和構築
停戦後に平和を強化、固定化する為の経済、社会、文化及び人道問題に取り組む持続的活動
ブラヒミ報告(2000)
元戦闘員の社会統合、選挙支援、警察再建などの法の支配の強化等、平和の基礎を立て直す活動
ハイ・レベル・パネル報告(2004)
早期警戒・紛争予防から復興・開発を視野に入れた長期的かつ包括的な「平和の定着」のための支援
コフィ・アナン「より大きな自由を求めて」(2005)
紛争終結後の永続的な平和への移行を支援する活動
平和構築委員会/PBC(2006〜)
平和維持活動と密接に関わり、復興支援も視野に入れた紛争後の平和定着の為の活動
本書
紛争前から紛争後まで包括的に紛争の蓋然性を低減し恒久的な平和を構築する活動

出典：外務省調査月報2006年度／No.2を参考に著者作成

とから、国連本部に平和構築の実施機関である平和構築委員会の設置を提言した。ハイ・レベル・パネル報告は現在の国連システムには、一貫性をもって平和構築を担当する組織がないことを指摘し、アクターの協調行動の必要性を主張した。また同報告は、平和構築委員会が紛争予防から紛争後までの包括的な平和構築を一貫して扱うことも提案した。

　このハイ・レベル・パネル報告書をふまえ、二〇〇五年三月には、同年九月の国連創立六〇周年を記念した国連首脳会合に向けて、アナン国連事務総長が提出した報告書「より大きな自由を求めて」において、平和構築は「紛争から永続的な平和への移行」を意味するものとし、紛争後の活動に限定した[★8]。アナン事務総長は「より大きな自由を求めて」報告でハイ・レベル・パネルが提言した平和構築委員会の設置を支持したが、平和構築が早期警戒などの紛争予防の段階を含む考え方は採り上げなかった。これは途上諸国を中心とする加盟国が、ブラヒミ報告の中で国連事務局の早期警戒機能強化の提案に反対したことが念頭にあったためである。また、平和維持活動と平和構築

活動の関係については言及しなかった。「より大きな自由を求めて」の報告書の中では、平和構築活動は紛争後の段階に限定されており、国連では平和構築委員会をはじめとして、この解釈が現在にいたるまで採用されてきている。

これに対してカナダは、ハイ・レベル・パネルと同様に紛争予防から紛争後の復興までを含めた平和構築の解釈に立つ。また、日本は紛争の再発防止、すなわち紛争に逆戻りさせない取り組みを重視し、持続的な平和など、開発の基礎を築くことを念頭に、緊急人道支援から政治プロセスの促進、治安の確保、復興、開発に到る継ぎ目のない支援に力点を置く。なお、本書は紛争予防段階をも含む包括的な平和構築の立場をとる。

### ❖平和構築委員会の設立協議

二〇〇五年九月に開催された国連首脳会合の成果文書(World Summit Outcome)では、上述の事務総長が進言した平和構築委員会(Peacebuilding Commission)、平和構築活動を支援する平和構築支援事務局(Peacebuilding Support Office)と平和構築基金(Peacebuilding Fund)の設置が合意された。ただし、同委員会は当初想定されたような平和構築を実践する組織ではなく、あくまでも諮問組織(an intergovernmental advisory body)として設置されることになった。

にもかかわらず、平和構築委員会の設置にあたっては、加盟各国の利害が対立し、協議が難航した。まず争点となったのは、平和構築委員会が総会と安保理のどちらの下部機関(subsidiary body)になるかであった。NAM(非同盟)諸国は、平和構築委員会は国連総会の下部機関であるとの立場をとり、平和構築委員会の設置は成果文書の採択により決まっており、総会で活動開始を決議すればよいと主張した。

これに対して、平和構築委員会を安保理の下部機関としたかったアメリカは、成果文書は政治宣言であり、新たに同委員会設立に関する決議の採択が必要であると主張した。結局、平和構築委員会を総会と安保理の共同設置とする折衷案で合意された。平和構築委員会の設立について総会決議(A／RES／六〇)と安保理決議(S／RES／一六四五)がそれぞれ採択され、同委員会は成果文書発表から一〇カ月後となる二〇〇六年六月、ようやく設置され、活動が始まったのである[★9]。

設立協議の過程では、平和構築委員会が報告義務を負うのは総会か、安保理か、経済社会理事会(以下経社理)か、という点も争点となった。最終的に同委員会の報告はその提出先を明示せず、「関連する国連機関のすべてが報告を入手できる」という表現を決議に盛り込むことで決着した。

同委員会の議題設定についても、安保理主導を主張するアメリカと、これを嫌うNAM諸国が対立し、後者は安保理のみならず総会や経社理経由での議題提起も可能とすべしと主張した。これも妥協案として当該国、安保理、経社理並びに総会が、それぞれに平和構築委員会に議題を提案できることで合意された。

いまひとつの争点は、平和構築対象国が平和構築委員会へどのようにかかわるのかという問題であった。平和構築委員会が元紛争地の平和構築に関与する場合、当該国の了解を受け、検討対象当該国と密接に協議するということでは関係国の間に合意はあったが、元紛争地では国家が破綻していることが多く、関与させるべき当事者の選定が難しかった。NAM諸国でも急進派のベネズエラやキューバ等は、国連憲章第二条四項の内政不干渉の原則を用いて、正統な政府が存在しない場合、国連が干渉すべきではないと主張した。対する先進諸国はそれでは有効な平和構築を実施できないとして、正統政府が不在であっても暫定政府を関与させ、平和構築委員会の対象とすべしとの主張を展開した。NAM諸国の中でも地域紛争を多く抱えるアフリカ・グループは、紛争後の早い段階からの支援を希望し、暫定政府を関与させる案を支持した。最終的には決議では「可能であれば(where possible)」平和構築委員会は正統政府および暫定政府と協力し作業するという表現に落ち着いた[★10]。

現在のところ、国連平和構築委員会の主要な目的は「持続可能な平和を達成するために、紛争状態の解決から復旧、社会復帰、復興にいたるまで、一貫したアプローチに基づき、紛争後の平和構築と復旧のための統合戦略を助言及び提案すること[★11]とされている。したがって図6でも示したとおり、平和構築は「紛争後の段階において、永続的な平和を達成するために、平和維持活動と密接にかかわりながら、復興支援も視野に入れた、一貫性を持った統合された活動」[★12]ととらえられている。さらに平和構築委員会では平和構築を「平和の基礎を組み立て直し、単に戦争が存在しないだけでなく、その状態以上を構築するための手段を提供するもの」と位置づけ、紛争後の平和構築に限定している。平和構築委員会は二〇一〇年五月現在、ブルンジ、シエラレオネ、ギニアビサウ及び中央アフリカ共和国を平和構築の対象国として採り上げている。

同委員会の構成国は、安全保障理事会から全常任理事国を含む七カ国、経済社会理事会から七カ国、主要財政貢献国五カ国(ここに日本が含まれる)、主要要員派遣国五カ国、総会から七カ国の合計三一カ国となっている。このメンバーの選定にあたっても、協議は紛糾した。安保理常任理事国が全てメンバーになることを主張したのに対して、途上国がこれに反発し、安保理常任理事国といえども常任の席を与えるべきではないと主張したためである。

結局、常任理事国五カ国は平和構築委員会のメンバーとなったが、その一方、NAM諸国は地理的衡平の原則を主張し、途上国でも平和構築の経験を持つ国の参加が重要であるとして総会からのメンバー枠が設けられた[★13]。委員会設置をめぐる協議の経緯からも、一部の発展途上国が「平和構築」の名分を盾に国内問題へ干渉されることを懸念していることがわかる。

紆余曲折を経て設立された国連平和構築委員会の組織は、次のような構成になっている。まず、組織、手続き事項、対象国の選定や委員会の活動の在り方について協議を行う組織委員会が設けられている。組織委員会の議長は任期が一年で、地域グループごとの輪番制となっている。初代はアフリカ・グループからアンゴラが選出され、第二代はアジア・グループから日本、第三代は中南米からチリ、第四代はドイツが選出されている。この組織委員会の構成も設立にあたって紛糾した。アナン事務総長の報告書において、この組織を平和構築委員会の「コアメンバー」と表現していたため異論が出て、「コアメンバー」のかわりに「組織委員会」という名称が用いられた。

また、国連平和構築委員会の活動対象国別に、ブルンジ国別会合、シエラレオネ国別会合、ギニアビサウ国別会合ならびに中央アフリカ共和国国別会合が設けられている。しかしながら、対象国の選定において平和構築活動が平和維持活動終了後に展開されるのか、それとも同時並行的に実施されるのか、平和構築は復興支援とは異なるかなど対象国の候補となっている国々の関係者の間で混乱がある。これは平和維持と平和構築の関係が明示されてこなかったためである。

そのため、国連平和構築委員会の対象国になり、援助は受けたいものの委員会の対象国になると平和維持部隊が撤退することを懸念して、対象国になることを躊躇する元紛争地も出ている。今後、平和維持活動と平和構築活動の関係を明らかにすることが不可欠であろう。また、国連平和構築委員会の対象国になると内政に様々な形で干渉されるのではないかと懸念して、対象国になることを嫌う傾向もある。

また、成果文書で謳われた平和構築基金も二〇〇六年一〇月に設立され、国連事務局が管理、運営を行っている。この基金には二〇〇九年一二月現在で約三億三一〇〇万ドルが拠出されている。拠出国別では、拠出額第一位はスウェーデンで約六四〇〇万ドル、第二位はイギリスで約五三〇〇万ドル、第三位はオランダで約四六〇〇万ドル、第四位はノルウェーで三二〇〇万ドルを拠出している。続いて日本が第五位で、二〇〇〇万ドルを拠出している。

この基金は、平和構築委員会の対象国を支援するのみならず、その他の国への支援も認められている。現在はリベリアとネパールが同基金の支援対象になっているほか、プロジェクトベースの支援もある。一方で、実は平和構築基金からの支援の方が平和構築委員会の支援対象国になるよりも手続きが簡便であるという面もあり、むしろ平和構築基金からの支援を希望する国やプロジェクトが多くなっている。国連事務局内に設立されている平和構築支援事務局は事務総長への報告という形で平和構築委員会の運営や報告書の作成をサポートしており、初代事務局長はカナダ人のキャロライン・マカスキー（Carolyn McAskie）がつとめた。

国立国会図書館調査及び立法考査局の等雄一郎は、平和構築活動をやはり紛争後の活動と位置づけているが、UNDPなどの例[★14]を参考にしつつ、①安定化段階、②移行段階、③定着段階の三段階に細分類している。

第一段階は紛争の敵対行為が停止した直後を指し、安全な環境の確立と緊急人道援助を通じた紛争の直接的被害の処理が中心となる紛争後九〇日から一年を要する安定化段階である。第二段階は移行段階で、暫定政府の任命から新憲法を定める移行政府を選定するための選挙実施、新憲法の制定とその規定に基づいた新政府を成立させる段階である。これはまさに紛争から平和への移行の段階である。

この間、政府機構の整備、民主的な選挙制度の導入、法の支配および社会経済システムの樹立が中心的な活動となる。この期間は一年から三年と見込まれている。第三段階は平和の定着段階で、永続的な平和の構造を構築する期間である。国民和解、社会経済的な復興の促進、治安改革による法の支配の確立をめざす期間ともいえるだろう。定着段階の初期または中期に国連平和維持活動の軍事部門は撤収を開始し、平和構築支援活動における軍事部門のプレゼンスは低下する。この段階を迎えると平和構築、平和の定着の中心は外部からのアクターから当該国・地域のアクターに移行する。この期間は四年から一〇年と見込まれている。この平和構築の三段階は可逆的であり、重複することもあると整理されている[★15]。

## ✣日本の平和構築への取り組み

日本政府も、平和構築に積極的である。日本の取り組みの積極性を最初に表明したのは、二〇〇二年、小泉純一郎首相(当時)のシドニーでの演説であった。小泉首相は現下の国際安全保障情勢をふまえ、これまでの平和維持活動に加え、平和の定着、さらには元紛争国の「基礎的システムそのものの構築を目指す形態の支援」が必要であるとの認識を示した。その上で日本は平和構築の根幹である「平和の定着と国づくり」のための協力を強化し、国際協力の柱にするという方針を打ち出した[★16]。

そして二〇〇三年八月に発表した新しいODA大綱の決定に際して、「人間の安全保障」と「平和の構築」を主要な課題の一つと位置づけた。紛争後の地域への具体的な平和構築支援としては、治安の回復、民主的な諸制度の整備、各種の社会・経済インフラの整備、教育などを通じた戦後和解などの分野が挙げられた[★17]。また、前述のように日本政府は国連平和構築委員会の組織委員会議長を一年間務め、国連平和構築基金に二〇〇〇万ドルを拠出している。

さらに二〇〇八年一月の国会での施政方針演説において福田康夫首相(当時)は、日本は国際社会の平和と発展に貢献する「平和協力国家」となると述べ、「平和構築分野での協力をさらに進めるため、我が国が人材育成や研究・知的貢献の拠点になることを目指す」と平和構築への積極的な取り組みについて、国内向けにもその方針を明らかにした。ここにも日本政府の平和構築への積極性が認められる[★18]。

日本政府は平和構築の一環として人材育成にも積極的に取り組んでいる。二〇〇六年九月に外務省が国連大学と共催で開催した「平和構築を担う人材とは　アジアにおける平和構築分野の人材育成に関するセミナー」の基調講演で、麻生太郎外務大臣(当時)は人材を育てるための「寺子屋」を作ることを提案した。平和構築には文民が多く必要であり、「銃声がやむかやまない段階」から長期の国づくりに参画するためには「相応の知識と安全管理のスキル」が必要であることから、日本がイニシャティブをとってそのための人材養成を実施することを表明し、それを「寺子屋」と呼んだのである[★19]。

この提案は日本のみならずアジアの平和構築のための人材育成のパイロットプロジェクトとして結実した。外務省の委託を受けた特定非営利活動法人ピースビルダーズが広島大学と共同で運営する広島平和構築人材育成センター（Hiroshima Peacebuilders Center＝HPC）が中心となり、日本国内研修、海外実務研修、就職支援を軸に平和構築の現場で活躍する文民専門家（ピースビルダース）の養成を行っている。即戦力となる人材を育てるため、研修員の希望に応じて国際機関やNGOなどの海外事務所で実務研修が行われている［★20］。

二〇〇八年一月に東京で開催された「平和構築に関するシンポジウム」で演説した高村正彦外務大臣（当時）は、一九八九年のカンボジア和平に関するパリ会議が「日本にとって平和構築開闢《かいびゃく》の年」であったと指摘した。そして、翌一九九〇年にカンボジアの紛争当事者を日本に招き和平会議を開催すると、一九九二年六月の国際平和協力法成立後、同年九月にカンボジアの国連PKOである国連カンボジア暫定統治機構（United Nations Transitional Authority in Cambodia＝UNTAC）に自衛隊や文民を派遣し、カンボジア和平に「主導的な役割」をはたした、と回顧した。

「日本は平和を創る国である。平和構築とは、日本にとって一つの国是であるという、それくらいの覚悟を定める年にしたい」と意気込みを述べた高村外務大臣は、さらに「日本といえば、平和構築に頑張る国、平和構築といえばそれは日本が得意な仕事という風に、内外の人々に思い浮かべてもらえる国」にしたいと抱負を語った。そして具体的な事業として前述した「平和構築分野の人材育成のためのパイロット事業」を紹介したのである［★21］。

同じ演説の中で高村外務大臣は、日本は平和構築といってもこれまではODAを中心に二国間援助や国際機関経由の経済援助を実施してきたが、最近は小型武器の回収や地雷の除去、元兵士の社会復帰など治安に直結する分野への支援を始めていると説明した。また、日本は軍や軍警察が実施する平和活動について、軍が絡む限り直接支援をしてこなかったが、最近ではアフリカのPKOセンターへの支援を始めており、今後はマレーシアのＰＫＯセンターへの支援も計画していると述べた［★22］。

実際に、二〇〇八年に日本政府はＵＮＤＰと協力し、ガーナのコフィ・アナン平和維持訓練センターへ小型武器の管理訓練のための支援を始めている。同センターは二〇〇三年に設立され、一〇〇を超える国々から二五〇〇人以上の要員を受け入れ、訓練を行っている。日本は「平和協力国家」であることを実践するにあたり、これまでの事例ごとの特別措置法にかわって平和協力のための「一般法」の整備を議論している。

平和維持活動への自衛隊や文民の派遣には、憲法九条の制約があるが、平和構築に関してはその制約もなく、比較優位をもつと星野俊也大阪大学教授は指摘する。日本は第二次世界大戦の灰塵《かいじん》の中から復興した自助的な平和構築の経験をもつ。元紛争地の平和構築にあたっては、現地の人々と支援する側が緊密に連携をしなければならないが、後者は復興や改革が思うように進まないことにいら立ち、前者は「国際社会の支援の押し付け」を植民地時代の記憶をよびさますものと考え、不平を言うなど、不協和音を招きがちである。自ら復興の道を歩んだ経験を持つ日本は、元紛争地の人々とのコミュニケーションを図りやすく、また支援を受ける側もその経験を受け入れやすいと星野教授は述べている［★23］。

二〇一〇年四月、日本は安保理非常任理事国として議長国を務めた際に「紛争後の平和構築」をテーマとする国連安保理公開討論を開催した（岡田克也外務大臣が議長）。この会議では潘国連事務総長、アフガニスタン外相、ボスニア・ヘルツェゴビナ外相他、東ティモール、シエラレオネ政府の閣僚が出席して各国の経験や知見を報告、平和構築戦略について包括的な議論が行われた。その結果安保理議長声明が採択され、政治、治安、開発などの包括的な平和構築の必要性が指摘され、国連平和構築委員会の再検討に期待すると記述された［★24］。日本が積極的に国際社会の平和と安定に貢献しようとするとき、「人間の安全保障」の実践たる平和構築は新たな可能性を与えてくれるだろう。

### ❖「人間の安全保障」と平和構築

平和構築と「人間の安全保障」の関係について日本政府は、日本の国連加盟五〇周年を記念して二〇〇六年に開催した「人間の安全保障」国際シンポジウムのメインテーマを「紛争後の平和構築における人間の安全保障　人道支援から開発への移行」とすることで関連付けた。

より具体的には、「冷戦が終焉した一九九〇年代以降内戦が頻発し、紛争下の人々を守ることが課題となったが、効果的な紛争解決メカニズムは存在しなかった。国家主権は重要な与件であるが、国家では対応できない危機、あるいは国家に起因する危機への対応が求められ、これが人間の安全保障の誕生の背景にある。その後の進展により人間の安全保障は紛争や貧困に対する予防的概念のみならず、紛争下の人々を守ること、紛争後から平和構築につなげていく概念としての有効性を強めてきた」[★25]と整理したのである。そして「人間の安全保障」が復興支援のすぐれた枠組みになるとの見解を示している。

同シンポジウムに参加したアントニオ・グテーレス(António Manuel de Oliveira Guterres)国連難民高等弁務官は、「人間の安全保障の概念は紛争後の平和構築における国際社会の団結に非常に効果的な道具である。われわれは現在、緊急援助から開発までの移行期のギャップのみならず、世界秩序・国連システムの在り方から、政府間・組織間の協調、資金の偏り等、さまざまなギャップに直面しており、人間の安全保障の包括的な概念はこれらのギャップを解消し、連携を促す統合的戦略である」と述べた[★26]。

また、同シンポジウムで演説した麻生外務大臣(当時)は、平和構築を「人間の安全保障」の実践と明示的に位置づけ、平和構築には「和平の促進や、難民また国内避難民などへの人道支援、国内の治安の確保など、紛争再発を防ぐための『平和の定着』への取り組みなどが必要です。そして、政治・司法・行政制度の整備や経済インフラの整備、保健・医療や教育の改善などを通じ、民主的で自立した『国づくり』を進めていくことになります」と述べた。「平和構築＝平和の定着＋国づくり」という方程式を紹介しつつ、「このような移行期にこそ、人間を中心に位置付けた『人間の安全保障』、これを現場で具体的に実践していくことが求められるのです」[★27]と総括した。

星野教授は、「平和の構築には『人間の安全保障』と『国家機能の再建』の両面が不可欠である」とし、「紛争の再発防止は、紛争後の新たな環境を人々が『平和』として内面化することによってのみ実現する。そのためには一人ひとりの生命が保護され、その能力を最大限に発揮できる自由と機会が提供されるような環境が整えられることが必要となる。これは、とりもなおさず『人間の安全保障』が確保されることを意味している」と平和構築と「人間の安全保障」の関係を説明している[★28]。

経済協力開発機構（Organization for Economic Cooperation and Development＝OECD）の開発援助委員会（Development Association Committee＝DAC）は、「紛争、平和と開発協力に関するガイドライン」を一九九七年に発表しているが、その中で「平和構築」とは「人間の安全保障のための持続可能な環境を作る手段」であると定義している[★29]。すなわち、平和構築には「人間の安全保障」を確保することが必要であるとの認識が示され、ひとつの手段と位置づけられている。

ＨＰＣの事務局長として人材育成事業にも参画した篠田英朗広島大学准教授は、「平和構築は、人間の安全保障の一分野と考えることができる。武力紛争が人間の安全に対する脅威であることは間違いなく、紛争が起こらない社会をつくる平和構築は人間の安全保障の観点からも推進されるべきである」としている。さらに同教授は「文化交流も平和構築であり、経済援助も平和構築になりうる。……紛争の原因が文化的摩擦に起因しているため文化交流が極めて効果的な平和構築がある場合もあるだろうし、貧困が原因で紛争が助長されたので経済支援が強く求められる平和構築策もある」[★30]と述べている。

また、山影進東京大学教授は、現在の世界の安全保障状況について、「個々の国家が単独では対応困難な多様な脅威が個々人に襲いかかっている。問題の世界共通性と越境伝播性が強調され、早期予防が重要であるとの認識が共有されつつある。この状況下での主要な争点は、貧困と紛争であり、両者間の悪循環が特に問題視されている。その過程で重大な人権侵害も発生する」とし、さらに「これらの三つの問題に対応する国際社会の課題は言うまでもなく、人間開発、平和構築そして保護責任である」と両者の関係を位置づけている［★31］。

このように識者によって表現は違うが、内戦型紛争の終了後、元紛争地に平和が本格的に根付くためには、まず平和構築に取り組み、それにより紛争地の人々の「人間の安全保障」が実現されるようにすることが不可欠との認識は共通項といえる。その意味からも平和構築は紛争予防段階も含めて「人間の安全保障」の実践のひとつと整理することができよう。あえて方程式にすれば、「人間の安全保障」＝「包括的平和構築」＋「恒久的平和の定着」とでもなろうか。

## 2 平和構築における文化の役割

### ❖歴史と文化を踏まえるということ

包括的な平和構築にあたっては、政治、経済、軍事、社会の各側面からガバナンスを整備していくことが重要である。むろん、それだけでは平和の必要条件は満たされても十分条件は満たされないことは既述のように紛争再発率が高いことからも示唆されている。復興もしくは平和のための仕組みをつくるためには、和平合意の履行がまず必要であり、そのモニター、さらにはＤＤＲの促進、元紛争地の治安回復のためには軍事的な平和維持活動が必要である。その上で、これまで日本が積極的に取り組んできたＯＤＡによる橋、道路、学校、住宅、病院、上下水道等の社会・経済的なインフラが物理的に整備されることが必要である。さらに元紛争地においては人々の能力強化が行われて、再度の紛争の勃発を防止する力を元紛争地に持たせるような支援が行われている。この分野における平和構築では、日本は多くの実績を持ち、それに伴って多くの開発援助関連の研究が重ねられている。

だが、それだけでは平和はなかなか定着しない。紛争勃発前の段階では対立する人々の相互の誤解、無理解、不信感を払拭し、相互理解および相互信頼感を醸成すること、当事者間の対話を促進し武力紛争突入を防止することが必要である。紛争中は紛争地の人々の絶望感を緩和することが必要となる。紛争後は対立による溝が武力紛争により深まり、虐殺、殺戮や暴行の記憶が生々しい中で、同じもしくは近隣のコミュニティに居住せざるを得ない紛争地の事情を念頭におきつつ、また国内避難民や難民の帰還を促すために、対立するグループの間の過去に対処し、融和さらには和解を進めなければ、憎悪や心の傷がいつまでも残り、紛争勃発や再燃の蓋然性は高まる。真の平和構築のためには物理的、経済的な支援による復興とあわせて紛争地に生きる人々の心理をも含めた心の平和構築への支援も不可欠である。

元紛争地では、対立者同士の和解のために「真実和解委員会」が設けられた事例もある。南アフリカに設置されたアパルトヘイトをめぐる真実和解委員会は有名だが、その他、チリやペルー、東ティモールでも委員会が設けられた[★32]。これらの真実和解委員会では加害者が被害者の赦しを請い、謝罪する中で真実が明らかにされ、和解が進められていく。それでも人々の心に平和が定着するのは容易ではない。真実を知ることは癒しと和解につながるが、そこに至るまでには地道な対話、過去の経験の昇華と相互理解を積み重ねていかなければならない。それは、まさに地道に推進されるべき「教育的プロジェクト」を意味する[★33]と阿部利洋大谷大学文学部講師は指摘するが、それには長期間にわたり人々の心と取り組む努力が求められる。

こうした元紛争地における平和構築の文化的な側面については前述の累次の国連における報告書でも言及されている。ブトロス・ガリ国連事務総長(当時)の『平和への課題』報告においても「平和をさらに永続的な基盤に載せることができるのは、根底にある経済、社会、文化および人道に取り組む持続的かつ協力的な活動以外にない」と文化面のアプローチの必要性が指摘されている[★34]。また『平和への課題』から二年後の一九九四年にブトロス・ガリ国連事務総長が発表した『開発への課題(An Agenda for Development)』報告では、平和構築の任務として「住民がこうむる戦争の影響を軽減すること」を、そして中・長期的任務として「平和の文化を醸成すること」を挙げている[★35]。

文化が平和にはたす役割は、「人間の安全保障」においても、すでに認識の一部となっている。例えば、二〇〇三年の人間の安全保障委員会報告書『安全保障の今日的課題』でも「人間に本来備わっている強さと希望に拠って立ち、人々が生存・生活・尊厳を享受するために、必要な基本的手段を手にすることができるよう、政治・社会・環境・経済・軍事・文化といった制度を一体として作り上げていくことをも意味する」[★36]と文化も含めた環境の醸成が必要であることが指摘されていた。二〇〇四年に発表された文化外交の推進に関する懇談会の報告書『「文化交流の平和国家」日本の創造を』の中でも「紛争を予防するための異なる文化間、文明間の相互理解と信頼の涵養」[★37]の必要性が謳われている。

文化と紛争の関係については近年関心が高まっている。それは文化が紛争解決の一助となるという側面と、とりわけ冷戦後に、異なる宗教、言語、歴史などの文化的背景を持つグループが対立する「文化的紛争(cultural conflict)が増加しているというドイツ、ハイデルベルグ大学の統計データ(Conflict Information System＝CONIS)に拠っている。

同統計は一九四五年から二〇〇七年までのデータから、この間に発生した政治紛争のうち、文化的紛争と分類できるものは、七六二件中三三四件(四四パーセント)に上ると分析している。文化的紛争をさらに細かく、歴史が争点のひとつになっているもの、宗教が争点のひとつになっているもの、言語が争点のひとつとなっているもの、宗教と言語が複合的に争点となっているものに分類すると、歴史と宗教が争点となっている紛争の割合が高く、しかも文化的紛争の件数が冷戦後顕著に増加していることも示されている[★38]。文化それ自体が紛争を惹起するという論調は、九・一一同時多発テロを契機として一段と強まった。文化それ自体が紛争を引き起こすことはほとんどない。しかし、文化の相違、特に言語や宗教、さらには歴史的な背景の違い、いわばアイデンティティの違いが政治的な目的に利用されて武力行使につながるケースが出てきている。

インドネシア・アチェの和平交渉をまとめたフィンランド前大統領マルッティ・アハティサーリ(Martti Oiva Kalevi Ahtisaari)も、地域の文化と歴史を知らなければ交渉はできないと指摘する。それは、独立運動を展開してきたGAMが、過去に何度か使われながら踏みにじられた「特別自治」という言葉を信用できず、その文言を用いたインドネシア政府案を受け入れられずにいたとき、特別自治と独立の中間の「自己統治」という表現が提案されることで、難航していた交渉に突破口が開けたとの体験に基づく[★39]。ひとつの表現にも歴史があり、そのニュアンスを理解しないと和平案は受け入れ難くなる。

## ❖平和構築のための文化イニシャティブ

ここで、文化が平和のための一助となるという側面を考察してみたい。包括的な平和構築における文化イニシャティブは、文化をリソースや触媒として用い、紛争解決において一定の役割をはたす。ここでいう文化イニシャティブとは紛争地に国際社会が文化関連活動を持ち込み、平和構築に役割をはたそうというものである。国際社会が長期間介入して文化活動を展開することは不可能なので、その先鞭をつけるという意味でイニシャティブと呼びたい。平和構築のための文化イニシャティブについて、紛争の各段階、すなわち、対立・係争段階(紛争予防段階)、武力紛争段階、停戦・和平合意段階、紛争後復興段階に分けて考察してみよう。ここでも紛争前、紛争中、紛争後を含めた包括的な平和構築の概念を用いる。

**表2** 包括的な平和構築に果たす文化イニシャティブの役割

| 紛争段階 | 目的 | 文化活動例 |
| --- | --- | --- |
| **紛争予防**（**対立・係争**） | ①相互理解<br>②信頼醸成<br>③対立の緩和・解消 | ● イスラエル・パレスチナ・日本「平和をつくる子ども交流プロジェクト」<br>● イスラエル・パレスチナ「ピース・キッズ・サッカー」<br>● カシミール平和絵本の共同制作<br>● 南アジア五カ国の演出家による作品『物語の記憶』共同制作・公演 |
| **紛争中**（**武力紛争**） | ①紛争の影響の相対化<br>②絶望感の緩和<br>③国際社会の関心の啓発 | ● イラク現代 演劇「アル・ムルワッス」招聘公演『船乗りたちのメッセージ』<br>● アラブ映画祭2005 イラク映画『露出不足』上映<br>● イラクに おけるアート・フォー・ピース<br>● ケニアの風刺漫画家ガド支援 |
| **紛争終結直後** | ①紛争から平和へのスムーズな移行<br>②和平の維持 | ● イラク・ムサンナ県（サマーワ）に対する児童図書寄贈 |
| **紛争後復興段階**（**含紛争再発防止**） | ①紛争当事者の融和・共栄・和解<br>②紛争地住民の誇りの回復<br>③紛争で傷ついた心のケア<br>④民主化支援 | ● バルカン室内管弦楽団<br>● アフガニスタン、イスタリフ焼の復興<br>● アンコール遺跡修復保存事業<br>● アチェの子ども達のための演劇ワークショップ<br>● 劇団「風の子」による演劇ワークショップ<br>● 東ティモールにおける青少年の政治参画とコミュニティ・ラジオ<br>● アフガニスタンにおける地雷回避教育 |

出典：筆者作成

くり返しになるが、実際の紛争の段階は表2に示すようにはっきりと分かれるわけではない。武力紛争が発生していなくとも、異なったグループが文化、民族、宗教、歴史、言語、政治信条、経済的利害などを背景に対立する場合、ささいな小競り合いが武力紛争にエスカレートする。とりわけ内戦型紛争では、国家間紛争と異なり宣戦布告がなされるわけでもなく、各所での対立や係争が飛び火して、いつのまにか大がかりな流血の惨事に発展するケースも少なくない。

ひとたび武力紛争になってしまえば、当事者の関係が複雑に入り組んでいるために和平合意の成立は難しく、たとえ和平合意が成立しても即平和がもたらされるわけではない。合意は平和へのプロセスのスタートに過ぎず、和平合意後の復興が順調に進まなければ、紛争は容易に再燃する。しかも国内紛争の場合には、対立したグループが同じコミュニティもしくは近隣のコミュニティで生活していかなければならない場合が多い。したがって紛争後の復興は重要であるが、その前提となるのは和平合意の履行確保のための平和維持、紛争で負傷した人々、住居を失った人々、灰塵《かいじん》に帰した元紛争地の再建などに始まる、恒久的な平和のためのガバナンス構築である。そして、これらの段階には、はっきりとした境界線があるわけではなく、むしろ、オーバーラップすることのほうが多い。したがって、ここでの区分はあくまでも便宜上の四段階にすぎないが、論を整理する上で、紛争サイクルに分けて考察したい。

## 3 対立・係争段階——信頼醸成

まず「対立」「係争」(dispute)段階である。これは、さまざまな背景を持つ異なったグループが対立し、本格的な武力紛争ではないものの係争段階であり、散発的な小競り合いがみられる段階である。グループ間に対立が起こると意思疎通を図る機会が少なくなり、それが更なる不信感を醸成し、対立は先鋭化する。この段階では、相互理解のためのコミュニケーションをはかること、相互の無理解が甚だしい場合は、相手の考え方を受け入れないまでも容認する寛容性を育むトレランス・ビルディングを促すこと、不信感を低減すべく信頼感を醸成するためのトラスト・ビルディング(融和)を促すことなどが必要になる。

この段階で信頼醸成が進まない場合、対立が武力紛争(armed conflict)にエスカレートしかねない。だがこの時点での施策が効を奏せば、武力衝突を回避して平和を維持することも可能である。グループが対立・敵対している場合は、政治的対話は成立しにくいが、文化を触媒とする接触であれば双方とも抵抗感が少なく、受け入れられやすい。対立当事者ではない国際社会の第三者が当事者のどちらにも偏しない場を文化的な活動の形、例えばスポーツ大会や対話、絵本の共同制作などで提供することができよう。

これをイスラエルとパレスチナの事例でみてみよう。一九四七年の第一次中東戦争以来、両者の対立は膠着状態に陥った。一九八〇年後半にはイスラエルに対するインティファーダが行われ、パレスチナは西岸地区とガザ地区を中心にパレスチナ人の独立国家を樹立した。その後、イスラエルとパレスチナ解放機構(Palestine Liberation Organization＝PLO)の交渉の末、一九九三年にはアメリカの仲介でオスロ合意が締結され、パレスチナ暫定自治区が設立された。

しかし、二〇〇六年の総選挙でイスラム原理主義組織のハマスが過半数を獲得すると、ハマスをテロ組織とするイスラエルがパレスチナ自治政府との交渉を拒絶し、パレスチナ人の西岸とガザへの通行を封鎖した。その後、より穏健なファタハのマフムード・アッバース(Mahmoud Abbas)議長の下、ハマスとファタハの連立交渉が合意に達し、二〇〇七年三月、挙国一致内閣が発足した。しかしながらその後も両派の対立は続き、二〇〇七年六月一一日からは本格的な内戦に突入した。政治的な中東和平はノルウェー、アメリカをはじめ様々な国々が調停や仲介を行っているが、その成果はあがっていない。

このような対立を続けるイスラエルとパレスチナでは、関係者が顔を合わせる機会を持つことすら容易ではない。また、子供たちも親の対立を見ながら育ち、相手に対して偏見と不信感を持ってしまう。このような連鎖の中、文化関連活動を通じて信頼醸成を促進させるべくいくつかのプロジェクトが実施されている。

### ❖イスラエル・パレスチナ・日本「平和をつくる子ども交流プロジェクト」

イスラエルとパレスチナの子供たちが日本の子供たちを交えて交流する「平和をつくる子ども交流プロジェクト」が日本で実施された。これは特定非営利活動法人「聖地のこどもを支える会」が、原爆投下六〇周年の二〇〇五年七月から八月にかけてイスラエルとパレスチナの高校生六名を招聘し、日本の高校生七名とともに被爆地広島と長崎、そして東京を訪問させたものである。イスラエルやパレスチナからの参加者には、難民キャンプに住んでいる者や自爆攻撃や軍事行動によって親や兄弟を奪われた者、兵役を目前にした者など、紛争の苦しみを直接体験している学生が含まれていた。一行は広島で市長を表敬訪問し、その後、平和記念資料館や平和公園を訪れた。長崎では原爆資料館の見学のみならず、長崎原爆投下六〇周年記念式典に参加し、地元の青少年らと平和についての対話集会も行った。

イスラエルから参加した一八歳の少年は「このプロジェクトを通じてこれまで一度も会う機会のなかったパレスチナの高校生に会うことができ、素晴らしい友達になれた。僕は平和を渇望している国の一人の市民として、まずイスラエルにある平和運動のひとつに参加することからはじめたい。…もっとパレスチナの人々の立場から状況を見つめ、イスラエル・パレスチナ紛争の悪い体験を互いに赦しあうべきだ。僕のこれからの生き方を変えた体験だった」と語った。

また、イスラエル軍の誤射により妹が即死、自分も両親と共に重傷を負った経験を持つパレスチナから参加した一七歳の少女は「一番良かったことは、日本とイスラエルに多くの友達ができたことです。パレスチナにいる限り、イスラエルの若者に会うことはありません。もうひとつわかったことは日本人が敵を赦したということです。私の人生を壊したイスラエルの兵士を一瞬たりとも忘れることはできません。けれども赦すことは平和へ至るひとつの道ではないでしょうか。もう、あの兵士への憎しみはありません」[★40]と感想を述べた。現地ではなかなか出会うことのないイスラエルとパレスチナの若者が日本で出会い、日本の被爆体験に接することで相互理解と平和への思いを深めたのである。このプロジェクトは二〇〇七年にも那須、長崎、東京で実施された。

### ❖イスラエル・パレスチナ「ピース・キッズ・サッカー」

特定非営利活動法人の「ピース・キッズ・サッカー」が、二〇〇三年以来イスラエルとパレスチナから子供たちを日本に招き、日本の子供たちと合宿を行い、国に関係なく混合チームをつくってサッカーの親善試合を行った事例である。そのほかにも、子供たちをグループに分け、異文化理解のためのプログラムをはじめ、折り紙や地引網などの日本文化体験、各国の料理や音楽の発表などの文化交流プログラムが行われた。

参加者たちは「最初はどうなるか不安だったが、ほかの国の友達との共同生活が楽しかった。文化や言葉は違ってもコミュニケーションがとれることがわかった」と感想を述べた。イスラエルの子供は「世界中には違う文化や対立があることがわかった。違うコミュニティの人々の意見が聞けてよかった」、パレスチナの子供は「イスラエルの人々がいい人たちだとわかった。いまではよい友達になれた」と、それまで抱いていた一方的なイメージがすべてではなく、相手側にも共存を望む人があることを知ったという感想を残した[★41]。このような体験を通じて言語や文化の違いを超えた友情が育まれ、お互いを受け入れるようになる。

当初サッカーをツールとして用いていたが、パレスチナの関係者から子供たちが外国でイスラエルの子供たちとサッカーを行うことはパレスチナの現状を認めること(占領のノーマライゼーション)になるので不適切であるとの意見があり、二〇〇七年からは対象を女子高生に変え、山梨県清里ならびに小菅村で日本の伝統文化や農村体験をツールとして用いるプロジェクトを実施している。また活動内容の変化に伴い、二〇〇九年五月に団体名も「Peace Field Japan」に変更された。

これまでにプロジェクトに参加した子供たちの間では、帰国後も電話やメールなどを通じた交流が続いている。根深い対立を抱えたイスラエルとパレスチナの間に出会いの場を設けることは難しいが、第三国である日本で、スポーツや日本文化を触媒に、子供たちが交流することは相互理解の醸成につながっている。

このような信頼醸成を目的とする文化関連活動は、中東和平に限らず、アジアでも幅広く展開されている。以下ではカシミールや南アジアでの文化関連活動の事例を紹介したい。

### ✤カシミール平和絵本の共同制作

インドとパキスタンは一九四七年八月に分離独立して以来、カシミール地方の領有権などをめぐって半世紀以上にわたって争ってきた。これはイスラム系のパキスタンとヒンズー系インド人の争いでもあり、インド大陸における宗教の対立を起源とする非常に複雑な問題である。もともとカシミール地域の住民にはイスラム教徒が多かったが、イギリスの植民地時代にその藩主にあたる人物がヒンズー教徒だったという複雑な事情も絡む。

一九九八年には四月から五月にかけて印パの核実験が相次いで行われるなど緊張関係が続いていた。国際識字文化センター(International Center for Literacy and Culture = ICLC)は、UNICEFの協力の下、インドとパキスタンの子供たちの相互理解を促進するために、両国双方から絵本の作家や編集者を集めて共同で絵本を制作し、配布する事業を始めた。二〇〇四年二月にネパールの首都カトマンズで、インドとパキスタン、ネパール、そして日本の作家、画家、編集者、児童教育の専門家などが集まって会議を開催し、実際に子供向けの絵本を制作した。「紛争下の子どもが必要としているもの」をテーマに意見交換が行われ、他者を尊重し、共存するといった肯定的な価値感を盛り込むことを念頭にストーリー作りが行われた。また親を失うなど突然の環境の変化に対応していかなければならない子供たちを助け、励ますことができるように、そして絵本が具体的に事態を乗り越えていくための手段や方法を教えるものをなるように、という二点も考慮に入れながら作業が進められた[★42]。この会議の成果として七冊の絵本がウルドゥ語やヒンディ語などで共同制作された。

南アジア全域で通用することを目標に考案された七冊は、ネパールという第三国に、紛争当事国のインドとパキスタン、そして日本からの関係者が集まり、共同作業を行うことで相互理解を深める試みであった。絵本に描かれた物語は、いずれも争いをやめ、共同で何かに一緒に取り組むことによって人間性に目覚めていくプロセスが描かれており、紛争の種になる心理を解きほぐしてゆくストーリーである。

子供たちの心に直接訴えかける絵本は、他者を認めて尊重し、共存することの大切さを伝えるものであり、また子供たちに宗教対立や民族対立を超えて相互理解を促すメッセージでもある。このような文化関連活動を触媒とした共同作業はカシミールをめぐって長年対立するインドとパキスタンの人々や子供たちの相互理解、トレランス・ビルディングの一助となる。

### ❖南アジア五カ国の演出家による作品「物語の記憶」共同制作・上演

南アジアには宗教的対立や部族的対立、カースト制度の存在など様々な対立がある。そこで南アジア諸国のスリランカ、パキスタン、バングラデシュ、インド、ネパールから気鋭の演出家五名を東京に招待し、作品を共同制作したのが、この試みである。五人の演出家がインスピレーションの源泉に選んだのは、ムガール帝国を築いたバーブル（Babur）の回想録「バーブル・ナーマ（Baburnama）」であった。中央アジア・ティムール朝とチンギス・ハーンの血をひくバーブルは、サマルカンドからアフガニスタン、そしてインドへと、二五年もの侵攻の旅を続けた末に、ムガール帝国を開いた。新天地を求めて移住する中でバーブルは新しい文化に適応していった。

南アジア史の主役のはてしない旅をテーマにした作品は、五カ国の演出家、ビデオ作家、音楽家、俳優、ダンサーによって、東京と京都で公演が行われた。この作品では、バーブルの一生が五人の演出家によって二四場で描かれていた。バーブルの人生と自らの過去を通じて人生を理解しようとする試みであり、そこに現代の問題を投影しようとしている。共同制作のプロセスでは、劇の筋や演出方法をめぐって論議があり、論争があり、諍いがあった。しかし、ともにシナリオを書き、演出したことによって、最終的に強い一体感が生まれた。

制作プロセスそのものが関係者にとって重要な共同体験となったのである。作品はさらにインド・デリーの現代演劇フェスティバル「Bharal rang Mohatsav」のオープニングでも上演された。このプロジェクトでは、演劇が対立する各国の人々の宗教や民族を超えた相互理解の触媒となったと言えよう。

このように文化イニシャティブは、対立するグループ間の相互理解の「触媒」として、相互の意思疎通をはかるリソースとして、信頼醸成を促す「ファシリテーター（facilitator）」としての役割をはたす。現地においては会合を持つことも容易でないグループも、いずれの紛争当事者とも歴史的に関わりのない日本などの第三国で行われる文化活動であれば話し合いが可能な場合もある。この場合、対立に関係のない第三国が仲介者としての役割をはたすことができる。

対立する人々が文化交流や文化活動を行うことで共通の体験を持つことの意義は大きい。たしかに、コソボ、ボスニア・ヘルツェゴビナのセルビア系とアルバニア系住民の場合のように、それぞれのグループの文化が反目の種になっていることもある。しかし、このような場合には歴史的負荷のない第三の文化、例えば日本文化との遭遇、理解を通じ、異文化への寛容さ（トレランス）を涵養することも考えられよう。政治面での対立は残ろうとも相手を知り、異なるグループを受容するトレランスを醸成し、相互理解を深めるために、文化活動は大きな役割をはたすことができる。

## 4 武力紛争段階——紛争時の文化イニシャティブ

「対立」が「武力紛争」にエスカレートした場合、その解決は外交努力による調停に留まらず、場合によっては武力紛争を収束させるための軍隊の派遣など、強制的な介入手段が必要となる。武力紛争中に文化活動がはたせる役割は極めて限られているといわざるをえない。

しかしながら、武力紛争中の文化イニシャティブの役割が皆無というわけではない。紛争中は紛争地の人々に鬱屈した感情の捌け口がないため、むしろ絵画、詩、演劇、音楽などの芸術作品の制作や公演に自己表現の道を見出すことで、すぐれた作品が生まれる場合もある。また、紛争地の文化の炎を絶やさないように国際社会が支援することも重要である。さらに政権が圧政を敷いている場合、作品の制作や発表に困難を伴うが、これを政治的な問題を起こさずに文化的に支援することができれば、紛争地の人々にとっては自分たちが孤立しているのではなく、国際社会から関心が寄せられていることを知る機会になり、救いの道を開くことになろう。これは紛争地の人々にとって紛争を相対化してみる可能性をも生み出す。見方を変えれば、こうした活動が海外で紹介されると、国際社会の当該紛争地に対する関心を高めることにもつながる。

例えば、直截な政府批判ができない環境下でも、政治風刺漫画などを用いて言論活動を展開しているケースがある。タンザニアに生まれ、ケニアの英字紙「Nation」などに風刺漫画を掲載しているゴドフリー・ムワムペムブワ（Godfrey Mwampembwa）（通称ガド・Gado）は、テロ、森林伐採、ＨＩＶ／ＡＩＤＳ、汚職、人権、貧困をはじめ、国内、国際政治の問題に痛烈な批判を展開していることで知られている。歴史的に言論の自由が弾圧されてきた東アフリカで、ガドは風刺漫画を通して意識的にアフリカにおける言論の自由を推し進めてきた。同氏は「政治風刺漫画は人々の権利や公民の自由などについて広く知らしめるツールであり、彼らが恐怖を持たずに自由に発言できるようにすることができる」[★43]と語る。

また、ガドはアフリカの視点からの先進国批判も辞さない。風刺画で一九九四年のルワンダ大虐殺と一九九九年のウガンダにおける八人の欧米人殺害事件を比較し、犠牲者五〇万人とも言われるウガンダ人大虐殺への欧米の関心がはるかに低いこと、欧米諸国の人権問題に対する姿勢のダブルスタンダードを痛烈に批判している。さらには、スーダンへの国際援助が武器密輸者に流れ、結果として援助が武器に姿を変え、飢えに苦しんでいる人々の救済に充てられるどころか、逆に紛争を激化させ、人々を苦しませる結果となっているとも批判する。このような風刺画が国際社会に紹介されることで、我々は現地の真の実態を知ることができるのである。

その他、武力紛争段階における平和構築につながる文化関連活動のいくつかの事例を以下に挙げる。

### ❖イラク現代演劇劇団「アル・ムルワッス」招聘公演『船乗りたちのメッセージ』

アル・ムルワッス（Al-Murwass Group Folklore and Modern Arts）はフセイン政権下のイラクで独裁政治に抑圧されながらも活動を続けた劇団のひとつである。二〇〇三年のアメリカによる攻撃で疲弊し、戦闘終結宣言後も戦闘が続くバグダッドで活動していたこの劇団を、二〇〇四年一〇月、日本のNPO、ARC Tiny Alice が招聘して公演を行った。

戦争の前後にも自らの誇りにかけて黙々と活動を続けたイラクの現代演劇グループは一九九六年に演出家のモハメド・サルマン（Muhammad Shaker Salman）、俳優のジャバル・アルサイディ（Jabar Abid Muhammad Al Saadi）らによって設立され、イラク南部バスラ地方の様式を取り入れたフォークダンスや音楽にパントマイムや台詞劇を交えた演劇を制作してきた。この劇団はバグダッドに拠点を構えているが、イラク開戦後は停電などインフラの状況が悪化し、公演が難しい状況が続いていた。また、同劇団には女優も在籍しているが、イラク戦争開戦後は、イスラム過激派から女性の在籍について脅迫が絶えないこともあった。

ARC Tiny Aliceを中心とする「イラク演劇を支援する会」によると、招聘のきっかけとなったのは、読売新聞に掲載された、イラクの演劇人や詩人、映画監督が「銃をとり」自分たちの劇場を守ったという記事[★44]であったという。イラクでは三五年におよぶ独裁政権下、演劇人は「反政府的」とみなされて投獄されたり、銃を突きつけられたりした経験を持つ人も多く、長期にわたって活動を禁じられた劇作家や演劇人も多かったという。そしてフセインの像が倒された翌日からイラク人による自前の文化の創造をめざして新しい演劇をつくる動きが始まったと報じられている[★45]。

アル・ムルワッスは稽古中に女性メンバーのひとりが爆破事件で死亡する、あるいは危険の迫ったバグダッドから一時脱出するといった経験を乗り越えながら、日本での公演に備えた。日本で上演されたのは、ペルシャ湾にほど近いイラク南部のバスラ地方にアラビアンナイトの時代から伝わるとされる民族舞踊と音楽をベースにした「船乗りたちのメッセージ(Message carried by ship from Iraq)」と題する作品であった。劇団は歌と踊りという明るい表現を通じてイラクの苦しみを日本の人々に伝えたいと語った。総勢二〇名が来日し、東京、大阪、名古屋でこの作品は上演された。アル・ムルワッスの関係者は「フセイン政権が崩壊して、アーティストたちは表現の上で解放されて、自由な創作活動をすることができるようになった。自由に海外に行ってさまざまな芸術に触れることもできるようになった」と語った[★46]。

その一方、フセイン政権下では演出家、俳優として国から給料をもらっていたが、現在はもらえなくなったという[★47]。アーティストたちは日本人にイラク・バグダッドに生きる市民が何を考えているか、何を感じているかを、演劇という形で見てもらい、理解してもらいたいと語った。同時に、この公演は、テロ活動が続き、治安も十分に保証されないバグダッドにおいてすら、このような演劇活動が力強く行われていることを紹介する狙いもあった。本事例は、戦闘の続く地域の劇団を外国に紹介し、国際社会が公演を支援することで、国際社会が紛争地の状況について理解を深めることと、紛争地のアーティストに海外での発表の場を提供するという二つの役割がはたされた事例と言えよう。

## ❖アラブ映画祭2005、イラク映画『露出不足』上映

同じような事例として、国際交流基金が主催し、アラビア語圏の作品を紹介するアラブ映画祭がイラク映画の特集を組んだことがあげられる。アラブ映画祭は「イラク映画回顧展」と「アラブ新作パノラマ」の二部門から成り、イラク映画特集では九本のイラク映画が上映された。フセイン政権前のイラクは、中東でも指折りの映画大国であった。しかし、フセイン政権下で自由な映画制作活動が抑圧されたため、多くの映画人がヨーロッパに亡命し、イラク映画は衰退した。一部の映画人だけがイラクに残って制作を続けていた。その代表作ともいえる作品が、「イラク映画回顧展」の最後を飾り二〇〇五年四月に東京で上映された、ウダイ・ラシード(Oday Rasheed)監督の『露出不足(Underexposure)』なのである。

ラシード監督はアメリカ軍のイラク侵攻開始後もバグダッドにとどまり、街が戦禍に見舞われている中で本作品を撮影した。この映画は、銃声もまだ止まぬバグダッドで撮影された長編劇映画である。フセイン政権崩壊後の混沌とした社会状況を背景に、それぞれにわずかな希望を見出しつつ前に進もうとする若者たちの姿をとらえた群像劇となっている。ガンに蝕まれながらも仲間達との映画作りに夢を託す男性や、瀕死の重傷を負った兵士との間に友情をはぐくむホームレスの姿が描かれ、その姿を通じて戦後イラクにおける再生の萌芽が示されている。しかし、やがてそれらの希望は全て失われ、主人公は行き場のない怒りと絶望感を、レンズを通じ観客たちにぶつける。これはまさに戦後イラクが胚胎したロストジェネレーションの魂の叫びであるといえるだろう。

戦闘の傷跡も生々しいイラクに蔓延する喪失感と虚無感の中を漂流する若手アーティストたちが、再生へ

向けて踏みだした第一歩が、この『露出不足』といえる。この作品は日本で上映された後、アジアや世界の各国でも上映され、シンガポール国際映画祭とロッテルダム国際映画祭でそれぞれ最優秀作品賞を受賞した。本作を観た日本人は通常のメディアでは報道されないイラクの側面を知ることができた。また日本においてイラク映画が上映されたことは、イラクをはじめとする中東のメディアでも大きく取り上げられ、アラブ映画に対する日本の関心の高さが評価された。そして『露出不足』は二〇年以上にわたるフセイン政権の弾圧にもかかわらず、イラクの誇り高き映画芸術が生き続けている象徴となり、イラクの人々に大きな希望を与えた。

### ❖イラク・クルド地区におけるアート・フォー・ピース

紛争地のアーティストの展覧会支援が、アーティストに活動の場を与えるとともに、野外展覧会の跡地が市民が集う公園になったという事例もある。二〇〇一年にイラク・クルド人自治区において和平合意に向かって動いているが、まだ紛争が継続している段階で特定非営利活動法人のピースウィンズ・ジャパンがアート・フォー・ピースというプロジェクトを実施した。

一九七四年の民族蜂起以来、イラク北部クルド人自治区は三〇年以上にわたり、クルド民族内の勢力争い、イラク中央政府からの独立を目指すクルド民族運動がつづいてきた。そして一九九一年湾岸戦争以降、クルド人保護を目的としてイラク北部に自治区が設置されたが、一九九三年以降クルド民族の二大政党であるクルド民主党(Kurdistan Democratic Party＝KDP)とクルド愛国同盟(Patriotic Union of Kurdistan＝PUK)の勢力争いが激化し、自治区に利害関係を持つ諸外国がそれぞれの思惑から双方に武器や資金提供を行った結果、自治区も二つに分断され、実質的にはKDPが西部ドホーク州とアルビル州を、PUKが東部のスレイマニア州を支配し、その境界線では激しい戦闘が繰り返された。一九九六年一〇月アメリカの仲介により停戦合意が成立したが、一九九七年に再び衝突するなど二政党間の緊張関係は続いた。さらに一九九八年、アメリカのワシントンで連立政権樹立合意と一九九九年夏の自治区議会選挙の実施で合意したが、閣僚の配分などをめぐり、対立、二〇〇五年に統一されるまで、PUKがスレイマニアに、KDPがアルビルにそれぞれ独立した自治政府を設立し自治区を分断統治した。

一九九八年の停戦合意以来、軍事境界線沿いには緩衝地帯が置かれ、KDP、PUKどちらにも属さない地域となった。二〇〇〇年にはKDPとPUKで捕虜や避難民の交換が行われる等、二大政党とその支持者間の和解に向けた停戦合意に関する具体的な行動が開始され、雪解けムードが流れ、人々の間には平和への期待と戦争への忌避感が広がっていた。このタイミングでアート・フォー・ピースプロジェクトが実施された。

アート・フォー・ピースはクルド人画家のイスマイル・ハヤット（Ismail Khayat）が開催した展覧会をピースウィンズ・ジャパンが支援したことがきっかけとなった。ハヤットはイラク・スレイマニア在住のクルド人画家で、欧米でも評価を得ている。この展覧会の終了後ハヤットのアイデアに加えてピースウィンズ・ジャパン側より自治区全域から画家を参加させる展覧会を提案し、アイデアに賛同した画家一〇名（スレイマニア州、アルビル州、ドホーク州より各三名、スレイマニア州ハラブジャ市より一名）が参加した。

展覧会は「クルディスタンに平和を」というテーマで、内戦の激戦地であり、当時軍事境界線としてノーマンズランドに指定されていたピラー地域の岩や戦乱で破壊された施設などにペイントを施した。この地域は軍事境界線に接し、戦闘で多くの死者がでた地域であるが、現在はどちら側にも属さない場所である。またこの地域は戦争により荒廃し、平坦で周りには木々も集落もなく、交通量も少ないため、襲撃事件の多発地域で治安もよくなかった。画家たちが屋外で岩肌にそれぞれ平和への思いをペイントし、平和を象徴する広場で制作した。また、内戦で破壊された元PUK最終検問所もペイントし、戦争につながる施設を平和につながる施設に衣替えする企画が実施された。このプロジェクトではアーティスト以外にKDPおよびPUK検問所に駐在する兵士にもペンキを提供し、プロジェクトに参加してもらった。

このプロジェクトでは、まだ和平段階にいたっていない時点での実施だったために絵の具よりも食糧が欲しいという反対意見も現地から聞かれた。しかし実施後はクルド人画家が自らの作品を発表する機会を得ることができ、また内戦中は機会がなかった他の画家の作品に触れることができて刺激を受けることができた。このプロジェクトによって、現地のアーティストが内戦中はできなかった制作を再開するきっかけも提供できた。さらにそれまで芸術とは無縁であった兵士も検問所にペンキを塗ることで芸術の楽しさを知ることにもなった。展覧会の来訪者は作品をみることで平和の兆しを実感することもできた。このアート・フォー・ピース事業で設置された屋外展覧会場は、現在でも市民が散策を楽しんだり、結婚式をあげたりする公園として活用されている[★48]。この事例では、紛争地の創作活動を支援することにより、アーティスト、市民の双方に自己表現の機会が生まれ、平和への希望が芽生えた。


紛争中における文化面での支援は非常に困難である。そもそも紛争中は海外からの介入を当事国が拒否することも多く、文化活動であるからということで説得しても受け入れてもらえない場合も多い。さらに厳しく言えば、文化面での支援は直接的に紛争の解決には役立たないかもしれない。しかしながら、紛争が長引く場合や和平合意、戦闘終結宣言が出されていても戦闘が続いている場合、現地の文化活動への支援が、現地の文化活動の炎を絶やさないことにつながり、紛争地の人々にとっての紛争を相対化することにもつながる。さらに国際社会が文化活動のために現地に入ることが、紛争解決の糸口になったり、国際世論の高まりをよぶことも十分に考えられる。

日本の場合を振り返ると、近代に入ってからもいくつかの戦争を超えて、能、狂言、歌舞伎、文楽といった伝統芸能は生き続け、新たな挑戦を続けている。華道や茶道もまた伝統を保ち続けながら、世界各地にファンを持つに至っている。柔道や空手も同じように世界に受け入れられ、JUDOとなり、KARATEとなっている。

第二次世界大戦中、日本の歌謡曲は軍の意向に添わなければならなかったが、戦後の復興期においてはラジオを通じて国民の慰めとなり、将来に明るい希望を与えたことも想起されてよいだろう。

## 5 停戦・和平合意段階——平和維持・緊急支援

停戦合意、さらには和平合意によって武力紛争は終焉を迎える。だが、和平合意だけで平和は訪れない。停戦・和平合意が成立した後に戦闘が散発する場合もあり、和平合意の履行をモニターし、万が一武力が用いられる場合にはこれを阻止する軍事力を含めた平和維持活動が必要である。紛争直後の対症療法的な緊急支援としては、難民や国内避難民に対する人道援助や戦争犠牲者に対する医療援助などが中心である。これは、紛争後の脆弱な平和の段階であっても、現地の人々が平和を実感できるように、また将来に希望がもてるようにするための活動をも含む。平和が確立していない段階であるからこそ、現地の文化的な要素にも十分配慮した支援が求められる。

停戦後の平和維持や復興のための治安維持を目的に、国連の多国籍軍や平和維持活動が派遣されることは多い。たとえ目的が人道支援であっても、外国の軍隊が派遣される場合には、市民が不安を覚え、誤解し、反発するケースが見られる。そうしたとき、軍隊と現地市民の文化的な交流が反発を和らげ、軍隊が現地市民に受け入れられることを促進する。

## ❖イラク・ムサンナ県（サマーワ）への児童図書寄贈

大量破壊兵器の開発疑惑を根拠に二〇〇三年三月、アメリカはイラク攻撃に踏み切った。同年五月に主要な戦闘の終了が宣言されると、同年一二月から日本政府はイラクの復興支援のためにムサンナ県サマーワに自衛隊を派遣した。自衛隊は復興支援、人道支援を目的としたが、現地には外国人の介入を嫌い、歓迎しない雰囲気もあった。

そこでイラク人道復興事業の一環として国際交流基金の企画と、防衛省、自衛隊の協力の下、二〇〇六年五月にムサンナ県の小学校、病院、孤児院など約三〇〇カ所に日本語からアラビア語に翻訳した児童図書と、国際児童図書評議会（International Board on Books for Young People＝ＩＢＢＹ）優秀作品リストから選定した『魔法のレシピとその他のお話』、『ゴハーのお話』、『もし私が王様だったら』などを寄贈した。

寄贈した日本関連図書は、皇后陛下作の『はじめてのやまのぼり』、高円宮妃殿下が執筆された『氷山ルリの大航海』、折り紙の作り方を紹介した『折り紙キット』（二種類）の計四種類が選ばれた。『氷山ルリの大航海』はエジプトの出版社からすでにアラビア語版で出版されていたものが寄贈されたが、これ以外は、すべて寄贈を機にアラビア語に翻訳された。

『はじめてのやまのぼり』は、一九七五（昭和五〇）年に天皇ご一家が山登りをされたとき、当時六歳だった紀宮清子内親王（現在は黒田清子さん）の思い出をもとに創作された。幼い少女が「かもしか」という目にみえない「心の支え」を抱いて、不安と期待の中で初めての山登りを成し遂げる姿が描かれた絵本である。本の奥付には「本書の中で、六歳の少女は、目に見えない「かもしか」がどこからか自分を見てくれているという一つの思いを心の支えに、初めての体験である山登りを成し遂げます。…イラクの子供たちひとりひとりが自分の「かもしか」を見つけ、それを支えに平和で豊かなイラクの復興をなしとげていくことを願って、この本を贈ります」とアラビア語で選書理由が書かれている。『氷山ルリの大航海』は、氷山ルリが北極から南極へ旅をする話を通じて、自然環境の豊かさと大切さを説いた絵本である。ムサンナ県教育局が、日本の科学技術や環境問題などに関する取り組みに強い関心を持っていることから選ばれた。

折り紙の解説書と折り紙がセットになった『折り紙キット』は、日本の伝統文化であり海外でも評価の高い「折り紙」をイラクの子供たちに紹介するために選ばれた。子供たちが読むだけでなく自ら手を動かして工作できる点や、自衛隊員とのコミュニケーションの媒体にもなりうる点も考慮された。

この図書の寄贈は、イラク戦争とその後のテロの頻発で傷ついたイラクの子供たちに将来に対する希望を持ってもらうこと、そして日本の児童図書や折り紙を通じて日本文化を感じ、日本に親近感を持ってもらうことを目的とした。ムサンナ県の教育関係者によれば『折り紙キット』は小学校高学年の工作の時間にも使われているという。また陸上自衛隊関係者も、折り紙キットや児童図書の寄贈によって、現地の子供たちと教育関係者に予想以上の親しみをもって接してもらったとの感想を述べている[★49]。戦争で本を読むことの少なかった子供たちは図書をとても喜んだ。このような機会を通じ、子供たちは平和を実感することが出来るに違いない。

### ❖日本のアニメを触媒とした緊急援助隊の受け入れ

停戦直後は平和維持、緊急人道援助、さらには復旧のために軍隊が派遣されることが多いが、紛争中に軍人による攻撃や殺戮を目の当たりにした人々は制服を着用した軍隊、特に外国の軍隊に対しては、警戒感が強い。このような時にツールとしての文化が警戒感の緩和に役立つ。

例えば日本の自衛隊は紛争後のイラク復興支援のためにサマーワで給水活動を行った際、給水車に現地でアラビア語でも放送されていた日本のアニメ『キャプテン翼』のキャラクターのシールを貼ることで子供たち、さらには地元のコミュニティとの関係がスムーズになったと報告されている[★50]。これはテレビのアニメ放映と人道緊急援助が組み合わされた事例である。

『キャプテン翼』は『Captain Majed』のタイトルでアラビア語に翻訳されていた。既に主人公の「大空翼という名のサッカー選手」の少年期を描いた旧作品はサッカーの盛んな中東全域で放映され、大人気を博していた。世界で活躍するプロサッカー選手に育った大空翼を少年期の回想シーンを交えて描いた作品のアラビア語版が二〇〇五年に完成し、その作品の放映を希望するイラク・メディア・ネットワーク（Iraqi Media Network＝ＩＭＮ）の要請に応え、国際交流基金が外務省とアニメーション・インターナショナル・ミドル・イーストの協力を得て、ＩＭＮに対して二〇〇六年にシリーズ全五二話を無償提供した。

プロサッカー選手になったキャプテン・マシード（大空翼）がヨーロッパのサッカー・リーグで世界のトップ・プレイヤーたちと競い合いながら友情をはぐくみ、さらに成長する模様が描かれており、アニメに登場する青年たちがサッカーを通じて精神的・人間的に成長していくエピソードがイラクの子供たちに夢を与え、励みになったといわれている[★51]。

### ❖文化を触媒としたトラウマのケア

特定非営利活動法人ＪＥＮは、緊急援助の場合でも心のケアを事業のひとつに挙げている。スリランカでは反政府勢力、タミール・イーラム解放の虎（Liberation Tigers of Tamil Eelam＝ＬＴＴＥ）とシンハラ人からなる政府軍の紛争が二〇年以上続いており、二〇〇七年一月に津波でも被害を受けたバティカロアで政府の掃討作戦のために大規模な軍事衝突が発生した。

ＪＥＮは、スリランカで二〇〇四年一二月のスマトラ沖の地震と津波後支援を開始した。ＪＥＮは大量に発生した避難民が帰還したワカライ郡で帰還民支援を行ったが、この地域は津波と紛争の二重の被害を受けた地域である。この地域の人々はもともと漁業で生計をたてていたが、軍事的に港が使われるようになり、漁業が出来なくなっていた。そこでJENは漁協と協力し漁具の配布をするとともに魚網製作、修繕の訓練をした。

この地域は八回にわたって避難を強制され、津波後の支援も十分に行き届いておらず、心理的なストレスの高い地域であったことから、訓練とあわせてJENはソーシャルワーカーを通じたカウンセリングを実施した。その際、魚網づくりをしているところで話を聞いた方がスムーズに話が聞けたという報告がされている。スリランカの文化では人に弱みを見せたり、弱音をはくことは恥ずかしいこととされているが、同じ被災体験を漁民同士が共有することで不安な気持ちや焦りがうすれていくと報告されている[★52]。

魚網づくりは帰還民の自立支援につながるものであるが、同時に心のケアにも役立った例である。また、魚網の配布は外部支援への依存心をおこすが、配布するのは一回であり、魚網を自分たちでつくり、修理できるようになればその効果は長続きする。また、魚網づくりや修理の研修では、漁協単位での人間関係の再構築にもつながり、カウンセリングとあわせて漁民としてのアイデンティティを取り戻し、心的外傷後ストレス障害（Post-Traumatic Stress Disorder＝PTSD）緩和にも役立つことが期待されると報告されている。

## 6 復興——紛争後の心の平和構築

武力紛争がある程度収束すると復興段階に入る。この段階は、どの解釈の立場にあっても平和構築に含まれる。紛争終結後に元紛争地が復興していくためには破壊された建物、道路、住宅、学校、送電網など、インフラの改修、ガバナンスの確立、経済発展、DDRや、新しい雇用の創出などが必要なことは言うまでもない。しかし、平和が本格的に根付くためには、さらに紛争当事者間の和解、紛争地住民の自らの誇りの回復、紛争で傷ついた心のケア、加えて民主化支援が不可欠である。

武力衝突した住民の間では、紛争前以上に相互憎悪が深まる。この憎しみが緩和・解消されなければ、新たな紛争を招きかねない。そのためには紛争前平和構築でも求められた相手の文化の理解・尊重が必要である。紛争で傷ついた心のケアは、相手を赦す心を育むことにもつながる。紛争当事者間の和解を促進するための様々な対話を支援するのも一つの文化交流活動である。

たとえば、旧ユーゴスラビア解体後、熾烈な民族紛争が展開されたバルカン地域の復興のために、民族浄化や大量虐殺まで行われた民族間での対話が試みられている。二〇〇五年三月にはブルガリアのシンクタンクである民主主義研究所によって「南東欧の欧州連合加盟の見通しと安全保障」と題する会議が開かれた。また同年一〇月にはベオグラードで欧州平和発展研究所が開催した「西バルカン諸国における民族融和に関する会議」を、日本の国際交流基金が支援している。この他、様々な和解のための対話が開催されており、これを支援していくことで和解への道を開いていくことも重要である。

武力衝突の下で逃げ回り、家族を虐殺され、村を焼かれ本来の生活基盤を失った多くの人々は、それとともに自らの誇りも失うことが多い。この尊厳を回復することが、復興に向かう住民の気力を回復することにもつながる。人々の気力や活力は復興を促し、さらにそれが人々を鼓舞する。文化的伝統の復興に直接協力していくこともその一つの方策であり、歴史的遺跡などの修復は平和安定後の観光収入にもつながっていく。

### ❖紛争当事者の和解——バルカン室内管弦楽団

旧ユーゴ紛争で民族の対立が先鋭化した南東欧地域の民族間の融和と「共栄」をめざし、コソボ・フィルハーモニー交響楽団首席指揮者の柳澤寿男が、紛争後はじめてのマルチ・エスニックオーケストラであるバルカン室内管弦楽団を二〇〇七年に設立した。柳澤が首席指揮者を務めるコソボ・フィルハーモニーはその前身プリシュティナ放送管弦楽団を引き継ぎ、二〇〇〇年にスタートした。

プリシュティナ放送管弦楽団当時は、セルビア人、アルバニア人、トルコ人、ボスニア人などがメンバーとなる多民族混成であったが、紛争中に解体され、コソボ・フィルハーモニーが結成された時にはアルバニア人のみによって構成される楽団となった。コソボ・フィルハーモニーのみならず、旧ユーゴ地域には多民族構成によるオーケストラはなかった。柳澤は二〇〇四年から二〇〇七年までマケドニア歌劇場のオーケストラの指揮者を務めていたが、二〇〇七年三月にローマ条約締結五〇周年を記念したコンサートがコソボで開催された際にコソボ・フィルハーモニーで客演した。

その際、楽団員のひとりがコソボ紛争当時、家族がセルビア警察に自宅を追われ、マケドニアに逃げ延びた経験を語りつつ、当時コソボの独立をめぐり、いつセルビアが攻めてくるかわからない状況であったため、演奏会前には「セルビアが再び攻撃してくる場合は、楽器を置き、武器を手にとって戦う」と言っていたにもかかわらず、演奏会後、「音楽に国境はない」としみじみと語ったという。

この経験がきっかけとなり、柳澤は旧ユーゴ紛争で対立した人々がともに演奏するバルカンの多民族混成オーケストラの結成を決意した[★53]。そして二〇〇七年に、まずアルバニア人とマケドニア人によるバルカン室内管弦楽団を設立し、その後セルビア人も参加して民族共栄のための演奏活動を続けている。これまでマケドニアのスコピエ、コソボ・プリシュティナ、ミトロヴィッツア、東京、サラエボで演奏している。

最初のうちは練習のために楽団員が集まっても挨拶もしない状況だったが、練習を重ねて一緒に演奏しているうちに異なった民族の楽団員同士が打ち解けていったと報告されている[★54]。

## ❖紛争地住民の誇りの回復

### (1)アフガニスタン・イスタリフ焼の復興支援

誇りの回復を目指した伝統産業の復興の事例としては、アフガニスタンでタリバンの攻撃に晒され中断を余儀なくされたイスタリフ焼の復活支援活動がある。イスタリフは首都カブールの北、約五〇キロにあり、三〇〇年もの歴史を持つアフガニスタンの伝統的な焼きものの産地である。しかしながら、イスタリフはタジク人の多い村であったため一九九六年にタリバンの攻撃を受け、村は壊滅し、家も窯も徹底的に破壊された。

タリバン政権が二〇〇一年に崩壊した後、難民としてパキスタンやイランに逃れていたイスタリフの住民が少しずつ戻り、再び窯に火が入ったが、かつての熟練陶工は姿を消し、若者が昔の伝統技術を試行錯誤でよみがえらせ、ろくろを回している状況であった。もともと四、五〇軒あったという窯元は戦争により壊滅したが、二〇〇三年には三軒、二〇〇五年には約四〇軒と陶器産業の復興が軌道に乗りつつある。国際交流基金は二〇〇三年、日本から専門家調査団を現地に派遣し、アフガニスタンの陶工との交流、現地の窯業の視察、小規模ワークショップを実施し、今後の日本とアフガニスタンの陶芸家交流事業の足掛かりとした。

二〇〇五年には、イスタリフ村の陶工一三名、アフガニスタン情報文化観光省の担当官一名と現地協力団体であるＮＰＯ職員一名の計一五名を日本へ招聘した。イスタリフでは陶芸は家業となっており、来日したのはイスタリフの窯元の約三分の一にあたる一三家族の跡取りたちであった。

一行は、愛知県瀬戸市、常滑市、砥部市、大分県日田市(小鹿田焼)、福岡県東峰村(小石原焼)など、各地の陶芸が盛んな地域を訪問した。陶房・窯元見学、近代化された日本の電動式ろくろの実地体験を通して、日本の陶芸文化・技術の視察や研修、日本の陶工、陶芸家、窯業、陶芸・焼きものを土地の文化および地場産業とする行政関係者との交流を行った。イスタリフの陶工たちは、日本の陶工との交流によって、粘土から空気を抜く技術、皿のデザイン、絵付けなどの陶芸技術を学びとり、イスタリフ焼復興への決意を新たにしたという。

訪日研修の成果として、それまで使用していたトチ（焼きものと焼きものの間に挟み重ねて釜焼きするための道具。それまでのものは三足式で脚が付いている為に痕が残ってしまい商品価値が下がっていたので、日本研修の際に日本の陶芸家に相談、日本人陶芸家より一七〇〇個の日本式トチが贈られた）が改良されたことがあげられる。また研修により、新しい形・新しいデザインの焼きものが増えた。研修の波及効果として、訪日研修を受けた陶工によるワークショップが現地で開催されたこともあげられる。

二〇〇九年一二月にはフォローアップ招聘事業が実施された。具体的には、ガス窯製作研修で小型のガス窯を専門家と一緒に製作した。また石膏型を使用した成型及び大型陶器作成の研修が行われ、大型陶器の見学と製作、石膏型を使用した製作、石膏型の製作が行われた。陶工たちは、「日本で学んだ技術を活かし、国の産業を発展させたい」、「いくら見ていても疲れを感じないほど楽しかった」などの感想を残した。

自らも陶芸を学んだことがあるというアフガニスタン情報文化観光省のモハメド・ナーデルは、「イスタリフの陶工たちは、アフガニスタンの陶芸を復活させるために、日本の近代的な陶芸と伝統的な陶芸の両方から学んだことを活かすであろう。……次回はアフガニスタンに日本の専門家を招きたい」と述べた[★55]。

招聘したアフガニスタンの陶工たちは帰国後、伝統的なイスタリフ焼に積極的に取り組むとともに新しいデザインの作品も多く開発し、製作している。この事業は元紛争地において人々の誇りの源泉となる伝統文化復興の一助となり、陶器産業の再生を契機とする今後の地域経済の復興へはずみをつけたといえよう。

### (2)アンコール遺跡修復保存事業

復興段階には文化財の修復が必要となることも多い。この修復保存事業を支援することも重要である。カンボジア・アンコール遺跡は九世紀から一五世紀にかけてカンボジア北西部に繁栄したクメール王朝の旧跡である。同王朝の最大版図は現在のタイ東北部、ラオス、ベトナムの一部にまで及び、現在のカンボジアの基となったとされる。アンコール遺跡は王朝の優れた建設技術・文化的洗練を現在につたえる世界的に重要な文化遺産であるのみならず、カンボジアの伝統文化と国民統合の象徴でもある。しかし、長らく放置されたことで風化が進み、一九七〇年の内戦勃発も追い打ちとなり、遺跡は大きな被害を受けた。

一部は崩壊の危機に瀕した遺跡の修復事業は一九九四年から二〇一〇年にわたり、UNESCO文化遺産保存日本信託基金の協力の下、日本国政府アンコール遺跡救済チーム（Japanese Government Team for Safeguarding Angkor＝JSA）とカンボジア・アプサラ機構により実施された。この修復保存工事には、日本の大学研究者から石工職人まで専門家延べ六五〇名が投入されており、カンボジア人遺跡修復専門家の人材育成、技術移転にも力を入れている。この事例は、その他の紛争後の文化財の修復の参考になるとして高い国際的評価を受けている。修復・保存事業の一〇周年記念会議にはノロドム・シアヌーク（Norodom Sihanouk）前国王が「国際社会がクメールの過去の復興に協力してくれたことにより、カンボジアは再び未来を信じることができるようになった」とのメッセージを寄せた［★56］。

このような文化財修復保存事業は紛争地の住民の和解、住民の誇りの回復に役立つと共にあわせて将来の観光資源の確保という両面を持つ平和構築活動である。

### ❖紛争で傷ついた心のケア

紛争で傷ついた住民、特に子供の心の傷を癒すことは紛争後平和構築の重要な要素である。親や兄弟、親戚、友達が殺されることを目の当たりにしてきた子供たちの心を癒し、将来に希望を持てるようなケアを実施し、あわせて父兄や教師にも新たな希望を与えた事例としてインドネシア・アチェや東ティモール、またイラクでの活動を挙げておきたい。

### (1)アチェの子供たちのための演劇ワークショップ

インドネシアのアチェ州では一九八〇年代後半に分離・独立を目指すGAMの動きが活発化し、それを阻止しようとしたインドネシア国軍との抗争が激化した。当時のスハルト大統領は、アチェ人の独立の夢を砕くために軍事作戦を展開しており、GAMとの関係が疑われるだけで命を奪われることもあったという。国軍とGAMの抗争は数千から二万とも言われる多くの死傷者を出した。アチェでは拷問、失踪、村全体の粛清などが日常的に繰り返され、そのため外の世界から完全に封じ込められていた[★57]。アンリ・デュナン・センターをはじめとする様々な調停努力が行われたが、なかなか和平合意は成立しなかった。

二〇〇四年一二月二六日のスマトラ沖地震と地震による津波によってアチェは甚大な被害を受け、震災復興が対立する当事者間の共通目標になったことから、フィンランド前大統領のアハティサーリの仲介により二〇〇五年八月、ようやく和平合意が成立した。これにより三十年余にわたった抗争に終止符が打たれた。しかし、和平合意が成立したことでアチェが長年続いた紛争状態から即脱却したわけではない。和平合意はあくまで政治的な合意であり、アチェ人の生活に染みついた暴力の文化をそう簡単に払拭することはできないと現地関係者は口をそろえた。アハティサーリの和平交渉が成功した後に派遣されたアチェ監視団(Aceh Monitoring Mission＝AMM)は「アチェの人々は深い傷を負っている。いまだに癒えていない傷がある」と指摘した[★58]。

地震・津波の被害が世界中から注目を集め、アチェでも海外からの支援活動が盛んになったが、ほとんどの支援が地震・津波の被災者を対象としており、紛争被害者への支援は手薄になった。中でも紛争の被害を受けた子供たちの心のケアにまでは手が回らなかった。

そこで二〇〇七年四月、国際交流基金は、児童・一般人向け演劇ワークショップの経験が豊富な専門家、花崎攝とすずきこーたの二人をアチェに派遣し、九日間のワークショップを行った。このプロジェクトはアチェ人の人気ストーリー・テラーで、俳優でもあるアグス・ヌール・アマル（Agus Nur Amal）や、作家でもあるアズハリ（Azhari Aiyub）など五名のファシリテーターや、子供の引率者四名の協力を得て、バンダ・アチェ郊外のサレー谷で演劇ワークショップが実施された。

活動にあたってはアチェ現地のＮＧＯコミュニタス・ティカール・パンダン（Komunitas Tikar Pandan）の協力により、アチェ州の中でも特に紛争の被害が大きかったピディ県、北アチェ県、中部アチェ県からそれぞれ一〇名の中高生を選抜した。中高生たちは同じアチェ人でありながら、独立賛成派のＧＡＭや反対派の国軍のいずれか、あるいは双方に親や親類を殺されるなど、異なった経験をもつ。出身地域やバックグラウンドの違いを越えて編成されたグループで、演劇ゲームや詩の創作、即興音楽の作曲など自由に表現する活動を行った。しかしワークショップでは紛争下で成長した参加生徒の心理状態が予想以上に不安定だったため、紛争を直接テーマにすることは避け、劇や詩の創作、音楽を体験した後、「アチェの未来について」をテーマにした演劇を創作した。

ワークショップの最後には子供たちの父兄を招き、バンダ・アチェ市内のアチェ・コミュニティ・センターでグループが創作した演劇を発表した。このワークショップを通じて、紛争の被害を受けたのは自分たちだけではなく、敵だと思っていた側の子供たちも同じように被害を受け、同じように家族を失ったり、つらい体験をしたことを具体的に共感でき、仲間としてお互いを再認識するきっかけとなった。

アチェでは他の紛争地とは異なり、その伝統文化から、子供や子供を養育している女性たちを兵士として紛争に参加させなかった。それだけに児童兵士として戦闘の前線を経験した地域の子供たちとは異なり、アチェの子供たちはより近い将来の担い手として期待できる。それでもアズハリは「アチェの紛争において、子供たちや女性は親や親類を殺されるという物理的被害を受けたが、それ以外にも長年続いた紛争で十分な教育を受ける機会を奪われた。そしてアチェの村々は外の世界との交流・交友から疎遠になり、経済、政治、社会、文化的側面で孤立してしまった。その結果、アチェ人は猜疑心を強く持つようになった」とアチェの抱える問題の深刻さを指摘する[★59]。

またアズハリは「ワークショップは子ども達とその両親に、日本という遠い外の世界を垣間見せ、歌や踊り、そして対話の世界を開いたことによって、アチェの人々の孤立感を和らげ、子ども達の中に大きな希望を生んだ。そして、自分達の村とアチェのために何かをやってみたいという意思が生まれた」と、ワークショップを評価した。

### (2) 劇団「風の子」による演劇ワークショップ

平和構築の中で心の傷を癒していく活動として、東ティモールの独立をめぐる紛争事例を挙げておきたい。長らくインドネシアの占領から独立を求めていた東ティモールは、一九九九年の国民投票で独立を選択したが、投票結果が判明した直後から独立に反対する併合派民兵によると思われる発砲、殺害、放火などの破壊行為が発生した。子供たちはこの騒乱で暴力に晒され、虐殺を目の当たりにし、心に深い傷を負った。そして難民キャンプや国内避難民キャンプに収容されたが、いつ自分の故郷に帰れるかもわからず、教育も十分に受けられない状況で、長く苦しい避難民生活を余儀なくされた。国連東ティモール暫定行政機構(United Nations Transition Administration in East Timor＝UNTAET)、国連東ティモール支援ミッション(United Nations Mission of Support to East Timor＝UNMISET)が平和維持と復興のために東ティモールに派遣され、ようやく独立をはたした。

二〇〇五年三月一八日から二五日まで、国内外で子供たちを対象にした演劇活動を実施する日本の劇団

「風の子」が建国間もない東ティモールの首都ディリ、元避難民が多く住むインドネシア領西ティモールのアタンブアと、ジャカルタの三都市を訪問した。

それぞれの公演では、劇団「風の子」による寸劇『小さい劇場』が上演され、手のみ、ないし簡単な道具のみを用いた演技に多大な関心が寄せられた。さらに公演やワークショップ以外にも、一行は現地政府の案内で元避難民キャンプや地元の子供たちが遊ぶ海岸を訪れ、簡単な手遊びのデモンストレーションを行った。最初は警戒して近づいてこなかった子供たちも、折り紙や「風の子」メンバーがリードする手や体を使った遊びに加わるうち、徐々に心を和ませ、熱中していった。子供たちは「風の子」の上演を食い入るように見つめた。

このワークショップを一過性のもので終わらせず、教育の現場で生かしてもらえるように、現地の教師をはじめとする教育関係者を対象に、身近にある紙や段ボールなどを使って子供の想像力を豊かにするワークショップもあわせて開催された。このように元紛争地では、紛争の爪痕をどのように回復するかという視点が重要である。その際、文化的要素を用いた教育は重要な役割をはたす。

### ❖民主化支援

民主化支援としては、ガバナンスのための政策支援、議会の設置、選挙制度導入・実施、司法整備などがあげられる。日本政府はＯＤＡにあたっては、経済開発と民生の向上を目的として、長らく受け入れ国の内政にかかわることを意識的に避けてきた。しかしながら、冷戦後内戦が増加し、紛争後の復興支援では国造り、いわゆるガバナンス支援が不可欠になってきた状況の中で民主化支援も視野に入れるようになった。

一九九二年ならびに二〇〇三年に改訂されたＯＤＡ大綱では、援助実施に関する原則の一つに民主化促進があげられている。ＯＤＡの実施機関であるＪＩＣＡによると、日本政府の民主化支援の特徴は、「欧米流の民主主義体制の拡大そのものではなく、相手国の主体性を重視し、基本的自由の尊重や人権の擁護・保護に向けた民主的発展を長期的視野から支援することにある」[★60]という。JICAは、議会における立法能力、法案・予算案の審議能力強化に資する立法支援を実施している。具体的なプログラムとしては、議員や議会スタッフを対象とした立法機能と役割に関する研修、専門家派遣等を通じた立法府の組織・制度支援、行政府に対する監視能力の強化、議員と選挙民の関係改善、政党活動支援などがあげられる。そのために日本の第二次世界大戦以降の民主化の経験を紹介するセミナーが開催されている[★61]。

また、民主化支援では法整備支援が重要な位置を占めるが、とりわけ日本では軍事力によらない平和構築支援として重視されている。ODA大綱において直接的に「平和構築支援」という表現は用いられていないが、法制度整備への支援は謳われている。日本政府は受け入れ国からの要請を受け、ODAの枠組みを用いて一九九六年から法整備支援を実施している。対象国にはベトナムを皮切りにカンボジア、ラオス、インドネシアの東南アジア諸国や、ウズベキスタン、モンゴル、さらに韓国、中国も含まれる[★62]。これらの支援には日本弁護士連合会(日弁連)やJICAが参画している。法整備支援の具体的内容は立法支援、法の運営支援などだが、人材の育成にも力を注いでおり、たとえばカンボジアでは民事裁判官研修も実施している。

民主的な国家をつくるためには、自由で独立したメディアの発達も欠かせない。そのために言論の自由を確保するとともに、国づくりに関する情報を提供する積極的な役割を担わせる必要がある。日本はタリバン政権崩壊後のアフガニスタンのテレビ放送を支援している。音楽、演劇などの文化的媒体を支援に使うことで一般国民が表現の自由を行使している実感を得られる環境を作ること、メディアを通じて、紛争中に抑圧されて教育の機会を得ることができなかった女性、子供を支援すること、なども忘れてはならない点である。

### (1)東ティモールにおける青少年の政治参画とコミュニティ・ラジオ

多くの途上国や紛争地域に見られるように、東ティモールでは子供が人口の大半を占めており、彼らを対象とした支援活動は、紛争後の安定と平和に重要な役割をはたすと期待されている。特に東ティモールでは独立に際して若者が重要な役割を担ったが、その間彼らは教育を受けられず、紛争後には就学や就職もできず、言語政策などでも疎外されたため、その不満と脆弱性ゆえに不安定要因ともなってきた。

UNICEFは、国連東ティモール統合ミッション(United Nations Integrated Mission in Timor-Leste＝UNMIT)の各部門とも協力しながら、子供のための活動として、保健と栄養、基礎教育、水と衛生、子供の保護に加え、青少年政策や若者国会などを通じた若者の参加の促進と、コミュニティ・ラジオなどの活動を行っている。

二〇〇七年にUNICEFは東ティモール初の青少年政策(National Youth Policy)の策定を支援した。青少年の定義を一六歳から三〇歳とし、若者の責任ある市民としての生活の奨励、教育や職業訓練を通じた若者の可能性の発掘、コミュニティーサービス、社会・文化的活動、若者同士の交流を通じた国家の結束の強化、若者の健康の促進を目的とした。

またUNICEFはラモス・ホルタ(José Ramos-Horta)大統領の依頼を受け、二〇〇七年以来、若者国会(Youth Parliament)の設立を、青少年スポーツ庁を通じて支援してきた。二〇〇九年には閣議了承を経て法制化され、二〇一〇年には初めての選挙と若者国会が開催される。若者国会の目的は、若者が自らの社会について学び、関心事を話し合い、その意見を社会に聞いてもらうこと、また将来を担う若者のリーダーシップ能力を高める機会とすることである。

議員は、全国の郡から選出される一二歳から一七歳の男女それぞれ六五名で構成される。任期は二年で、政党には加盟せず、その選出においては、特に恵まれない状況の子供の参加を促進するよう定められている。

若者国会は年一回、国会閉会中の八月に各委員会別に審議討論を行い、国会に意見書を提出する。また、議員は地方に戻り報告を行ったうえで、年間計画を立て実施する。選出された青少年議員に対しては、市民教育、リーダーシップ教育、ライフ・スキル訓練、国際交流、国際会議開催等の機会を与えることが計画されている[★63]。

また平和構築の過程で、正確な情報を提供し、コミュニティの意見を反映させるコミュニティ・ラジオの役割は重要である。UNICEFは子供に関する問題について視聴者の関心を喚起し、子供の声を聞く機会を増やすことを目的とし、コミュニティ・ラジオを通しての子供の参加を支援している。「子どもの声」プロジェクトでは、各県ごとに中学生を中心に子供による番組作成と放送が行われている。このプログラムにより、子供たちにも東ティモールの発展に自ら関わっていることを実感してもらうことができ、子供や若者が自分たちのプログラムへの反応や効果をモニター、評価できるようになっている。またこの事業を通して子供たちが自らの社会の状況を変革していくための安全で支援的な環境を提供できるよう、指導者の育成も行われている。

### (2)アフガニスタンにおける地雷回避教育

元紛争地では地雷回避教育が現地の住民や子供達の被害を少なくするために重要な役割をはたす。アフガニスタンは世界有数の地雷汚染国といわれており、今なお地雷や不発弾自己による犠牲者が絶えない。難民を助ける会は一九九九年にアフガニスタンのカブールで地雷除去支援を開始し、二〇〇二年にカブールに事務所を開設して以降は地雷回避教育も手掛けている。二〇〇五年からは地雷回避教育のための移動映画教室も実施している。

移動映画教室とは、機材を車に積み、アフガニスタンの村々を移動し、映画を通して地雷や不発弾の危険から身を守る方法を伝える取り組みである。アフガニスタンでは社会基盤が整備されておらず、地方に行くほど様々な情報が得にくくなる。

地雷や不発弾に関する情報に関しても例外ではない。地雷被害者の約四〇パーセントは一八歳以下の子供である[★64]。おもちゃだと思ってしまったり、危ないとわかっていても家計を助けるために鉄くずを拾おうと地雷や不発弾に触れてしまうのである。正しい知識を多くの人に伝え、少しでも地雷や不発弾の被害に遭う人を減らすため、難民を助ける会では移動映画教室を開始した。

上映される映画は『帰郷』と『我が祖国』という二本の作品である。『帰郷』は避難先の隣国から帰還する人々が、その途中で地雷と不発弾の恐ろしさを学ぶストーリーであり、『我が祖国』は地雷除去に携わる人々の活躍と地雷回避教育の現状を負ったドキュメンタリーである。アフガニスタンでは大都市でも娯楽が乏しく、移動映画教室は多くの人々にとって楽しみとなっている。

一方で映画を初めて見るという人も多く、映画に対する関心は非常に高い。重要なメッセージを伝えるのに適した媒体である[★65]。二〇〇五年から開始したこの移動映画教室では、二〇〇九年六月までに約四五〇〇回の授業が行われ、二二万人の人々が受講した[★66]。受講した参加者からは、「地雷や不発弾の恐ろしさについて何となく知っていたけど、見つけてもどうしたら良いかわからなかった。この授業を受けて、地雷や不発弾がどのような場所にあり、見つけたらどうしたらいいのかわかった」、「地雷や不発弾が怖いと知った。家に帰ったら兄弟にも地雷について教えてあげたい」というコメントが寄せられている[★67]。

アフガニスタンでは移動映画教室を各地で実施しているが、まだアフガニスタンでは全ての地域で道路が整備されておらず、治安の面からも全土を回ることは困難である。そこでより多くの人々に地雷の危険を伝えるため、二〇〇七年度より地雷の危険を喚起するラジオドラマの作成、放送を行っている。

また「難民を助ける会」ではアフガニスタンで地雷回避教育の教材開発を行い、パンフレット等の教材を制作、配布している。「難民を助ける会」が作成した地雷回避教育の教材がアフガニスタン教育省の正式教材に認定され、二〇〇七年アフガニスタンで国として初めて公立学校で本格的な地雷回避教育が国連と共同で行われることになった[★68]。

教材の目的は、子供たちが地雷の恐ろしさを知り、地雷の被害に遭わない方法を学ぶことである。また地雷被害者も含め、障害者に対する意識を変えていくことも目指している。教材は試作版の完成後、子供たちにメッセージが伝わるかどうかを実際にカブールやその周辺の学校で調査を行い、その後、教育省や国連、関連するNGOで構成される教材審査委員会の審査を受ける。そこで出された意見を基に修正を加え、教材は完成し、教育省から承認も受けた。この教材の作成にあたり、女の子の写真を一枚も使えなかった。女性の被害者もいるし、被害に遭う可能性もあるが、現地の文化を考慮し、教材作成委員会から許可が出なかった。この教材は二万セット作成され、まず危険地帯にある公立学校を優先して九〇〇〇校に配布された[★69]。映画、ラジオやパンフレットなどが地雷回避教育の効果を高める触媒となった事例である。

## 7 人間の安全保障実現のための「リソース・触媒」としての文化イニシャティブ

これまで見てきたように、平和構築において文化関連活動は重要な役割をはたす。また武力紛争を防止する「触媒」として、紛争後に平和を定着させる「リソース」として、今後さらに大きな役割をはたす可能性を秘めている。元紛争地における児童演劇は、「演劇は生活を反映するものであり、安全な環境で様々な感情を経験することができる場」であり、「作品を通じて子ども達が生きることの意味、希望と夢を知ることができる」[★70]と評価されている。紛争直後の不安定な時期には、政治的活動は警戒されがちであるが、文化活動であれば抵抗感が和らぐ。

本章で紹介した文化イニシャティブの事例は紛争の時間軸で整理したが、実際には複数の段階にかかる場合が多い。文化イニシャティブの役割で整理すれば、対立者の信頼醸成、紛争地の文化の保存とエンカレッジメント、そして紛争地の人々の心の平和構築が目的である。

また、日本で対話や会議を開催したり、上演、公演を招聘した場合や、現地で活動を行った場合もあれば、近隣の第三国で行った場合もある。現地で文化関連活動を実施できれば、インドネシア・アチェの事例に見たように多くの住民の参加を得ることができ、インパクトは大きい。その反面、対立が激しく現地では参加者が集まり難いという場合は、紛争当事者ではない日本がファシリテーターとなって対話や出会いを実現することも一つの方法であろう。

日本で紛争地の文化作品を紹介する場合は、相手国の文化に対する日本の関心の高さを示して文化活動を奨励し、現地関係者の矜持の回復を助けることができる。また、日本文化という新しい世界を知ってもらい、異文化に対する許容度を高めることによって、現地の対立や憎悪を和らげることでトレランス・ビルディング(融和)につなげることができる。

いうまでもなく、一度の訪日研修、一回の劇団公演やワークショップによって紛争地の平和のために播ける種や希望はわずかであろう。参加した現地の人々の心を癒すことができたとしても、それは大海の一滴にすぎないという指摘もある。住民の夢や希望を政治のうねりや暴力の応酬がすべて押し流していく厳しい現実もあることを忘れてはならない。

食べることもままならず、安全に住める家も失い、難民キャンプで暮らしている時、戦争が終わり武装解除されても仕事がなく、家族を食べさせる収入もない時に「何が文化だ。それより食糧、家屋、建物、道路だ」という声も強い。アフガニスタンにイスタリフ焼を復興させるよりも廉価なプラスチック食器の工場をつくった方が経済復興に寄与するという主張や、国際社会の経済支援が不十分だったからこそアフガニスタンに再びケシの花が咲いているではないかといった声も決して小さくはない。

しかし、約五割の再発率といわれる地域紛争の悪循環を断ち切り、平和を根付かせるためには政治、社会、経済、文化のすべてが包括的なシステムとして機能することが不可欠である。たとえ学校が修復されても、そこで教える人々や学ぶ子供たちの心に紛争の影が色濃く残っていては、設備も十分には生かされない。人々の心が乱れていては紛争に戻るのは必至である。

長い目でみた平和と安定には、人間の心が本来の姿に立ち戻り、憎悪や対立を超えて将来に希望が持てる環境が絶対的に必要である。戦争しか知らない子供たちに、平和な生活がどのような可能性を秘めているかを体験してもらうことで平和の尊さを実感してもらうことは、武力紛争へのエスカレート、あるいは紛争再発を防止することにもつながるだろう。政治対話は難しくとも「文化」を触媒とする活動や対話は関係者にとっても受け入れやすい。このような心の平和構築が紛争地の人々の人間の安全保障を実現するひとつの方法である。

紛争原因のひとつに複数の文化の確執があることを念頭に、文化イニシャティブを通じた平和構築を実践していくことが、紛争に後戻りしない基盤をつくり、本格的な平和の定着につながって行くことになるだろう。

註

★1――Uppsala University, 'Uppsala Conflict Data Program', http://www.ucdp.uu.se/database（二〇一〇年五月六日最終アクセス）

★2―世界銀行編（田村勝省訳）『戦乱下の開発政策』シュプリンガー・フェアラーク東京、二〇〇四年、七六、八五頁

★3―カトゥリ・メリカリオ（脇阪紀行訳）『平和構築の仕事――フィンランド前大統領アハティサーリとアチェ和平交渉』明石書店、二〇〇七年

★4―同右、八〇‐八一頁

★5―Boutros Boutros-Ghali, 'An Agenda for Peace: Preventive Diplomacy, Peacemaking and Peace-keeping (Report of the Secretary-General Pursuant to the Statement Adopted by the Summit Meeting of the Security Council on 31 January 1992)', UN Doc, A/47/277-S/24111, 17 June 1992.

★6―United Nations General Assembly, 'Report of the Secretary-General on the Implementation of the Report of the Panel on United Nations Peace Operations', UN Doc, A/55/502, 20 October, 2000, para.13.

★7―United Nations, *A More Secure World: Our Shared* Responsibility: *Report of the High-level Panel on Threats, Challenges and Chage*, New York, United Nations, 2004.

★8―United Nations Secretary-General, Report of the Secretary-General, 'In Larger Freedom: Towards Development, Security, and Human Rights for All', UN Doc, A/59/2005, 21 March, 2005.

★9―筆者による国連本部事務局関係者へのインタビューより（二〇〇八年一月一六日）。山内麻里「国連における平和構築の潮流――平和構築委員会設立」（『外務省調査月報』No.2、二〇〇六年一一月一一日発行、二六‐二七頁）

★10―山内、前掲、三七‐四〇頁

★11―外務省「国連平和構築委員会（概要）」http://www.mofa.go.jp/mofaj/gaiko/peace_b/gaiyo.html（二〇一〇年五月二〇日最終アクセス）

★12―山内、前掲、三〇頁

★13―同右、三七‐四〇頁

★14―UNDP, *Reflections on the State Institutions-Building Support in Timor-Leste: Capacity Development, Integrating Mission, and Financial Challenges*, UNDP Oslo Governance Centre, 2004, pp.15-16.

★15―等雄一郎「平和構築支援の課題――序説」（『レファレンス』国立国会図書館調査局及び立法考査局、二〇〇七年三月、九‐一〇頁）

★16―小泉純一郎総理大臣演説「創造的パートナーシップに向けて――アジア協会主催講演会」二〇〇二年五月一日、

シドニー、http://www.mofa.go.jp/mofaj/press/enzetsu/14/ekoi_0501.html（二〇一〇年五月二〇日最終アクセス）

★17――松橋和夫「『総合調査――平和構築支援の課題』刊行にあたって」（『レファレンス』国立国会図書館調査局及び立法考査局、二〇〇七年三月、一頁）

★18――福田康夫総理大臣演説「第一六九回国会における福田内閣総理大臣施政方針演説」二〇〇八年一月一八日、http://www.kantei.go.jp/jp/hukudaspeech/2008/01/18housin.html（二〇一〇年五月二〇日最終アクセス）

★19――麻生太郎外務大臣演説「平和構築者の『寺子屋』をつくります A School to Build Peace Builders」二〇〇八年八月二九日、外務省・国連大学共催「平和構築を担う人材とは　アジアにおける平和構築分野の人材育成に関するセミナー」UNハウス（ウ・タントホール）における基調講演、http://www.mofa.go.jp/mofaj/press/enzetsu/18/easo_0829.html（二〇一〇年五月二〇日最終アクセス）

★20――広島平和構築人材育成センターの詳細については、広島平和構築人材育成センターのウェブサイトを参照のこと。http://www.peacebuilderscenter.jp/about.html（二〇一〇年五月二〇日最終アクセス）

★21――高村正彦外務大臣演説「平和の創り手『日本』」、二〇〇八年一月二四日、http://www.mofa.go.jp/mofaj/press/enzetsu/20/ekmr_0124.html（二〇一〇年五月二〇日最終アクセス）

★22――同右

★23――星野俊也「平和構築の時代――日本がリードする人間の安全保障＋国家機能の再建」（『外交フォーラム』二〇〇七年一一月、三〇－三一頁）

★24――岡田克也外務大臣演説「『紛争後の平和構築』における安保理公開討論――岡田外務大臣ステートメント（仮訳）」二〇一〇年四月一六日、ニューヨーク国連安保理議場、http://www.mofa.go.jp/mofaj/press/enzetsu/22/eokd_0416.html（二〇一〇年五月二〇日最終アクセス）

★25――外務省「国際連合加盟五〇周年記念　人間の安全保障国際シンポジウム『紛争後の平和構築における人間の安全保障――人道支援から開発への移行』（概要）」二〇〇六年一二月、http://www.mofa.go.jp/mofaj/gaiko/hs/smp_06120 6g.html（二〇一〇年五月二〇日最終アクセス）

★26――同右

★27――麻生太郎外務大臣演説「国際連合加盟五〇周年記念　人間の安全保障国際シンポジウム『紛争後の平和構築における人間の安全保障――人道支援から開発への移行』における開会の辞」、二〇〇八年一二月六日http://www.mofa.

go.jp/mofaj/press/enzetsu/18/easo_1206.html（二〇一〇年五月二〇日最終アクセス）

★28—星野、前掲、三〇-三一頁

★29—佐藤安信「平和構築論の射程——難民から学ぶ平和構築をめざして」（高橋哲哉、山影進編『人間の安全保障』東京大学出版会、二〇〇八年、二一六頁）

★30—篠田英朗「人間の安全保障の観点からみたアフリカの平和構築——コンゴ民主共和国の『内戦』に焦点をあてて」（望月克哉編『人間の安全保障の射程——アフリカにおける課題』アジア経済研究所ＩＤＥ-ＪＥＴＲＯ研究双書、No.550、二〇〇六年、二五頁）

★31—山影進「地球社会の課題と人間の安全保障」（高橋哲哉、山影進編、前掲、一六-一七頁）

★32—阿部利洋『真実委員会という選択』岩波書店、二〇〇八年、三五-四八頁

★33—同右、一五六頁

★34—Boutros Boutros-Ghali., *op.cit.*

★35—United Nations, *An Agenda for Development*, New York, United Nations, 1997.

★36—人間の安全保障委員会『安全保障の今日的課題』朝日新聞社、二〇〇三年、一一頁

★37—文化外交の推進に関する懇談会報告書『「文化交流の平和国家」日本の創造を』内閣官房、二〇〇四年、三頁

★38—http://www.conis.uni-hd.de

★39—メリカリオ、前掲、七〇頁

★40—聖地のこどもを支える会『聖地のこどもニュース　オリーブの木』二〇〇五年八月号

★41—ピース・キッズ・サッカー『二〇〇五年度活動報告書』二〇〇六年四月

★42—黒川妙子「カシミール絵本国際編集会議の概要」（ＩＣＬＣニュースレター２００４年春号）

★43—日本でのガド氏の講演「アフリカの民主化における漫画　報道の自由と風刺漫画」より（二〇〇七年七月一三日）

★44—読売新聞「イラク、演劇で『文化復興』　お金より自由、政党の援助拒む」二〇〇三年七月一六日、九面

★45—同右

★46—国際交流基金『文化が創る国際平和』国際交流基金、二〇〇八年、一四頁

★47—「渡邊えり子のこの人に聞きたい　アル・ムルワッス」（『せりふの時代』Vol.34、二〇〇五年、一六九-一七三頁）

★48―青山学院大学国際交流共同研究センター『平和の為の文化イニャティブの役割 Good Practices』青山学院大学国際交流共同研究センター、二〇一〇年、二七一―二七二頁

★49―国際交流基金、前掲、二三―二四頁

★50―外務省「在サマーワ連絡事務所より サマーワ『キャプテン翼』大作戦――給水車が運ぶ夢と希望」二〇〇五年一二月、http://www.mofa.go.jp/mofaj/area/iraq/renraku_j_0412a.html（二〇一〇年五月一九日アクセス）

★51―国際交流基金、前掲、三三頁

★52―青山学院大学国際交流共同研究センター、前掲、二〇〇頁

★53―青山学院大学国際交流共同研究センター、『平和の為の文化イニシャティブの役割（中間報告書）』青山学院大学国際交流共同研究センター、二〇〇九年、一一四頁

★54―同右、一五五頁

★55―国際交流基金、前掲、二七頁

★56―同右、二八―二九頁

★57―メリカリオ、前掲、四二頁

★58―同右、二六〇頁

★59―国際交流基金、前掲、三〇頁

★60―JICA『JICAにおけるガバナンス支援――民主的な制度づくり、行政機能の向上、法整備支援――調査研究報告書』二〇〇四年、二三頁

★61―同右、四一頁。

★62―落美都里「我が国の法整備支援の現状と問題点 法分野からの平和構築」（『レファレンス』国立国会図書館調査局及び立法考査局、二〇〇七年三月、一〇〇頁）

★63―青山学院大学国際交流共同研究センター、前掲、二〇〇九年、三一三―三一四頁

★64―難民を助ける会「雪ニモ負ケズ、砂嵐ニモ負ケズ 移動映画教室がアフガニスタンの学校を回ります」二〇〇九年八月二五日 http://www.aarjapan.gr.jp/lib/act/act0908-2afghanistan.html（二〇一〇年五月二〇日最終アクセス）

★65―難民を助ける会「映画で育て！ アフガニスタンの若い世代」http://www.aarjapan.gr.jp/lib/act/act0611-1afghanistan.html（二〇一〇年五月二〇日最終アクセス）

★66──難民を助ける会、前掲、二〇〇九年八月二五日

★67──同右

★68──難民を助ける会「アフガニスタンの公立学校で地雷回避教育が本格始動」二〇〇八年三月三日、http://www.aarjapan.gr.jp/lib/act/act0803-1afganistan.html（二〇〇八年五月二〇日最終アクセス）

★69──同右

★70──二〇〇七年「国際児童・青少年演劇フェスティバルおきなわ」におけるイギリスのヴィッキー・アイルランド（Vicky Ireland）、アート・イン・アクション会長のコメントに基づく

# 第8章 欠けていた国内政策としての視点

パリ政治学院国際問題研究所（Centre d'Etudes et de Recherches Internationales＝CERI）の平和・人間の安全保障プログラム所長であるシャルバナウ・タジバクシュ（Shahrbanou Tadjbakhsh）は、「人間の安全保障」は「北で創出されたと考えられていた。つまり、人間の安全保障は南に北の価値や政治形態を押し付け、内政に介入し、そしてODAに条件を設ける口実を作るためのものだと考えられていた」と指摘して、「人間の安全保障」は南北の差を拡大するものなのか、それとも南北の分断に橋渡しをするものなのか、と問題提起している[★1]。第6章で紹介したアジア各国の「人間の安全保障」に対する態度からもわかるように、一部の国々には先進国の価値観の押し付けを嫌う傾向がある。

「南」の諸国から、このような反発が起こった背景には、「人間の安全保障」がこれまで途上国向けの開発援助や外交政策と位置づけられており、先進国が自国内の「人間の安全保障」についてほとんど関心を向けてこなかったことがあろう。唯一、第5章で紹介したカナダの都市部における「人間の安全保障」への取り組みという例外はあるが、それも政権交代の影響も受け、十分に実践されたとはいい難い。

本章では国内政策としての「人間の安全保障」に焦点をあてて考察してみたい。

## 1　国内政策としての「人間の安全保障」

国内問題としての「人間の安全保障」という観点から見ると、感染症を含む保健衛生、自然災害などが端的な課題例としてあげられよう。二〇〇五年にアメリカを襲ったハリケーン・カトリーナや、二〇〇九年の中国四川省大地震、ミャンマーのサイクロン、二〇一〇年のハイチ地震、また世界中で感染者を出しているＨＩＶ／ＡＩＤＳや二〇〇九年にメキシコから日本にも感染が広がった豚インフルエンザ（新型インフルエンザ）にみられるように、保健衛生や自然災害は途上国、新興国、先進国を問わず、国際的課題であることはもとより、共通の国内問題でもある。

また一地域、国家内での多民族の混住は社会の安定を損なう一つの要因となりうる。多民族や多文化の国内共生と言う観点から見た場合の国内政策、特に先進国で問題になっているのが、グローバル化の進展に伴って増加した移民や出稼ぎ労働者、そして内戦型紛争から逃れてくる難民の流入である。国際移住機関（International Organization for Migration＝ＩＯＭ）の統計によると、世界人口の三五人に一人が、国籍国ではない国で生活している［★2］。

少子化による人口減少が課題となっている諸国は、経済活動を維持するために海外からの労働力を受け入れねばならない。しかし、地域社会があまりに高い比率で外国人を受け入れようとすれば、軋轢が生じることは不可避であり、異なった「文化の衝突（clash of cultures）」が問題になってくる。外国人労働者は比較的低賃金で就労する場合が多く、そこでホスト社会の住民の職を奪うことになり、より、当然、社会の不安定要因になりかねない。以下ではフランスとオーストラリアの事例を採り上げ、問題の所在を考察していく。

## ❖イスラム・ヘッドスカーフ事件と移民青年たちのデモ

人口移動に伴う社会問題は様々な形で表出しているが、記憶に新しい事例のひとつは、フランスにおけるイスラム・ヘッドスカーフ事件である。これは一九八九年にパリ郊外のクレイユ市にある公立中学校で校長の指示に従わず、校内でヘッドスカーフを着用し続けたイスラム教徒の女子学生が退学処分を受けた事件である。これはヘッドスカーフの着用の是非をめぐって大論争を引き起こした。

ヘッドスカーフを着用する女子生徒のほとんどがイスラム教徒であり、スカーフはイスラム教のシンボルとみなされている。しかし、フランスは元来政教分離の立場をとり、公共の場所では特定の宗教を標榜することが禁じられている。よってヘッドスカーフを公立学校で着用することは第五共和制憲法第一条に謳われている「非宗教性（laïcité）」[★3]の原理に反するというのが校長の考え方であり、結果的に学生の退学にまで至ってしまった。

その一方では、ヘッドスカーフの着用を禁止することは個人の信教の自由、そして憲法や人権宣言で保障されている表現の自由を脅かすという反論が展開された。さらに人権団体はイスラム教徒や移民に対する差別、排除であると主張した。

ヘッドスカーフ事件は論争の末、二〇〇三年には学校でヘッドスカーフを着用することを禁止する法律が国会に提出される事態に発展した。イスラム教徒に対する差別だという批判もおきたが、宗教を公共に持ち込まない政教分離、あるいは非宗教性を主張する意見は強く、結局、法律によるヘッドスカーフ着用禁止が支持された。

こうして「非宗教性の原則の適用により公立初等学校、コレージュ、リセにおける宗教的帰属を表明する標章及び服装の着用を枠づける法律」（通称スカーフ法）が成立した。フランスでは非宗教性はフランス共和国の基本的な原則とされ、憲法にも反映されているが、移民に対する文脈で用いられるようになったのは、このスカーフ事件の後だと言われている。

結果的に、二〇〇四年九月から、学校でのヘッドスカーフ着用は禁止された。二〇〇四年五月の国民教育相通達によると、同法で禁止の対象になるとされたのは「宗教的帰属が直接的に認識されるもの」で例えばイスラムのヘッドスカーフ、ユダヤ教のキッパ、「明らかに極端な大きさの十字架」などとされている。なお、この法律では、目立たない宗教的標章や宗教的な意義のないアクセサリーの着用は認められている。

ちなみに同法は公立学校でのスカーフの着用を禁止しただけで、私立学校には適用されていない。ただし、フランスでは私立学校の多くはカトリック校であり、ユダヤ人にはユダヤ人学校があるため公立学校に通う必要がない。すなわち公立校しか選択の余地のないイスラム教徒が、この法律の標的になったという指摘もある[★4]。

事件の背景には、一九六〇年代後半の高度経済成長期に、労働力が不足したフランスがゲストワーカー(季節労働者、出稼ぎ労働者)や移民を積極的に受け入れ、ヨーロッパ最大のムスリム国になったことがある。一九七〇年代、経済成長鈍化の影響を受けて移民受け入れを制限する政策に転じたが、それ以前に移民した人々は家族を呼び寄せ、フランスに定住するようになっていた。現在はフランスの人口の八パーセントがイスラム教徒とされ、その数は約五〇〇万人にのぼるといわれている。イスラム・ヘッドスカーフ事件での論争は、単にイスラム教徒の問題にとどまらず、移民の第二、第三世代を如何にフランス社会に統合させるかという論点にも広がった。これらは労働者不足から国外から労働者を受け入れざるを得ない国々に共通の問題でもある。

フランスでは一九八三年に、移民出身の青年たちが平等を求める「ブールの行進」と呼ばれるデモが発生し、このデモはフランス移民第二世代の全国的な政治運動に拡大した。これはフランス社会になかなか受け入れられない移民の不満が表面化したものであった。一九九〇年代にも移民が社会参加を求める運動が各地で展開され、移民居住地のゲットー化という社会問題が採り上げられた。

また二〇〇五年一〇月には、移民のティーンエイジャーが警察官に追われて死亡する事件をきっかけに移民系住民の暴動が発生し、約二カ月間続いた。この事件は一〇月二七日にパリ郊外の工事現場に入り込んでいた子供のグループが、警官がパトロールに来たのを見て逃げ出し、発電所に隠れた。そしてゼイド・ベンナ(Zyed Benna)とボウナ・トラオレ(Bouna Traore)という二人の子供が感電死したのである。事件は警察への憤りに火をつけ、これがパリ郊外の他の貧しい地域にも広がり、移民系住民と警官との衝突、車の焼き討ち、公共ビルへの放火にまで発展した。

当初、騒擾はパリ地域に限られていたが、就職難を不満に持つアフリカ系移民第二世代、第三世代の若者たちが決起し、トゥルーズ、リール、ストラスブール、マルセイユ、リヨンなどの貧困層の住む地域にも広がった。この騒動では、何千台もの自動車が燃やされ、約二九〇〇人が逮捕された。これはヨーロッパが移民、特にイスラム教徒を社会に統合できなかったことの表れと指摘された[★5]が、実際に暴動に加わった人々の中にはアフリカ系移民のみならず、ポルトガルからの移民第二世代や、フランス人も多く含まれていたという。

肌の色が濃いことで差別されたり、アラブ系やアフリカ系の名前というだけで就職できないこともあるなどの現実から、暴動の主たる原因は、フランス社会がイスラム教徒の移民を差別してきたことであるとされた。その一方で、非宗教性の原則そのものが問題であるとの声も聞かれた。アフリカ系移民たちの積年の怒りと反発に、フランス社会に受け入れられていないという不満を持つ、それ以外の移民も加わって爆発したというのが実態に近いのではないだろうか。一九九二年にアメリカのロサンジェルスで起きた黒人青年の殴打から始まった大暴動もこの範疇で捉えられる。その他、いわゆるヘイトクライム(hate crime)は各地で発生している。

移民や難民などの社会への受け入れについては、フランスのみならず、オランダ、イギリスやスペインにおいても同様の問題が発生している。九・一一アメリカ同時多発テロ以降、これらの国々でイスラム教徒の移民によるテロが発生し、逆にこれらの国々に居住する移民が外国でテロを行うという事件も相次いだ。

フランスのみならず、ヨーロッパは各国で既存の国民国家の内部に多民族・多文化社会を生み出している。自らの権利を主張するエスニック・コミュニティと、これらの人々に雇用を奪われることを懸念するホスト社会の住民たちの相剋は抜きがたい。国民国家のアイデンティティを守るために国民文化を強調し始めると、相剋は深まり、反動的なナショナリズムが勃興しかねない状況も生まれる。

フランスでは移民・難民排斥とフランス文化の保護を訴える「国民戦線」のような極右政党が一定の支持を集めており、オーストリアの自由党、ドイツの外国人労働者攻撃で知られるネオ・ナチ、イギリスやロシアにはイスラム教徒やアフリカ系住民などをねらった爆破事件で知られる「白いオオカミ」を名乗るグループもある。これらは生活不安と文化不安がいりまじって発生しているとも指摘されている[★6]。

一国家内での多民族混住に如何に対応するか。それは「人間の安全保障」を考える上で大きな課題となりつつある。

### ❖オーストラリアのハンソン論争

このような状況は、ヨーロッパに限ったことではない。例えば、オーストラリアのポーリン・ハンソン(Paurine Lee Hanson)による論争と、ワン・ネイション党(One Nation Party)設立もグローバリゼーションが生み出した問題のひとつである。これは、ハンソン連邦下院議員(当時)が一九九六年九月に連邦議会で、オーストラリアの先住民族やアジア系移民に対する人種差別的演説を行ったことにはじまり、これがワン・ネイション党成立にもつながった。

そもそもハンソンは、クイーンズランド州の州都ブリスベン郊外のイプスイッチ市の市議会議員であった。当時、同氏の選挙区であるクイーンズランド州の小島の返還を求める先住民、アボリジニの権利に関する裁判が行われており、当該地が白人の所有になっていても有効に利用されていない場合には、アボリジニが返還を求めれば返還するか補償しなければ人種差別にあたるとの判決が出た為、政府が補償手続きを始めていた。ハンソンはこれを批判したのである。白人の権利を擁護する、この演説は牧畜業者や鉱山会社をはじめとする一部の国民からも支持された。

ハンソンは先住民族であるアボリジニのみならずアジア系移民にも言及し、「一九八〇年代より増加したアジア系移民によってオーストラリア人の職が奪われている。いずれオーストラリアはアジア人に乗っ取られてしまうので、アジア移民を制限すべし」[★7]と演説して連邦議員に立候補し、一九九六年の総選挙では圧倒的な支持を得て当選した。

その後もハンソンはアジア系移民を攻撃しつづけたために東南アジア各国、特にマレーシアの反発を招き、国際問題にまで発展した。事態を収拾するため一九九六年一〇月にはオーストラリア連邦上下院において人種差別決議が採択され、ハンソンの意見がオーストラリア国民を代表する見解ではないことを明らかにすることで事態の収拾が図られた。

一時的に支持者を増やしたハンソンの主張ではあったが、次第にその勢いは失われていった。ワン・ネイション党もハンソン党首の党運営への反発から離党者が続き、一九九八年の選挙で敗れると、翌一九九九年には事実上解体したのである。二〇一〇年、ハンソンはイギリスへ移住した。ただ、ワン・ネイション党が事実上解体した後も、こうしたアジア系移民や先住民排斥の考えを持つ小グループは依然として残っているといわれる。オーストラリアの隣国、ニュージーランドでも、似たような主張を行う「ニュージーランド第一主義党」が一九八〇年代に結成され、一九九〇年代に勢力を強めたことがあった。

オーストラリアでは、二〇〇〇年以降、増加したインドからの移民・留学生によって就職の機会を奪われるなど、これらをよく思わない風潮があらわれはじめ、インド人への差別が表面化した。二〇〇八年頃からは、特にインド人が襲撃される事件がメルボルンやシドニーなどで多発し、二〇〇八年には届けが出されているだけで一四〇〇人あまりのインド系住民が何らかの被害にあったとされる[★8]。大半は金品を奪って暴力をふるうケースが占めるが、シーク教寺院への放火や殺人も発生しており、現地では「カレーバッシング(Curry Bashing)」と呼ばれるまでにエスカレートした。

インドのマンモハン・シン(Manmohan Singh)首相とオーストラリアのケビン・ラッド(Kevin Michael Rudd)首相(当時)が電話会談を行い、事態の収拾に努めたが襲撃はおさまらなかった。オーストラリアの留学生関連の教育産業は石炭、鉄鉱石に次ぐ規模であり、二〇〇七年から二〇〇八年の売上は約一〇〇億ドル(約九二〇〇億円)に上ったが、二〇一〇年にはインド人留学生が約二〇パーセント以上減少し、それに伴い留学生関連事業の収入も二〇〇九年より六九〇〇万ドル(約六三億円)以上減ると予測されている[★9]。

多文化共生社会の実現に努めていると評価されてきたオーストラリアでも、このような問題は残る。

## ❖国際人口移動がもたらす問題

多民族混住に起因する社会問題は近年になって発生したものではなく、以前より存在していた。ただ、人口移動の方向が現在とは異なっていた。第二次世界大戦以前は、日本からハワイやブラジルなどへの官制移民が行われたが、その他にも西欧諸国から新興国への移民が主流であった。しかし、第二次世界大戦後はフランスの事例でみたように経済復興や高度成長に伴い、先進国では労働力が不足し、外国人労働者や移民を受け入れ始めた結果、より高い収入を求めて途上国から先進国に人口が流入した。これらの外国人労働者はまず出稼ぎ労働者として移動するが、その後本国に帰国せず、家族も呼び寄せて定住することが増えた。そのため出稼ぎ労働者の世代は帰国しても子供達は祖国に順応できず、再び戻ってくるケースも増えている。

また外国人労働者は、互助の必要性や信仰する宗教施設の近隣に居住する場合が多いため、民族ごとに特定地域に集中して定住するようになり、エスニック・コミュニティが形成される。エスニック・コミュニティの中で伝統文化が維持され、祖国の言語教育が行われ、レストランや日用品を売る商店もでき、ひとつの独立した社会を形成されるのである。混住といっても地域社会と隔絶したエスニック・コミュニティはホスト社会と軋轢をおこすこともあり、外国人労働者や移民の流入が続く先進国では、この傾向は今後さらに進むことが予想される。

冷戦後の内戦型紛争により祖国を逃れた難民たちは、紛争収束後、難民帰還事業によって帰国が推進されるが、一部の難民は祖国に戻ることなく逃れた土地に定住するようになっている。こうしたことも国際的な人口移動の増加につながっている。今後、人口移動は地球規模に拡大し、加速、多様化するだろうと予測されている[★10]。また、人口移動の女性化も指摘されている。かつて移民は男性の単身出稼ぎが中心であったが、家族の呼び寄せによる女性移民の増加と、女性自身の出稼ぎが増えているのである[★11]。さらにはヨーロッパにおけるイスラム教徒の人口移動も注目される。フランスの事例にみたように、イスラム教徒をホスト社会がどのように受容していくかは、今日の大きな課題である。

これらに十分かつ適切な対処をしなければ、新たな紛争の火種となろう。国内にエスニック・グループの間の対立、差別問題を抱えていては、先進国といえども国内の「人間の安全保障」が確保できているとは言えない。まして、外交政策として「人間の安全保障」を振りかざすような資格はない。

では、この問題にどのような対策が行われているか、以下で採り上げたい。

## 2　シティズンシップへの取り組み

### ✣多文化主義・多文化共生

多文化主義（multiculturalism）は、カナダにおいて一九六〇年代からイギリス系とフランス系住民を対象とする二文化主義（biculturalism）に対する概念として用いられた言葉である。一九七一年にピエール・トルドー（Pierre Elliott Trudeau）首相（当時）が「二言語主義の枠内での多文化主義政策」の採択を宣言したのが、政治の場で多文化主義という言葉が用いられたはじめとされる[★12]。以降、カナダは多文化主義を積極的に政策に採り入れ、この分野における先進国と評される。また一九七〇年代に白豪主義を転換し、非白人の移民に門戸を開放したオーストラリアでも多文化主義が政策として積極的に実践されている。

関根政美慶應義塾大学教授によると、多文化主義とは、異なった文化や言語を持つ人々が社会に入ってくる過程で発生する摩擦・紛争を防ぎ、社会の安定的な統合のために考え出されたものであり、それまでの同化政策を否定し、無理に一つの分野や言語に同化させるよりも、さまざまな異なる文化の共生をはかろうという考え方である。

また多文化共生とは各人種、民族、エスニック集団（移民・難民、外国人労働者、周辺地域少数民族等）の伝統的文化、言語、生活習慣を中央政府が積極的に保護し、維持するために公的援助を行うばかりではなく、人種差別禁止、アファーマティブ・アクション（affirmative action）を導入して、エスニック・マイノリティの教育や職業を基軸とした社会参加を促し、平等に取り扱うことにより各集団の不満の蓄積を防ごうとするもの[★13]であると位置付けられている。

多民族混住が進む中、どのような多文化主義に基づいた多文化共生が進められているのか、多文化主義先進国と呼ばれるカナダ、オーストラリア、そしてグローバル化の進展とともに多民族の混住が進展するヨーロッパ、最後に日本の事例を考察したい。

### ❖カナダの場合

人口の六割を占めるイギリス系移民と、人口の三割を占め、ケベック州を中心に居住するフランス系移民がいるカナダは、多文化主義発祥の国である。独立当時は、イギリス系とフランス系住民を平等に取り扱う二文化主義が採用されていたが、フランス系移民は、人口で圧倒的優位に立つイギリス系移民からの分離・独立を主張し、長らく対立の歴史をたどった。カナダで連邦政府の政治家の演説を聞くと、その出身に関わりなく英語とフランス語を必ず織り交ぜていることがわかるだろう。

建国当初、英仏からの移民が中心であったカナダだが、一八九六年以降一九一一年まで、穀物価格の高騰を受けてイギリスやアメリカだけでなく、ウクライナ、ポーランド、ハンガリー、ルーマニアなど東欧や中欧からの、農業に従事する移民が急増した[★14]。さらにカナダ西海岸には、アジア系の人々が炭坑や鉄道工事や工場生産などに従事する労働力として移住した。

これらの非英仏系の移民は厳しい人種差別を受けた。ブリティッシュ・コロンビア州では、白人層がアジア移民排斥法案を可決し続け、一九〇七年には白人の差別主義者が中国人街と日本人街を襲撃する「バンクーバー事件」も発生した。連邦政府はアジア系移民を排斥するブリティッシュ・コロンビア州の姿勢に拒否権を発動しつづけたが、差別は続いた。アジア系移民に対しては西欧的文化への同化が求められ、学校教育においても「アングロ・コンフォーミズム」と呼ばれたイギリス系カリキュラムが用いられた。しかも「同化」とは名ばかりで、イギリス系カナダ人は非英仏系のアジアや中東欧出身の移民を決して対等の市民として認めなかった。

第一次世界大戦後の一九一九年から一九三〇年までは、鉄道建設など経済活動が活発になり、カナダへの移民は再び増加する。経済的な必要性から、非英仏系移民への規制が緩和されたのである[★15]。まず一九二五年、連邦政府と主要鉄道会社との間で中東欧諸国からの移民を促進すべく「鉄道協定」が結ばれた。これは一九三〇年まで続き、この間の中東欧諸国からの移民は一七万人に及んだ。結果的にカナダは人種差別の激しい「垂直のモザイク」社会とも呼ばれることになったのである。

一九二九年からの大恐慌で移民政策は制限に転じた。特にユダヤ系移民への反発が厳しく、上陸拒否まで行われた。アジア系の移民についても中国系は移民禁止、日本系移民は年間一五〇人までという上限が設けられ、第二次世界大戦が勃発すると約二万二〇〇〇人の日系人が財産を没収され、内陸部へ強制移住させられた。

このように非英仏系への差別が続く中でも、それまでの「アングロ・コンフォーミズム」をみなおし、新しい同化のあり方を唱える「メルティング・ポット(すべての民族性を坩堝で溶解し、新たな「カナダ人」を創出する)論」の萌芽が生まれた[★16]。メルティング・ポット論では、移民を人種差別から擁護し、文化面でも非英仏系の人々を尊重して社会に取り込むべき、との主張が展開された。

例えばカナダ太平洋鉄道の広報担当者だったジョン・ギボン(John Murray Gibbon)の『カナダのモザイク(Canadian Mosaic)』(一九三八年)、およびマニトバ大学の英語教師ワトソン・カーコネル(Watson Kirkconnell)の『カナダの複合性(Canadian Overtones)』(一九三五年)などの文献が残っており、そこでは様々な異文化が入ってくることがカナダ社会を豊かにするという論が展開された[★17]。しかし、如何せん戦間期に提唱されたため、この意見がカナダ社会で受け入れられることはなかった。

それでも、これらが現在のカナダの多文化主義政策につながる議論を内包しており、多民族を抱えることが国家の統合を阻むものではないとする考え方の萌芽として、多文化主義につながったとも評価できる。

第二次世界大戦中および戦後には、戦禍や動乱を逃れたヨーロッパからの難民がカナダに流入した。さらに戦後、カナダでは労働力としてアジア系の移民も再び受け入れられるようになった。一九四七年には中国系とインド系の移民への選挙権が認められ、一九六一年には非英仏系の移民の比率が全人口の四分の一に達した。

カナダにおいては一九七一年一〇月、前述のように自由党党首トルドーが下院で多文化主義政策を打ち出し、一九八二年には憲法に「多文化主義」の文言を取り入れた。フランス語と英語の両言語が公用語として認められている他、人種や皮膚の色による差別が禁止され、先住民の権利が認められた。一九八七年にはエスニックな言語や文化の推進を支援する多文化主義法を制定し、さらに一九九七年、カナダ民族遺産省が多文化プログラムをまとめ、「①あらゆる出自のカナダ国民がカナダに帰属意識と愛着をもつアイデンティティの醸成、②市民参加、③公正で平等な処遇」[★18]を謳った。

香港の返還時には中国への編入を嫌った大量の香港人移民を受け入れるなど、さまざまな民族を受け入れるなど、多文化主義の先進国として評価されているカナダで、実際に多文化共生が成功しているか否かについては、評価が分かれる。そもそも分離独立をめざすフランス系移民中心のケベック州の問題はまだ解決されていない。

木村和男筑波大学教授は、カナダは「多文化主義が国家の理念として積極的に提起された国ではあるが、その限界や矛盾がより強く指摘されるようになった」と述べ、特にフランス文化を強調するケベック州民、ケベック優遇に反発する西部の英語系中産層が多文化主義への批判を強めていると指摘している[★19]。

## ✣オーストラリアの場合

先にハンソン論争を紹介したオーストラリアも、現在、多文化主義政策ではカナダと並ぶ先進国とされている。オーストラリアは過去に移住や、移民の公民権を制限する、いわゆる白豪主義(White Australia Policy)によって有色人種移民を排斥していたことで知られる。

オーストラリアは第二次世界大戦後の経済復興のために低賃金労働者が必要となり、大量の非英語系ヨーロッパ人を移住させた。その後も東南アジア地域、特にインドシナの政治的な安定と、やはり低賃金労働者確保を目的に白豪主義から転換し、一九七〇年代半ばからはインドシナ難民やアジア系移民を受け入れた。このころから中国、香港を含むアジア各国からの留学生も増えた。アジア系移民への門戸開放にともない、様々な皮膚の色をした移民や移住者がオーストラリア社会に増え、これらの人々を、ほぼ白人のみで構成されていたホスト社会に、どのように受け入れていくかが課題となった。

そこで一九七〇年代前半のエドワード・ホイットラム(Edward Gough Whitlam)政権下で「多文化主義」が打ち出された[★20]。この段階では、「共通言語としての英語や基本的人権、民主主義などの価値・規範を公的生活の基本」におきつつ、「私的な領域でのエスニック言語、文化の維持」を認め、援助し、「人種・エスニシティをめぐる差別を禁止」することで「非英語系の人々に対して生活機会の平等を保証」する政策が採られたのである。

多文化主義を打ち出したものの、移民をどこまで受け入れるかをめぐっては一九八〇年代に入ると、たびたび論争が起こった。そのきっかけとなったのが、歴史学者ジェフリー・ブレイニー(Geoffrey Norman Blainey)である。一九八四年にブレイニーが講演でアジアからの移民・難民の大量受け入れを批判し、これが報道されると、マスコミ、学会、教育現場で論争が巻き起こった。いわゆるブレイニー論争である。当時、オーストラリアは深刻な不況に見舞われており、高い失業率の下で移民を受け入れることは、失業者をさらに増大させ、社会不安をもたらしかねないとブレイニーは批判したのであった。

この論争を受け、一九八八年には移民政策見直しに関する諮問を受けた連邦移民政策調査委員会の報告書

（通称フィッツジェラルド報告。委員長は初代中国大使を務め、シドニー大学教授であったスティーブン・フィッツジェラルド（Stephen Fitzgerald））が提出され、経済的に効果ある移民政策を実施すべきことが勧告された。

報告書では、オーストラリアの一般の人々にとって多文化主義はオーストラリアの国益に適う政策とはみなされていないと指摘されている。そのためにオーストラリア全体の国益となるような改革を行い、入国する移民の選別に際し、移民の経済的貢献度をより強調し、移民の持つ技能や若さ、英語能力などの基準を厳格にすること、さらに市民権を保持していない移民に対する社会保障サービスのカットにより財政負担を軽減することなどが提言された。また、報告書は移民の国籍取得率の低さがオーストラリア社会の分裂を招きうるとして懸念を示し、国籍の取得はオーストラリアへ貢献する意志の表明であると明示的に位置づけた[★21]。

翌一九八九年には「多文化オーストラリアに向けての国家的課題（National Agenda for a Multicultural Australia）」が発表された。この文書では、多文化主義政策を文化的アイデンティティ（cultural identity）、社会的公正（social justice）、経済的効率（economic efficiency）の三つの側面から基礎づけている。文化的アイデンティティとは、全てのオーストラリア人に、細心に定義された制限の下、言語および宗教を含む個々の文化的遺産を表現し、共有する権利を保障することであり、社会的公正とは、すべてのオーストラリア人に待遇と機会の平等を保障し、人種、民族、文化、宗教、言語、性差または出生地による障害を除去することと定義されている。

またフィッツジェラルド報告の提言をふまえ、多文化主義を人的資源獲得のための手段としても位置づけ、経済的利益に基づいた移民の受け入れという考えも継承している。この報告書では同時に多文化主義の限界と、多文化政策は権利を付与するだけではなく、義務も課するということ、つまりは自らの文化や信念を表明する権利には、他人が自らの考え方や価値観を表明する権利をも受け入れるという相互の責任を伴うということが明記された[★22]。

さらに一九九五年には、一九七五年に制定された連邦人種差別禁止法が修正された。人種的中傷禁止法が盛り込まれ、人種差別的言動に対する罰則が強化された。こうした中、各都市では市当局によって言語・文化維持促進プログラムが設けられ、英語以外の言語の維持が認められ、エスニック・スクールやエスニック・グループに対する福祉サービス、エスニック・メディアへの援助も導入された。また、異なる民族出身者の社会・政治参加を促すために英語教育、通訳・翻訳サービス、教育・就職におけるアファーマティブ・アクションや選挙権付与も実施された。各州にもさまざまな民族の移民のサポートをする委員会が設けられ、「いずれも市民である」との観点から「シティズンシップ」という呼び方でハニーカラー（蜂蜜色）の社会の形成が推進されている。それでもハンソン論争のような事態は発生しており、国内の一部には先住民族アボリジニ優遇政策などへの反発も残されている。

### ❖ヨーロッパの場合

元来、欧州各国には多様な少数民族が居住し、分離・独立を掲げるカタルーニャ地域主義やイタリアの北部同盟などのエスノ・ナショナリズムも存在する。エスニシティの対立は決して新しい課題ではない。しかし、近年欧州において先鋭化している問題は、むしろフランスのイスラム・ヘッドスカーフ事件やアジア、アフリカからの出稼ぎや移民、そしてその第二世代の若者が持つ不満の暴発に見られる様々な亀裂や軋轢である。

西欧諸国においてアジア・アフリカ系移民やイスラム教徒が増加したのは、一九六〇年代から一九七〇年代前半の高度経済成長期である。不足する労働力をまかなうため、大量の移民を受け入れた政策が発端であった。外国人労働者は、自動車、機械製造、道路建設などの単純労働に従事することが多かった。フランスはマグレブ諸国から、イギリスは旧植民地諸国から移民を受け入れ、ドイツはトルコから「ガストアルバイター（臨時労働者）」を受け入れてきた。さらに一九九〇年代以降、東西ドイツの統一や東西冷戦構造の崩壊で東欧からの労働者が急増、またEUの出現とシェンゲン条約の締結により労働力移動も加速した。

ドイツやイギリスでは西欧人労働者階級が郊外に移住し、そのために生まれた空白域に外国人労働者が入居した。外国人労働者は当初は単身で出稼ぎとして各国に移住したが、次第に定住し、家族をよび寄せるようになった。彼らは西欧人が立ち去った後の都市部の家族向け住宅に移り住んだ。多くの移民が一定地域に集中して居住するようになると、イスラム教を実践するためにモスクの建設が始まり、生活のために商店が開かれた。これにより都市部でも移民の集中する地域のイスラム化が進んだ。

これらの外国人住民の雇用は不安定で、移民第二世代の高い失業率は、さまざまな社会問題を引き起こした。また彼らに対する教育問題は特に深刻である。さまざまな理由から学習についてゆけない子供も多く、移民が集中する学校では、学校の教育の質とレベルの低下を理由に西欧人が子供を私立に入れたり、他の学区に移住したりするようになっていった。この移民子弟の学業不振問題は西欧人の移民に対する不満を強めることになった。

一九九〇年代に入ると非EU市民の失業率がEU市民の失業率より大幅に高くなり、大半の加盟国では二倍にのぼった。例えば一九九二年、ベルギーのEU市民失業率が六・三パーセントであったのに対し、非EU市民失業率は二四・五パーセントにのぼった。フランスではそれぞれ九・七パーセント、二六・二パーセント、オランダ五・二パーセント、二三・三パーセント、スウェーデン八・六パーセント、二七・三パーセント、ドイツ六・一パーセント、一〇・四パーセント、イギリス九・七パーセント、一七・一パーセントなどである[★23]。こうした傾向は現在まで続いている（図7参照）。

失業率格差はすべての年齢グループにおいて男性より女性が大きく、移民労働者は非熟練労働セクターの限られた分野に集中している。新しい移民の雇用は教育、保健、介護などの分野で拡大しているが、低賃金

**図7** EU-27主要15カ国失業率

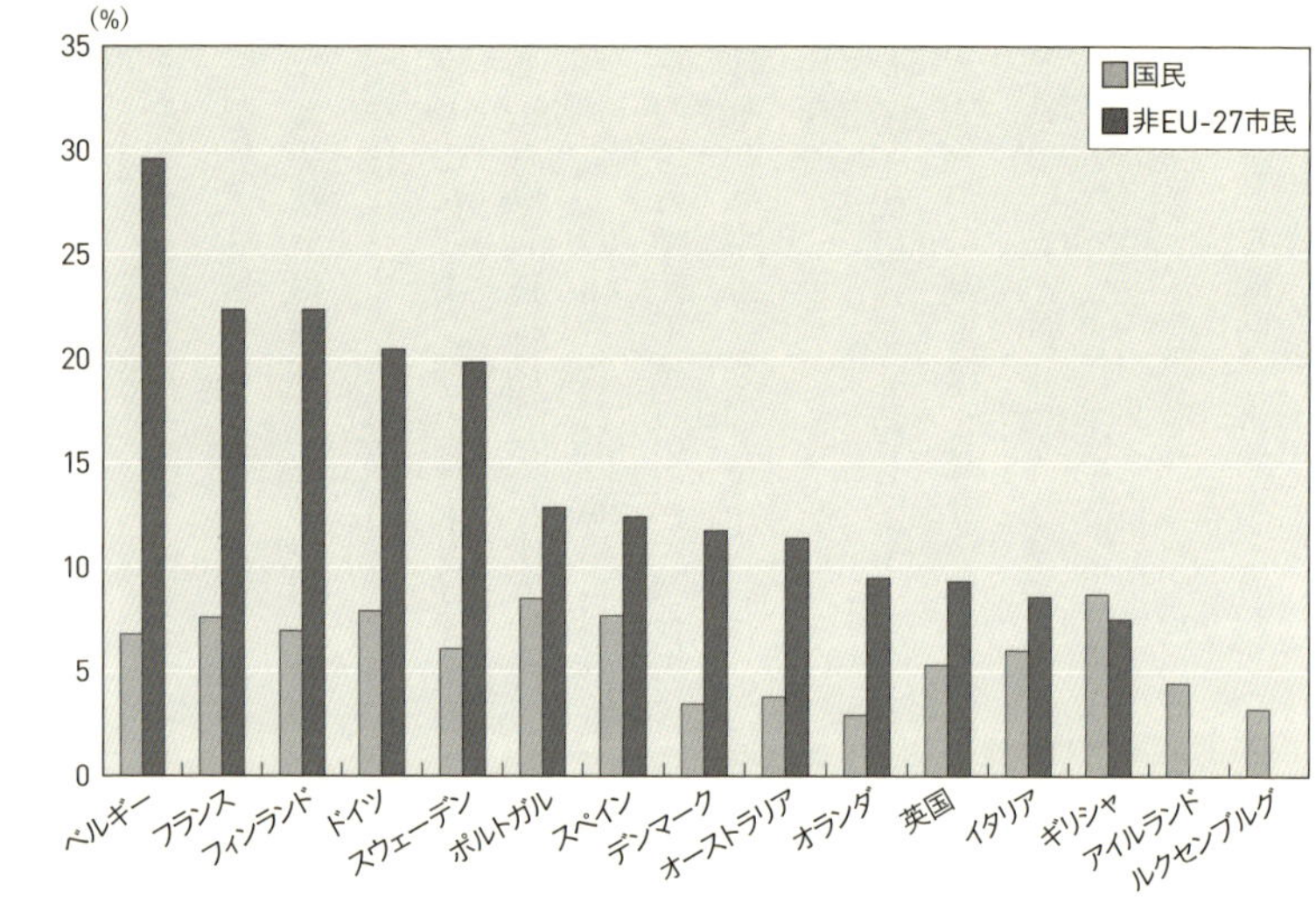


注：アイルランドとルクセンブルグの非EU-27市民失業率のデータなし
出典：EurostatLFS 2007

サービス業に集中している。

　こうした就労格差の一因には、移民第二世代の学歴の低さがある。移民第一世代の親たちは西欧型教育に不信を抱き、一部の第一世代は子供たちの学業不振の原因はアイデンティティの危機であると解釈し、イスラムへの回帰、イスラム教育の導入やコーラン学級の開設を要求している。また第二世代は、社会へのさまざまな不満から西欧のアイデンティティを受け入れることを拒否し、アラブなどのエスニシティに自分のアイデンティティを求める傾向が強まってきている。二〇〇五年一〇月にフランス郊外で発生した暴動（前述）は、この傾向のひとつの表象に過ぎない。フランスで生まれ、フランス語を話し、制度的平等は保障されながら、実際上の差別に苦しむ移民系若者たちが抗議行動に出た事例である。

　近年では、移民の多くがイスラム教徒であることが、欧州社会と衝突を生んでいる側面もある。アンソニー・ギデンズ（Anthony Giddens）（イギリスの社会学者。トニー・ブレア（Anthony Charles Lynton Blair）

元首相のブレーンであり、政治思想面でのバックボーンであった。現在、貴族院議員）は、イスラムと欧州社会との衝突についてイスラムの「時間－空間の再編成」を原因として指摘している[★24]。例えばイスラムには一日五回の祈祷、安息日、断食月、巡礼があるが、ヨーロッパに居住するイスラム教徒は西欧社会の時間と折衷してきた。しかし次第にイスラムの公認や法的にイスラム的時間の認知を求めるようになっている。

現にドイツでは、ムスリム系移民コミュニティがイスラム休日をドイツの国家休日とすることを求め、大きな議論を呼んだこともあった。これは二〇〇四年、イスラム教徒が支持する「緑の党」のクリスティアン・シュトレーベレ（Hans-Christian Ströbele）が、ラマダン断食の最終月に一日イスラム教の休日を設けたいと提案したもので、与野党双方から猛烈な反対が起こり提案は否決された。

ドイツ二大政党の一つ、キリスト教民主同盟党首（当時、後に首相）のアンゲラ・メルケル（Angela Dorothea Merkel）は「ドイツは西洋キリスト教ルーツの上に成り立っている。国家休日はこの国のアイデンティティを正確に反映すべきである。またどの民族集団がこの国で大多数を占めるかに注意すべきである」と述べ、またキリスト教社会同盟のギュンター・ベックシュタイン（Günther Beckstein、バイエルン州内務相・当時）も「キリスト教の休日を特別に保護する理由はわれらの西洋文化と伝統に由来する。イスラム教の休日には当てはまらない[★25]」と提案をはねつけた。

その一方で、イスラム空間の拡大は進行している。例えば、ロンドンやブリュッセルにはイスラミック・センターが設けられており、イスラム教の布教活動が行われている。フランスでは、イスラム教徒がヨーロッパでのイスラム布教活動に従事する聖職者育成のため、イスラム高等教育機関をニェーヴル県に設立する動きを示し、社会問題となった。イスラム教徒が集中して居住する地区に形成される、イスラム系書店、食肉店、雑貨店といった物理的なイスラム空間も西欧社会の反発を受ける。

ヨーロッパ各国には既存のキリスト教社会がある。その中へ、イスラムを宗教としてどう受け止めるか、イスラム教の文化、価値観、風習をどこまで許容すべきか、など論点は多い。イスラム教を公立学校に導入するかは、ヘッドスカーフの着用問題以上の議論となるだろう。一夫多妻制や一二歳から結婚できるといったイスラム教の習慣は、男女平等・個人主義などを重んじる西欧の人権思想と衝突するため、これを多文化主義の名の下に許容するか否かは簡単に結論を出せるような問題ではない。

このような事態に対して、ヨーロッパ各国は西欧への同化政策ではなく「社会統合」という呼びかたで移民を含む様々な少数民族が福祉の枠から外れることのない社会を目指している。統合政策の課題は、個人の自立と社会参加、男女の平等な権利と機会保証、外国人排斥や人種差別の予防といったことであり、EUでは、異文化・異言語の維持と発展、移民・難民・マイノリティの社会・政治参加の推進、受け入れ国の国民への啓発宣伝という柱を立てて政策を実施し、移民やその他のマイノリティをEU各国へ統合すべく努力している。EUの多文化政策の特徴は、雇用、文化、社会、教育、福祉などの各分野を包括的に採り上げ、少数民族のみならずホスト社会にも働きかけていることである。

EUは基本理念として多文化を尊重することを打ち出している。具体的には一九九九年に調印されたアムステルダム条約の中に、第一三条(旧六a条)において、EU理事会は、委員会からの全会一致の提案に基づき、かつ欧州議会と協議の後とはされているものの、性・人種・民族・宗教・障害・年齢・性的傾向による差別と戦うための適当な行動を取ると規定し、差別対策プログラムが立ちあげられている。二〇〇三年六月のテサロニキ欧州理事会では、欧州委員会に移民統合政策の年次報告書(Annual Report on Migration and Integration)の提出が命じられ、移民のデータと各国の政策が報告されている。

二〇〇四年一一月のブリュッセル欧州理事会ではハーグ・プログラム(二〇〇五－一〇年)が合意された。同プログラムは二〇〇一年九月一一日のアメリカにおける同時多発テロ、二〇〇四年三月一一日のマドリッドにおけるテロが契機となって策定されたもので、人の自由な移動に関するEUの亡命者保護、移住、国境政策の協力と情報交換、テロに関する警察・司法協力の強化が謳われている。このような政策面での協調や強化とあわせて、異民族、異文化、異宗教の人々が共生するための「多文化間対話」が促進されている。ドイツが二〇〇八年に立ち上げた欧州多文化間対話の専門家会議なども、その一例と言えよう。

EUは、二〇〇八年を移民や少数民族、その他の社会的弱者への意識向上を目的とする「多文化間対話年」とし、EU、あるいは各国レベルで文化、教育、青少年、スポーツなど様々な分野にまたがる数百ものイベントを開催した。ヒップ・ホップやアーバン・カルチャーをテーマに、欧州の一一カ国・一八都市で二〇〇八年一月から一〇月まで行われたプロジェクト「ダイバーシダド！（Diversidad!）」には、国境を越えてアーティストやミュージシャンが参加した。多数のワークショップが行われ、国籍の異なる多くのアーティストが共同で曲を作りCDをリリースしたり、クロアチアやスイス、ボスニア・ヘルツェゴビナなど一四カ国から集まったアーティストによりDiversidadをテーマにしたCDが作成された[★26]。六月にはウィーンでアーバン・カルチャーの展示会が三日間にわたり開催され、グラフィティ、DJコンテスト、コンサート、ダンス、映画、写真展などが行われた。

プロジェクト「iyouwe Share the World」は、ベルギー・フランス・ドイツ・イタリア・ハンガリー・ポルトガル・イギリスの詩人、画家、音楽家、小学校が共同で取り組む事業で、一年を通して行われた。アーティストは子供たちに、自分の祖国・地域・文化の伝説・物語・昔話・神話を話し、子供たちもアーティストに同様の話をする。小学生一クラスが他国の小学生に物語を送り、受け取ったクラスは芸術的解釈を試みるのである。一連のプロジェクトにともない、美術教育・生涯教育について意見交換するための美術セミナーがブダペストで行われた。これらの活動は参加国のテレビやラジオで紹介されている。多彩なイベントは多文化間対話の促進とEU市民の異文化に対する理解を深めることを目的としており、活動の準備体制や効果を評価し、長期的なフォローアップをするため世論調査や研究も行われる予定である。

こうした移民統合政策が打ち出され、多文化理解促進が図られているにもかかわらず、散発するテロ事件を受けてヨーロッパに居住するイスラム教徒とホスト社会の対立は折々、顕在化してしまう。ときには移民に関する悪いイメージがメディアで流されることもある。このイスラムをめぐる構造的な問題への取り組みは、人間の安全保障確保の側面から大きな課題であると言わざるをえない。

### ✣日本の場合

日本は、アイヌなどの先住民族を抱えながら、単一民族、単一文化、単一言語という意識がきわめて強い国であると言われ、カナダ、オーストラリア、そしてヨーロッパのように多民族が混住する地とは大幅に様相を異にする。しかしながら法務省統計によると、日本においても外国人入国者・登録者数は、近年顕著に増加している(図8参照)。一九五五年には、約五万五〇〇〇人であった外国人入国者数は、一九七〇年には七七万人、一九八〇年には約一三〇万人、一九九〇年には約三五〇万人と急増し、二〇〇六年には約八一〇万人にのぼっている。

外国人登録者数の推移をみると一九五五年には六四万人と日本の総人口の〇・七一パーセントであった割合が一九九五年に一パーセントを超えた。無論、諸外国と比較すればまだまだ少ないが、二〇〇六年には約二〇八万人と総人口の一・六三パーセントを占めるに至っている。もともとの母数が少なかった日本で、これだけ外国人居住者の割合が増加すれば、ホスト社会に影響が出ないということはあり得ない。

日本に居住する外国人は二つに大別される。資本主義が発展し、労働力需要が高まった日本に、低賃金労働力として流入したコリアン労働者は、日本が一九一〇年に大韓帝国を併合する前後から急増した。これらの人々は終戦によって日本の支配が終了しても出身地域への還流がなされず、日本に定住した。そして六〇万人を超えるとも言われる人々が終戦とともに日本国籍を喪失し、外国人となったのである。一九五五

**図8** 外国人入国者数・登録者数の増加

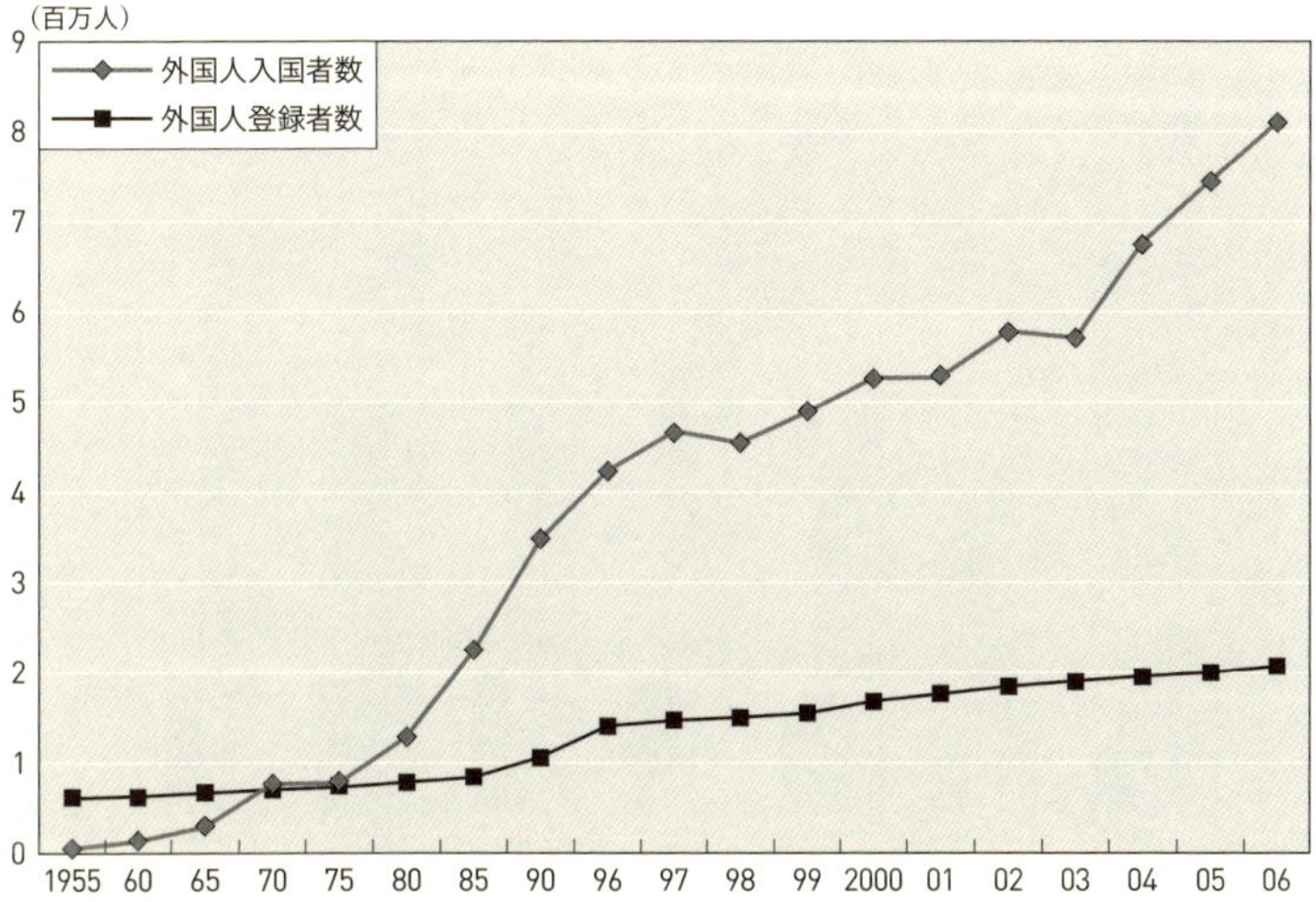


出典：平成19年版「出入国管理」

年当時、約六四万人とされた外国人登録者の多くが、これら在日コリアンのほか、台湾や中国出身の人々であり、彼らは「オールドカマー」とよばれる。

これに対し、非西洋系の外国人、敗戦後に中国に残留した孤児が家族と共に帰還した例や、戦前にブラジルやペルーなど南米に移住した日系移民とその家族が来日し居住している例などは「ニューカマー」とよばれる。ニューカマーの中には、賃金の高い日本へアジアの近隣諸国からの出稼ぎに来ている人々や、図9に示すように、八〇年代後半から積極的に行われた農村部の嫁不足解消運動でアジア近隣諸国からやってきた花嫁などが含まれる。

日本における年間婚姻数に占める国際結婚の割合は一九六五年には〇・四パーセントであったが二〇〇五年には五・八パーセント[★27]に達している。これは単純に日本の国際化の進展とともに国際結婚が増えた面はあるが、農村への海外からの花嫁の増加も含まれる。

農村への海外からの花嫁の受け入れの例として山形県朝日町があげられる。同町はりんごなど果樹栽

**図9** 国際結婚件数の推移

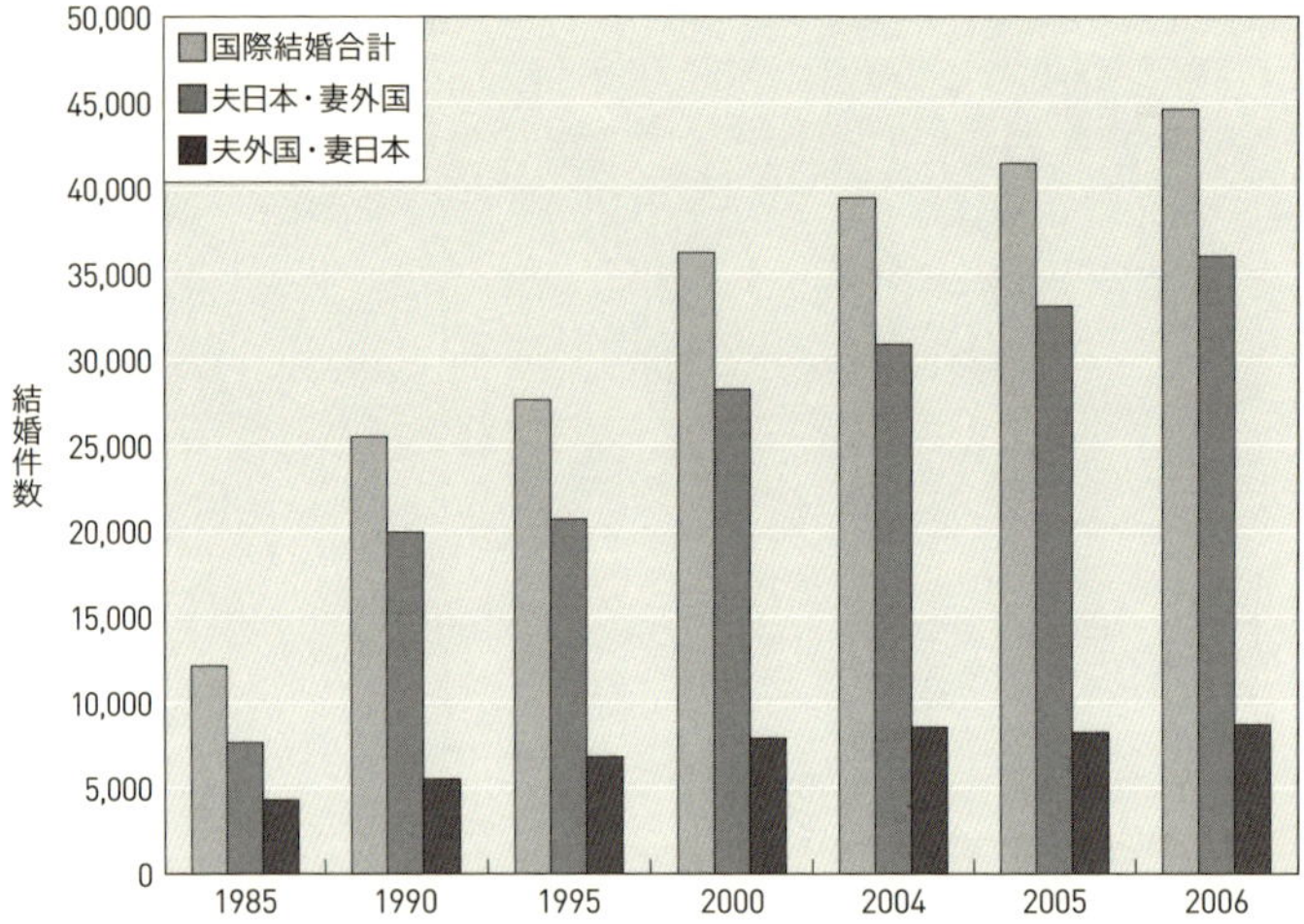


出典：厚生労働省「人口動態調査」

培で有名であるが、農業従事者の結婚難という問題を抱えていた。日本の都会から若い女性を招いてイベントを開催するなど花嫁募集の工夫をしたが、成婚率は低かった。そこでアジア諸国から花嫁を募集することを思い立ち、一九八五年から結婚を希望する農業青年を人脈のあったフィリピンに派遣したところ、九組の夫婦が成立した。この結婚から生まれた子供達はハーフではなく二つの文化を持つ人間「ダブル」として元気に育っている。

二〇〇六年末、朝日町には国際結婚した家族が七六組いる。花嫁の主な出身地はフィリピン、中国、韓国などである。これは外国人花嫁が行政からも市民からも受け入れられた成功例といえよう。山形県では他にも最上地方で同様の外国人花嫁受け入れが行われている。無論、海外からきた花嫁たちは言葉の問題、生活習慣の違い、価値観や宗教、異文化などの問題に直面する。また、慣れない土地での嫁舅姑問題、妊娠、出産、育児などでストレスが蓄積し、ノイローゼになるケースもあるという。地域のボランティア、NGOや行政が外国人花嫁の受け入れのみならず、こうした問題に積極的に取り組み、支援に乗り出している[★28]。

他方、第二次世界大戦前に移民として外国へ渡った日本人の子孫が再び日本に移住する例も増えている。群馬県大泉町は日系ブラジル人住民の割合が高いことで知られる。大泉町には、三洋電機や富士重工の下請け工場があり、労働不足に悩んでいたことから南米の日系人を労働力として招致した。その結果、ブラジルに渡った移民の子や孫が、一九八〇年代後半から来日しはじめたという経緯がある。

ブラジル人人口は、二〇〇五年の統計で町の総人口の一一・八パーセントを占める。日本経済のバブル崩壊後、企業の労働力不足は解消したが、出稼ぎ住民の数は減少しなかった。その中で、就職口などをめぐってブラジル人住民に対する反感が芽生え、軋轢が顕在化したと言われる。また、犯罪に手を染める未成年ブラジル人は未就学、不就学である事例が多いことから、NPO法人大泉国際教育技術普及センターが設立され、彼らに学習の機会を提供している[★29]。

外国人居住者の増加が短絡的に犯罪の増加などと結びつけられ、これをマスコミが報道すると、外国人労働者イコール犯罪者という謂われなき偏見が生じる。このことが、日本がこれまで他民族を意識する機会に乏しい社会であり、多民族混住に慣れていないことと相まって様々な問題を生み出している。二〇〇六年、日本が人口減少に転じたことで、今後、海外からの労働者に門戸を開放せざるを得ない状況を迎えると、これらの問題はますます深刻になっていくであろう。

国立社会保障・人口問題研究所が二〇〇六年に発表した『日本の将来推計人口』によれば、日本の総人口は二〇〇五年の一億二七七七万人をピークに減少傾向に入り、出生中位推計では二〇四六年には一億人を割り、九九三八万人にまで減少すると予想されている。一方生産年齢人口（一五歳から六四歳）はすでに一九九五年に八七一六万人とピークを迎え、二〇〇五年の国勢調査では八四〇九万人に減少している。今後も日本の労働人口は減少を続け、二〇一二年には八〇〇〇万人を割りこみ、二〇五五年には四五九五万人にまで減少するとの試算をしている[★30]。

人口減少に対しては少子化対策、ワークバランスなどの政策が打ち出されているが、それらが奏功して出生率が上向いたとしても労働人口に反映されるには二〇年はかかる。女性や高齢者の活用なども試行されているが、労働人口の減少を食い止めるには十分とはいえない。経済連携協定の発効に基づき日本は、二〇〇八年度からインドネシア、二〇〇九年度からはフィリピンからの看護師・介護福祉士候補者の受け入れを決めたが、このような外国人労働者の受け入れは現場レベルにおいて喫緊の要求であり、日本においても多文化共生にどう取り組むかは、早急に議論されるべき大きな政治課題となっているのである。

繰り返し述べるように、日本社会に外国人労働者が増えることで外国人、とりわけ非白人への偏見が強まることが懸念される。多文化共生に取り組む際、外国人との混住にあたっては制度上・実態上の対策だけでなく、日本人社会への外国人居住者の受け入れの両面から対策が必要である。たとえば、労働基準法や職業安定法で国籍による差別は禁じられているが、実態上は差別があるといわれる。また公立学校の就学にあたっては、制度上差別されていなくとも言語や食文化といった実際上の問題もある。

制度上、平等になっていても、異なる文化を持つものへの差別や偏見は表出する。いわゆる心の壁である。ニューカマーとよばれる外国人が多く住む地域に見られる、外国人不可と書かれた不動産屋の賃貸広告なども次第に減少してはいるが、完全になくなることはない。外国人であるために仕事が見つからなかったり、日本人らしくない名前を名乗った途端にアルバイトを断られるといった事例もみられる[★31]一方、最近では居酒屋チェーンなどで積極的に外国人店員を雇用しているところもあり、少しずつ雇用環境は変化しはじめている。

毛受敏浩日本国際交流センター・プログラムオフィサーは、日本人の中には外国人が増えることに不安や恐怖感を持つ人が多いので、こうした層の人々が外国人住民とつきあいの場を広げて親しめるようにし、外国人の実態を周知することが重要であると指摘している。あわせて外国人が地域社会になじみ、市民として活躍できるように外国人の生活を支援することも重要であると提言している[★32]。

## ❖国内の人間の安全保障の課題

カナダやオーストラリアが国家として「多文化主義」を採用した当時、この方針は大方の歓迎を受けた。しかし、その後の評価については「リベラルで新たな政治統合の原理」というプラスの理解から「ナショナリズムの改訂版」に過ぎないという批判まで様々ある[★33]。

多文化主義政策が打ち出されると、先住民族や難民、移民が構成するエスニック・コミュニティは、それぞれの伝統的文化や言語を維持するほど援助が多くなるため、民族性をより強調する方向へ向かうことになる。ひとつの国に複数の民族が暮らせば、一方の民族だけが得をしているのではないかという反目も発生する。多数派の国民は自らの土地所有権が損われたり、就職機会が奪われるのではないかという経済的不安を感じ、さらには、本来の伝統的文化が揺らぐのではないかとの不安から多文化主義に反発するという構図が世界の各地で展開されている。その意味でも二〇〇一年九月一一日のアメリカ同時多発テロと、それに引き続く一連のテロ事件がアラブ系やアフリカ系、あるいはイスラム教徒に対する排除と差別、恐怖感を助長したことは大きな禍根となっている。

しかし、グローバル化とともに発生している大規模な国際人口移動の流れを食い止めることはできないし、現実的でもない。文化の異なる人々の接触が増えれば、それに伴う衝突も不可避である。とりわけこれらの人々が定着している先進国は、外国人労働者、移民、難民をどのようにそれぞれの社会に受け入れていくか、政策課題として取り込むべきタイミングを迎えている。

外国人住民が、差別に苦しみ、貧困、非行、麻薬問題などを抱えるとき、対処を誤れば新たな社会不安を喚起し、紛争を招きかねない。コソボやボスニア・ヘルツェゴビナのように、紛争を経てアルバニア人とセルビア人の対立が先鋭化した例を私たちは思い起こす必要がある。

「人間の安全保障」を外交政策として標榜するならば、真の多文化共生に取り組まねばならない。それが実現したとき、はじめて「人間の安全保障」は南北の対立を乗り越え、国際社会全体から受け入れられるであろう。

多文化共生の問題は、これまで人間の安全保障の課題として位置づけられたことはなかった。しかし、人間の安全保障を政策の枠組みとして国際社会で運用しようとするならば、その全体像の中にあらためて位置づける必要があろう。本章で紹介したように、それぞれの国・地域で対策は立てられているが、外国人住民の人間の安全保障を確保すること一つ取っても大きな困難を伴う。一方、これが先進国の国内における人間の安全保障への取り組みのひとつとして認知されれば、タジバクシュ教授の指摘する「人間の安全保障」をめぐる南北対立の解消に寄与するであろうことも、また確かなのである。

註

★1――シャルバナウ・タジバクシュ「人間の安全保障と南北協議――亀裂か和解か?」(大阪大学大学院国際公共政策研究科 国際シンポジウム論文集『人間の安全保障と国際公共政策の将来』二〇〇八年二月一一日、七‐八頁)

★2――IOM, *World Migration 2005*, New York, United Nations, 2005.

★3――非宗教性の原理とはフランスの中心的理念の一つであり、良心の自由を謳った「いかなる者もその人が抱いている見解、殊に宗教的な見解によって脅かされることがあってはならない」というフランス人権宣言第十条に根拠を持つとされる。それが一八八〇年代の第三共和制の下で明確な形になり、宗教を私的領域に閉じ込め、逆に国家を聖職によるものではないライック(laïque・非宗教的)なものとして規定する言説が展開された。人権宣言で規定されたような良心の自由は「政教分離」、「(教育や婚姻に代表されるような)市民生活に関する法制度の宗教からの独立」、「国家の宗教的中立性」などを意味するとされる非宗教性の原理に基づいて保障されることになった。この原理は一九〇五年に「協会と国家の分離に関する法」で法的根拠が与えられ、以後公立学校は非宗教的なものとされていくことになる。そしてその後第五共和制下で非宗教性の原理が憲法に記載され、フランスの基本的理念として尊重されることになる。伊東俊彦「フランスの公立学校における『スカーフ事件』について」(『応用倫理・哲学論集』第三号、二〇〇七年三月、八九頁)

★4――長谷川秀樹「ライシテとイスラム・スカーフ問題」(夏刈康男、小林幸一郎、杉山由紀男編『日仏社会学叢書第四巻　日仏社会論への挑戦』恒星社厚生閣、二〇〇五年、三-二〇頁)

★5――The Wall Street Journal, 'Les Miserables', New York, November 5, 2005, p.A8.

★6――関根政美『多文化主義社会の到来』朝日選書、二〇〇〇年、一二四頁

★7――同右、一三二頁

★8――朝日新聞「インド系襲撃　豪で続発 移民急増『職奪われた』」二〇一〇年二月七日

★9――産経新聞「高くついたカレーバッシング インド人留学生　豪、来年二割減へ」二〇〇九年一二月三一日

★10――野村甚三郎『国境とは何か――領土・制度・アイデンティティ』芙蓉書房出版、二〇〇八年、一三三-一三五頁

★11――関根、前掲、七五頁

★12――木村和男「多文化主義宣言への道――連邦結成後の移民政策を中心に」(西川長夫、渡辺公三、ガバン・マコーマック編『多文化主義・多言語主義の現在――カナダ・オーストラリア・そして日本』人文書院、二〇〇四年、五五頁)

★13――関根、前掲、四一-四二頁

★14――木村、前掲、六〇頁

★15――同右、六四頁

★16――同右、六五頁

★17――同右、六七頁

★18――駒井洋『グローバル化時代の日本型多文化共生社会』明石ライブラリー、二〇〇六年、一三二頁

★19――木村、前掲、五五頁

★20―関根政美「多文化主義国家オーストラリアの誕生とその現在」(西川ほか編、前掲、一五二―一五三頁)
★21―Committee to Advise on Australia's Immigration Policies, 'Immigration: A Commitment to Australia', Canberra, Australian Government Publishing Service, 1988, pp.1-22.
★22―Department of the Prime Minister and Cabinet, 'National Agenda for a Multicultural Australia, Canberra, Australian Government Publishing Service, 1989.
★23―Commission of the European Communities, 'Communication from the Commission to the Council, The European Parliament, The European Economic and Committee and the Committee of the Regions:First Annual Report on Migration and Integration', p.14. http://ec.europa.eu/justice_home/funding/2004_2007/doc/com_2004_508_final.pdf (二〇一〇年五月二一日最終アクセス)
European Commission, Key Workplece Documents International Publications 'Employment in Europe 2003: Recent Trends and Prospects', p.191. http://digitalcommons.ilr.cornell.edu/cgi/viewcontent.cgi?article=1037&context=intl (二〇一〇年五月二一日最終アクセス)
★24―Anthony Giddens, *The Consequences of Modernity*, Stanford, Calif., Stanford University Press, 1990, p.14.
★25―Islamischer Feiertag in Deutschland?, http://www.3sat.de/3sat.php?http://www.3sat.de/kulturzeit/themen/73070/index.html; (二〇〇八年八月一二日最終アクセス)。Welt Online,'Grüne fordern gesetzlichen Islam-Feiertag', http://www.welt.de/print-welt/article352846/Gruene_fordern_gesetzlichen_Islam-Feiertag.html (二〇一〇年五月二一日最終アクセス)
★26―European Music Office, 'On Air', http://www.emo.org/onair_press_releases.php (二〇一〇年五月二一日最終アクセス)
★27―厚生労働省大臣官房統計情報部「平成18年度『婚姻に関する統計』の概況 人口動態統計特殊報告」http://www.mhlw.go.jp/toukei/saikin/hw/jinkou/tokusyu/konin06/konin06-4.html#4-4
★28―山口考子「過疎の農村を甦らせた外国人花嫁」(毛受敏浩、鈴木江理子編著『「多文化パワー」社会――多文化共生を超えて』明石書店、二〇〇七年、八八―一〇五頁)
★29―高野祥子「知り合い、認め合うことで地域をエンパワーメント――大泉国際教育技術普及センターの取組み」(毛受、鈴木編著、前掲、一〇六―一一七頁)
★30―国立社会保障・人口問題研究所「日本の将来推計人口(平成一八年一二月推計)結果の概要」二〇〇六年一二月

http://www.ipss.go.jp/pp-newest/j/newest03/newest03point.pdf（二〇一〇年五月二一日最終アクセス）

★31——鈴木江理子「多文化化する日本の現在」（毛受、鈴木編著、前掲、三〇頁）

★32——毛受敏浩「多文化パワー社会への道のり」（毛受、鈴木編著、前掲、一九四-二一八頁）

★33——渡辺公三「ナショナリズム・マルチカルチュラリズム——多文化主義の歴史的文脈」（西川ほか編、前掲、二四頁）

# おわりに——「人間の安全保障」という政策フレームワークの可能性

## 1 多様な脅威に応える「人間の安全保障」

本書では「人間の安全保障」という言葉が生まれた背景、経緯、これをめぐる議論と実践の歴史をたどってきた。「人間の安全保障」の系譜を俯瞰する時、概念としての曖昧さのゆえに、つねに政策面で脆弱な印象がつきまとった感がある。

冷戦直後こそ注目を浴び、特に一九九四年版UNDP人間開発報告書で「人間の安全保障」が取り上げられてからは賛否両論の議論が展開されたものの、二〇〇一年九月一一日のアメリカ同時多発テロ以降は、やはりハードな安全保障手段が重要である、テロの脅威にソフトな安全保障は通用しない、との議論が強まり、「人間の安全保障」という「ひ弱な花は萎れた」とも言われた。しかしながら、ひ弱な花といわれた「人間の安全保障」は、国際舞台において用いられるようになって十年余を経て、風雨にさらされながらも萎れることも枯れることもなく、今日まで生き残った。そればかりか、安全保障の範囲が非伝統的な脅威にまで拡大せざるをえない状況を背景として、地中には静かに根を張りつつあると考えられる。

大芝亮一橋大学教授は、「人間の安全保障については、研究者の間では、分析概念としては広すぎるといわれ、また政策概念としては、あたかも人間の安全保障が確保されているかのような誤解を招きかねないという批判もある」と分析した上で、緒方貞子の「人間の安全保障」は「紛争の現実からうまれたことばである」[★1]との意見を引用している[★2]。これはまさに現在、「人間の安全保障」という理念の置かれている状況を端的に表している。

第1章で述べたように、冷戦後の脅威の多様化、特に非軍事的脅威のグローバル化に伴う広がり、すなわち越境化によって生まれてきたのが、「人間の安全保障」である。この言葉が導入された当時、これが国家安全保障を代替するかと問われた時代もあった。しかし、いまや「人間の安全保障」は国家安全保障を補完するもので、グローバル化が加速する世界に対するひとつの叡智であるという位置づけに意見が収斂してきている。国家安全保障が一世紀以上かけて理論的にも実践的にも精緻化されてきたのに対し、「人間の安全保障」は冷戦終結以降、政策議論に導入された比較的新しい概念である。それだけに議論が百出することも無理からぬといえる。

しかし、冷戦後のコソボ、ボスニア・ヘルツェゴビナ、ルワンダ、スーダン、東ティモール、チェチェン紛争や、九・一一テロ、インドネシアにおけるテロ、スマトラ島沖地震と津波、パキスタン地震、四川大地震、ハイチ地震さらにはSARS、鳥インフルエンザ、豚インフルエンザの感染など、人間の物理的な生存を脅かす多様な課題を念頭におくと、「人間の安全保障」を批判する人々も、従来からの国家安全保障及び軍事的安全保障のみでは応えられないという点では認識を共有する。そして、安全保障の究極的な目的は「人間」を保護することであるという点についても、破綻国家や弱体国家が目立つようになる中で、また被害者が人間であり、これを保護するアクターが国家主体だけでなく、国際機構、地域機構、さらには市民社会へと広がる中で、意見は収斂をみようとしている。

二一世紀の国際関係においては、究極の主体も客体も「人間」であるとされる。以前は何の疑いもなく「国民」とよばれていた主体が、「人間」あるいは「個人」とよばれるケースが増えていることも「国民」といういわば一国を前提とした概念から、地球市民的な「人間」という概念への移行を端的にあらわしている。これはグローバル化の当然の帰結ともいえよう。

ただ、「人間の安全保障」というラベルには異論があり、単にこれまであった概念のラベルの貼り替えではないかとの批判は強い。また、「人間の安全保障」を推進する立場の論者の間でも第4、5、6章で紹介した日本とカナダの解釈の違いやヨーロッパとアジアの「人間の安全保障」に関する受けとめ方の違いに代表されるように、その考え方は同床異夢の部分も残ると言わざるをえない。

「人間の安全保障」が国際安全保障の主流の議論になっているのかを問うマックファーレンとフーン・コンは、人間に降りかかるあらゆる問題を安全保障の範疇にいれたために「人間の安全保障」の概念が広がりすぎ、分析に耐えなくなってしまったと批判する。そのため、「人間の安全保障」を損なう原因の特定に混乱をまねき、政治的問題に軍事的な解決策が用いられる可能性を惹起していると指摘する。したがって、人間の次元の安全保障という視点は受け入れるが、何が「人間の安全保障」を損なう脅威かという範囲については「恐怖からの自由」を損なうもの、特に国家による物理的な安全を損なう行為に限定するべきであるという主張を展開している。マックファーレンらは「人間の安全保障」が対象とする脅威を組織的な暴力に限ることによって、なにが安全保障上の脅威かが判断しやすくなり、安全保障の主流の議論に「人間の安全保障」を位置づけることができると論じている[★3]。

様々な批判の嵐に晒されながらも「人間の安全保障」という言葉がしぶとく生き残り、理念も精緻化と収斂を見せてきたのは、第一に、これまで繰り返し述べてきたように国際安全保障環境が変容し、安全保障の脅威が多様化・越境化し、それに伴う共通の脆弱性に対する認識が共有されるようになったことが要因である。

第二に、九・一一テロ事件を機に、安全保障は軍事的に確保すべきものとして対テロ戦争が打ち出され、

「人間の安全保障」への逆風が吹いたが、アフガニスタン戦争、イラク戦争を経て、持続的な平和の定着のためにはハードな安全保障だけでは不十分であることが再認識されたことがあげられよう。

この背景には、アメリカの攻撃と追及にもかかわらず、アルカイダを壊滅することができなかったという厳しい現実がある。九・一一テロ以降の六年間を振り返ってみると、ジョージ・ブッシュ(George Walker Bush)アメリカ大統領(当時)の対テロ戦争戦略は脅威の払拭という面で具体的な成果をあげることが出来ず、介入した各国で政治的に不安定な状況を招いた。また世界的に反米感情を高める結果となり、逆効果であったという評価すらある中で[★4]、軍事的手段だけで問題を解決しきれなかったという反省はアメリカ国内に根強い。

持続的な平和と安定のためにはハードな安全保障とそれを補完するソフトな安全保障の両方が必要であることが痛感された点も、双方をリンクする政策フレームワークとしての「人間の安全保障」の概念の有用性を認識することにつながった。

## 2 「人間の安全保障」の付加価値

「人間の安全保障」の効用は政策フレームワークとしての価値にあると考えられる。「人間の安全保障」がこれまでの概念の単なるラベルの貼替えではないことを明らかにするには、「人間の安全保障」というラベルを政策フレームワークとして用いた場合、これまでの取り組みと比較して付加価値はあるのかを問う必要があろう。

そもそも第3〜6章で述べたように「人間の安全保障」は、理論的な発展により創出されたというよりも、国際機関、地域機構、各国政府、政治家、外交官、NGOの活動家の一部が、まずこの概念に着目し、提唱した経緯がある。

個人では、第2章で紹介した小渕恵三、緒方貞子、セン、ピツワン、アクスワージーといった規範推進者の努力によって理念は普及されてきた。さらに立場こそ異なったが、国として「人間の安全保障」を熱心に推進した日本政府やカナダ政府は、直接あるいは間接的に委員会を設置して「人間の安全保障」に関するシンポジウムを開催したり、パンフレットや報告書を数多く発表して普及に努めてきた。

他の国際関係論の理論と異なり、最初に一握りの有識者の発案はあったものの、むしろ学者の研究は政府のイニシャティブの後に続いた。近年、ようやく活発に研究が進められるようになった結果、「人間の安全保障」に関する記事や書物が相次いで発表され、日本においても「人間の安全保障」に関するセミナーや大学講座が開設、増設されていることは、第4章で紹介した通りである。では、このような対話や研究を通じて「人間の安全保障」がもたらす付加価値はどのように考えられているのだろうか。

それは「人間の安全保障」を政策フレームワークとして用いることで、多様な脅威に包括的にアプローチできるところにある。そして新しい国際安全保障環境に、適切に対応する新しい規範作りにつなげることにあろう。その良い例が第3章で採り上げた、国連人間の安全保障基金の資金援助を受けるためのガイドラインである。このガイドラインは当初、ODAとかかわりのないものであったが、人間の安全保障委員会の報告書を受け、後に改訂された。復興支援活動や人間の安全保障がそこなわれている地域への援助を、複数の国連専門機関が表面的に調整するのではなく、現地のニーズにあわせ、活動を統合して実施することが資金を受ける条件になったのである。これは「人間の安全保障」を実践するための新しい規範である。今後「人間の安全保障」をフレームワークとして、多様化する脅威に対応するための新たな規範作りが行われることになるだろう。従来の個別課題別のアプローチではない包括的なアプローチを可能にするところに人間の安全保障の付加価値がある。

また第8章で指摘したように、「人間の安全保障」は先進国が発展途上国に対して価値観を押し付けるものとして反発を受けてきた経緯がある。それらを軽減するためには原点に立ち戻り、それぞれの国民個人を保護する責任を有する国家、とりわけ先進国が、多文化共生をはじめとする、国内の「人間の安全保障」をも実現する視点も忘れてはならない。

## 3 政策フレームワークとしての「人間の安全保障」

定義をめぐる対立軸が少しずつ解け始め、「人間の安全保障」という言葉は次第に国際社会に受け入れられるようになっている。定義上のコンセンサスの追求は不毛であり、もはや主眼は如何に実践するか(operationalize)に移っている。それは「人間の安全保障」と明言せずに活動を実践することを主張する関係者が増えている(We don't talk human security but do human security)ことにも跡づけられる。ラベルを貼らずとも、対象に優先順位をつけ、機能的実践や協力を進める方が現実的であるとの認識も広がってきている。こうした実践のひとつが第7章で論じた平和構築であった。

国家のみならず、市民社会は「人間の安全保障」の重要な担い手である。故小渕恵三首相は、「人間一人ひとりの自由と可能性を確保していくためには、市民の自発的な取り組みが不可欠であると考えており、その意味でNGOなど市民社会(シビルソサエティ)の役割が重要になってきている」[★5]と述べた。実際、NGOの活動の中には「人間の安全保障」に分類できるものが多い。

近衛忠煇日本赤十字社社長は、緊急人道援助について官民が理念を共有することによりNGOの活動との相乗効果が期待できると指摘し、とくに、戦時と平時の区別が曖昧になり、危機が一層多面化・複合化していく過程での介入基準を明確にする必要性を説いている[★6]。

グローバル化された国際社会でグローバルな脆弱性が共有され、不安が広がる現在、真の「人間の安全保障」の実現は人類全体の希求である。グローバル・ガバナンスにおいても、リージョナル・ガバナンスにおいても、ナショナル・ガバナンスにおいても、そしてローカル・ガバナンスにおいても、「人間の安全保障」を共通の理念として政策的な実践に結び付けていくことが切実に求められている。

一九九〇年代後半から「人間の安全保障」は活発に議論されてきた。そして議論の時期を越え、脅威から人々を守り、それに対処できる能力をつけていくための実践が求められるに至った。カナダのカールトン大学ハンプソン教授は、人間の安全保障は公共財を提供できるかという視座から分析し、そのコストの負担分析まで試みている[★7]。

既に述べてきたように著者は人間の安全保障を明示的に政策フレームワークとして活用することを提案したい。そして真の「人間の安全保障」の実践のためには、政治、経済、社会から文化までを包括する戦略的、戦術的取り組みが不可欠であることを、あわせて強調したい。さもなければ「人間の安全保障」は、所詮「ひ弱な花」で終わることだろう。前述のように地中にしっかりと根を張りつつあるこの「人間の安全保障」に美しいこの花を咲かせ続ける、そして逞しく育てるために、日本は「人間の安全保障」の理念を積極的に推進してきた責任を全うしなくてはならない。率先して「人間の安全保障」の規範作りに取り組むとともに国際社会への政策提言として、平和構築をはじめとする具体的な実践の施策を打ち出していかねばならないだろう。

★1——緒方貞子「人間の安全保障と難民支援」(明石康、高須幸雄、野村彰男、大芝亮、秋山信将編著『オーラルヒストリー　日本と国連の五〇年』ミネルヴァ書房、二〇〇八年、五二頁)

★2——大芝亮「冷戦後の日本と国連——証言のハイライト」(明石ほか編著、前掲、三五〇-三五一頁)

★3——S. Neil MacFarlane and Yuen Foong Khong, *Human Security and the UN: A Critical History*, Bloomington, Ind., Indiana University Press, 2006, pp. 227-228.

★4——Paul Rogers, 'The War on Terror: Past, Present and Future', *Open Democracy: Free Thinking for the World*, 24 August 2006, http://www.opendemocracy.net/conflict/past_present_Future_3850.jsp (二〇一〇年五月一五日最終アクセス)。また、S.Neil MacFarlane and Yuen Foong Khong, *op.cit.*,p.10.

★5——小渕恵三「基調講演　人間の安全保障を求めて」日本国際問題研究所創立四〇周年記念シンポジウム報告書、一九九九年一二月一一-一二日、国連大学

★6——近衛忠煇「人道主義と人間の安全保障——国際赤十字社の活動事例から」(勝俣誠編著『グローバル化と人間の安全保障——行動する市民社会』日本経済評論社、二〇〇一年、五一-五二頁)

★7——Fen Osler Hampson, 'A Concept in Need of a Global Policy Response', *Security Dialogue*, Vol. 35, No.3, September, 2004, p.40.

# あとがき

筆者はかつて、日本はこれまでの一国平和主義ではなく、積極的平和主義を打ち出し、平和のために自らイニシャティブをとり、二国間協力並びに多国間協力を推進すべしとの提言を行った。日本が平和協力国家として国際平和に、そしてアジア地域の平和に積極的に責務を果たし、平和構築のために貢献しようとするとき、かつて小渕総理が提唱した「人間の安全保障」の意図する目的と政策ツールとしての有用性を改めて検証することは、その政策立案プロセスの一助になると考えている。「人間の安全保障」の意味とは何か、この理念にどのような付加価値があるのか、国際社会において、各地域において「人間の安全保障」がどのように受け止められ、政策として実践されているのか、「人間の安全保障」がどのように役立つのかを改めて考える手掛かりとして本書を執筆した。

筆者は、一九九四年版UNDP人間開発報告書に「人間の安全保障」が採り上げられて以来、当時勤務していた総合研究開発機構・星野進保理事長(当時)からこの概念の分析を示唆された。日本の「総合安全保障」との違いを解明しつつ、日本の政策として用いうる理念か否か、という視座から「人間の安全保障」の理念に批判も含めて関心を寄せ、研究を続けてきた。その後、大阪大学大学院の神余隆博教授(当時)から武力行使を人間の安全保障に含めるのか否かを中心に多くの示唆を得、国連日本代表部次席大使を経て駐ドイツ日本大使に転じられた現在に至るまで、深く洞察に富んだアドバイスを頂いている。

二〇〇三年から二〇〇四年にはカナダのブリティッシュ・コロンビア大学国際関係研究所に客員教授として招いていただき、当時同研究所の所長であったカナダの元外務大臣であり、「人間の安全保障」を熱心に推進されたロイド・アクスワージー氏、同大のポール・エバンス教授、ブライアン・ジョブ教授からカナダの考える人間の安全保障について知識を深め、理念面について議論する機会を得た。

二〇〇六年に国際交流基金に特別研究員として奉職してからは、引き続き研究テーマのひとつとして「人間の安全保障」を採り上げる機会を与えていただいた。国際交流基金においては、米国、カナダ、欧州並びにアジアで人間の安全保障がどのように理解され、実践されているかを平和構築における文化イニシャティブの役割という視座から調査、発表、議論することができた。研究を通じ、アジアで「人間の安全保障」を積極的に推進されているタイの元外務大臣で現ASEAN事務総長のスリン・ピツワン氏とも知遇を得て、アジアにおける「人間の安全保障」について貴重なアドバイスを受けた。

日本では数多くの諸先輩、同僚、関係者のご指導を得たが、特に所属先の国際交流基金小倉和夫理事長には本研究にあたり、格別のご指導をいただいた。日本の「人間の安全保障」に関する知的対話を主導してこられた日本国際交流センター山本正理事長からは貴重なお話をうかがい、北米における研究上のアドバイスとご支援を得た。現在、国連人道調整部人間の安全保障ユニットの田瀬和夫氏からは人間の安全保障基金の活動や考え方についてご教示いただいた。また、慶應義塾大学大学院法務研究科の庄司克宏教授に、人間の安全保障について講義を行う機会を与えていただいた。さらに現在兼務している青山学院大学の土山實男副学長のご指導にも感謝したい。また、長年ご指導を賜り、本書出版にあたり格別の励ましとお力添えをいただいた五百旗頭真防衛大学校長に心より御礼申し上げたい。その他紙幅の都合でお名前を記すことはできないが、国連、日本政府、内外の学会やNGOの関係者など多くの皆様からいただいたアドバイスに深く感謝したい。

また、執筆にあたっては文献の渉猟や作図などで、青山学院大学国際交流共同研究センターの研究助手、服部由起さんと同職員、石井沙織さんの手を煩わした。御礼申し上げる。

末筆になるが、これまで英語による出版経験がほとんどで、日本語での執筆に不慣れな筆者を的確な示唆で導き、出版に向け編集の労を執ってくださった千倉書房の神谷竜介氏に心からの謝意を表したい。

本書の「人間の安全保障」に関する議論が、読者に資するところがあれば筆者としてこれに勝る喜びはない。しかしながら本書にはまだ試行段階の考察も含まれていることも否めない。読者諸賢のご批判を仰ぎつつ、今後さらなる変容を遂げるであろう人間の安全保障の課題に如何に応えるか、考えを深めるべく努力する所存である。

東京において
二〇一〇年五月

福島安紀子

福田康夫 091-092, 104, 195
ブザン、バリー (Bary Buzan) 012, 032
フセイン、サダム (Saddam Hussein) 026, 214-215
ブッシュ、ジョージ (George Walker Bush) 280
ブトロス・ガリ、ブトロス (Boutros Boutros-Ghali) 062, 187, 202
ブラヒミ、ラクダール (Lakhdar Burahimi) 188-189
フリードマン、トーマス (Thomas Lauren Friedman) 024-025
ブレア、トニー (Anthony Charles Lynton Blair) 262
ブレイニー、ジェフリー (Geoffrey Norman Blainey) 258
ベックシュタイン、ギュンター (Günther Beckstein) 263
ベラミー、キャロル (Carol Bellamy) 080
ヘルナンデス、カロリーナ (Carolina G Hernandez) 176
ベンナ、ゼイド (Zyed Benna) 249
ホイットラム、エドワード (Edward Gough Whitlam) 258
ボクサー、バーバラ (Barbara Levy Boxer) 144-145
星野俊也 197
細川護熙 110
ホッブズ、トマス (Thomas Hobbes) 012

マ

マカスキー、キャロライン (Carolyn McAskie) 194
マクナマラ、ロバート (Robert Strange McNamara) 013
マシューズ、ジェシカ (Jessica Tuchman Mathews) 012-013
マック、アンドリュー (Andrew Mack) 022, 032, 035, 039, 042, 048, 140
マックファーレン、ニール (S.Neil MacFarlane) 040, 042, 279
ムガベ、ロバート (Robert Gabriel Mugabe) 047
ムワムペムブワ、ゴドフリー (Godfrey Mwampembwa) → ガド
メルケル、アンゲラ (Angela Dorothea Merkel) 263
森喜朗 090-092, 094
モンテスキュー、シャルル・ド (Charles-Louis de Montesquieu) 008

ヤ

柳澤寿男 225
山影進 199
山本正 035, 042, 087
ユーヴィン、ピーター (Peter Uvin) 035, 042, 147

ラ

ライス、スーザン (Susan Elizabeth Rice) 150-151
ライプニッツ、ゴットフリート (Gottfried Wilhelm Leibniz) 008
ラシード、ウダイ (Oday Rasheed) 215
ラッド、ケビン (Kevin Michael Rudd) 252
ラモス・ホルタ (José Ramos-Horta) 234
ルーズベルト、フランクリン (Franklin Delano Roosevelt) 036, 148

胡錦涛（Hu Jintao）170
近衛忠輝 282
駒野欽一 134
コリアー、ポール（Paul Collier）022, 077

サ

佐藤行雄 134
サックス、ジェフリー（Jeffrey David Sachs） 146-147
サヌーン、モハメッド（Mohammed Sanoon）044, 135
サルマン、モハメド（Muhammad Shaker Salman） 213
シアヌーク、ノロドム（Norodom Sihanouk）228
篠田英朗 199
志村卯三郎 107
シュトレーベレ、クリスティアン （Hans-Christian Ströbele）263
ジョブ、ブライアン 035
シン、マンモハン（Manmohan Singh）252
スハルト（Suharto）172, 229
スルケ、アストリ（Astri Suhrke）043
スローター、アン・マリー（Anne-Marie Slaughter） 035, 145
関根政美 254
セン、アマルティア（Amartya Sen）014, 035, 040, 095, 281
楚樹龍（Chu Shulong）169
ソラナ、ハビエル （Francisco Javier Solana de Madariaga）161, 163

タ

ダイアナ妃（Diana, Princess of Wales）130
高須幸雄 134
タクール、ラメシュ（Ramesh Thakur）042
武見敬三 104
タジバクシュ、シャルバナウ （Shahrbanou Tadjbakhsh）035, 245
ダレール、ロメオ（Roméo Antonius Dallaire）125
チャーチル、ウィンストン （Winston Leonard Spencer-Churchill）036, 148
張炎（Zhang Yan）169
デ・グフト、カレル （Karel Lodewijk Georgette Emmerence De Gucht）160
唐国强（Tang Guoqiang）169
トラオレ、ボウナ（Bouna Traore）249
トルドー、ピエール（Perre Elliott Trudeau）254, 257

ナ

ナーデル、モハメド 227
ナイ、ジョセフ（Joseph Samuel Nye Jr.）027

ハ

ハーパー、スティーブン（Stephen Jpseph Harper） 143
バーブル（Babur）210-211
パウエル、コリン（Colin Luther Powell）153
バジパイ、カンティ（Kanti Bajipai）042
ハック、マブーブル（Mahbub ul Haq）013, 167
ハヤット、イスマイル（Ismail Khayat）217
バルゲス、ピーター（Peter J Burgess）164
パルメ、オロフ（Sven Olof Joachim Palme）001, 010
潘基文（Ban Ki-moon）004, 018, 063, 081, 197
ハンソン、ポーリン（Paurine Lee Hanson） 250-251, 257
ハンプソン、フェン（Fen Osler Hampson）034, 040, 042-043, 140, 283
ピアソン、レスター（Lester Bowles Pearson）124
ピツワン、スリン（Surin Pitswan）035, 042, 166-168, 281
ヒューバート、ドン（Don Hubert）035, 043
ビン・ラディン、オサマ（Usāma bin Lādin）026
フィッツジェラルド、スティーブン （Stephen Fitzgerald）259
フーン・コン（Khong Yuen Foong）040, 279
フェレロ・ワルドナー、ベニタ （Benita Maria Ferrero-Waldner）160
フォレベック、クナト（Knut Vollebæk）132

# 主要人名索引

## ア

アーミテージ、リチャード (Richard Lee Armitage) 027
アグス・ヌール・アマル (Agus Nur Amal) 230
アクスワージー、ロイド (Lloyd Norman Axworthy) 016, 035, 039, 042-043, 048, 124-129, 132, 139-141, 143, 281
アズハリ (Azhari Aiyub) 230-231
麻生太郎 195, 198
アチャルヤ、アミタヴ (Amitav Acharya) 035, 042, 170, 176
アッバース、マフムード (Mahmoud Abbas) 206
アハティサーリ、マルッティ (Martti Oiva Kalevi Ahtisaari) 203, 229
阿部利洋 201
アナン、コフィ (Kofi Atta Annan) 003, 016, 044-045, 062-063, 094-095, 134, 136-137, 146, 188-189, 193
安倍晋三 064
アルカイア、サビナ (Sabina Alkire) 035, 042
アルサイディ、ジャバル (Jabar Abid Muhammad Al Saadi) 213
アンソニー、メリー　035
猪木正道 010
ヴィルヘルムII世 (Friedrich Wilhelm Victor Albert von Preußen) 131
ウォルツ、ケネス (Kenneth Neal Waltz) 032
ウルマン、リチャード (Richard Ullman) 012-013
エバンス、ガレス (Gareth John Evans) 044-045, 135, 137
エバンス、ポール (Paul Evans) 035, 141, 170
大芝亮 277
大平正芳 010
岡田克也 197
緒方貞子 035, 080, 095, 099, 134, 278, 281
小倉和夫 035
長有紀枝 114
オバサンジョ、オルシェグン (Olușegun Matthew Okikiọla Arẹmu Ọbasanjọ) 013
オバマ、バラク (Barack Hussein Obama II) 150, 154
小渕恵三 003, 017, 035, 042, 066, 087-090, 094, 096, 281-282
オン・ケン・ヨン (Ong Keng Yong) 170

## カ

カーコネル、ワトソン (Watson Kirkonnell) 256
ガド (Gado) 212-213
カラベロ・アンソニー、メリー (Mely Callabero-Anthony) 170
カルドー、メアリー (Mary Kaldor) 035, 048, 162, 164
ギデンズ、アンソニー (Anthony Giddens) 262
ギボン、ジョン (John Murray Gibbon) 256
木村和男 257
キルシュ、フィリップ (Philippe Kirsch) 132
グテーレス、アントニオ (Manuel de Oliveira Guterres) 198
クラウス、キース (Keith Krause) 042
クリントン、ヒラリー (Hillary Rodham Clinton) 154
ケリム、スルジャン (Srgjan Kerim) 064, 096
ゴア、アルバート (Albert Arnold Gore Jr.) 153
小泉純一郎 195
高村正彦 134, 196

090, 094-095, 162, 166, 202
人間の安全保障基金（United Nations Trust Fund for Human Security）004, 018, 059, 066, 068-073, 076, 090, 093-095, 177, 281
人間の安全保障諮問委員会 067, 073, 095
人間の安全保障対応部隊（Human Security Response Force）163
人間の安全保障ネットワーク（HSN = Human Security Network）040, 095-096, 132-134, 161
人間の安全保障フレンズ会合（Friends of Human Security Forum）004, 048, 095-096, 178
人間の安全保障報告書（Human Security report 2005）022, 033, 039
人間の安全保障ユニット 067
能力強化（エンパワメント = Empowerment）037, 092, 095, 097, 100, 103
能力強化と保護 078

ハ

ハードパワー 027
白豪主義（White Australia Policy）258
パルメ委員会（the Palme Commission）010
ハンソン論争 250
東アジア・スタディ・グループ 174
東アジア・ヴィジョン・グループ 174
非政府組織（NGO = Non-governmental Organization）105
非伝統的安全保障（NTS = non-traditional security）022, 160, 168, 176
広島平和構築人材育成センター（HPC = Hiroshima Peacebuilders Center）196, 199
武力介入 046
武力行使 036, 041, 044, 046-047, 051
ブレイニー論争 258
文化イニシャティブ 203, 211, 237-238
文化外交の推進に関する懇談会の報告書『「文化交流の平和国家」日本の創造を』202
文化的紛争（cultural conflict）202
平和維持活動（PKO = Peace Keeping Operations）124-125, 188, 190, 219
平和協力国家 195
平和構築 185-190, 195-200, 203, 223, 231, 239
平和構築委員会 189-194
平和構築基金 193-194
「平和への課題」報告 062, 187-188, 202
ヘルシンキ・ヘッドライン・ゴール 162
保護する責任（R2P = Responsibility to Protect）016, 044-047, 063, 134-138
保護と能力強化 066, 068, 091, 097-098, 102

ラ

ロンドン・スクール・オブ・エコノミクス（LSE = London School of Economics）161-162, 164

ワ

和平履行部隊（IFOR = Implementation Force）124

国連世界食糧計画（WFP = World Food Programme） 072
国連総会首脳会合の成果文書（World Summit Outcome） 045-046, 048, 059, 063, 168, 190-191
国連ナミビア独立支援グループ（UNTAG = United Nations Transition Assistance Group） 187
国連難民高等弁務官事務所（UNHCR = United Nations High Commissioner for Refugees） 071, 079-080
国連人間居住計画（UN-HABITAT = United Nations Human Settlements Programme） 070
国連保護隊（UNPROFOR = United Nations Protection Unit） 124
国連薬物犯罪事務所（UNODC = United Nations Office on Drugs and Crime） 069, 072
国連ルワンダ支援団（UNAMIR = United Nations Assistance Mission for Rwanda） 125
国家安全保障 012-013, 018, 026, 032-033, 049, 052, 063, 088, 091, 095, 162, 170, 278

## サ

シティズンシップ 260
児童保護 138-139
社会開発サミット 015-016, 063
社会統合 264
ジャパン・プラットフォーム（JPF = Japan Platform） 111-112
集団安全保障（collective security） 031-032
柔軟な関与（flexible engagement） 168
地雷 236
人権 039, 051, 080, 127, 163-165, 168, 170, 175
人権侵害 051
人身取引 070
人的安全 169
人道的介入 033, 036, 041, 044, 046, 063, 133-134, 138, 170
信頼醸成 205, 206, 211
人類安全 169
スマート・パワー 027
政府開発援助（ODA = Official Development Assistance） 017, 067, 087, 098-099
政府開発援助大綱（ODA大綱） 078, 097, 232
政府開発援助中期政策（ODA中期政策） 098, 103, 113
世界銀行 077-079
世界人権宣言 062
世界保健機関（WHO = Wolrd Health Organization） 072, 076, 172
責任としての主権（Sovereignty as Responsibility） 136
一九九四年版UNDP人間開発報告書 277
総合安全保障（comprehensive security） 010-011, 031-032, 090, 170
ソフトパワー 027, 127
尊厳を持って生きる自由 017, 036

## タ

対人地雷 129, 161
対人地雷全面禁止条約 090, 123, 128-129
多文化共生 254, 272
多文化主義（multiculturalism） 254, 257-259, 271
継ぎ目のない支援 067, 101, 190
伝統的安全保障 043
特定通常兵器使用禁止・制限条約（CCW = Convention on Certain Conventional Weapon） 129
トラスト・ビルディング（融和） 205

## ナ

日本国際交流センター（JCIE = Japan Center for International Exchage） 087-088, 105
人間開発（human development） 013, 034, 041, 052
人間開発報告書 003, 008, 014-015, 017, 032, 034, 037, 039, 059, 062, 073, 089, 160
人間の安全保障委員会 004, 037, 052, 067,

# 主要事項索引

## ア

アジア太平洋経済協力（APEC = Asia-Pacific Economic Cooperation） 174
アフリカ開発会議（TICAD = Tokyo International Conference on African Development） 092
安全保障（security） 007-009, 012, 031, 040, 167
欧州安全保障戦略（ESS = European Security Strategy） 162
欧州の人間の安全保障ドクトリン報告書（バルセロナ報告書） 162-165
オタワ・プロセス 128-130

## カ

介入と国家主権に関する独立国際委員会（ICISS = The Independent International Commission on Intervention and State Socereignty） 016, 044, 135
開発援助 078
カレーバッシング（Curry Bashing） 252
感染症 092, 103-104
九・一一同時多発テロ 027
脅威 020-022, 031, 039-040, 043, 049, 062, 066, 075, 088, 163
脅威、課題と変容に関するハイレベル・パネル（High-level Panel on Threats, Challenges and Change） 003, 017, 045, 062, 137, 188-189
協調的安全保障 001, 088
共通の安全保障（common security） 001, 010, 031-032
恐怖からの自由 017, 034, 036, 038, 041, 048, 062, 078, 095, 098, 100, 138, 165, 279
草の根・人間の安全保障無償資金協力 093, 099
グローバル・ガバナンス委員会（Commission on Global Governance） 011, 016
欠乏からの自由 017, 034, 036, 041, 048, 062, 078, 095, 098, 100
権利に基づいたアプローチ（rights-based approach） 159
小型武器（small arms） 138
国際協力機構（JICA = Japan Internatioal Cooperation Agency） 099-103
国際刑事裁判所（ICC = International Criminal Court） 128, 130, 132
国際地雷廃絶キャンペーン（ICBL = International Campaign to Ban Landmines） 129-130
国際労働機関（ILO = International Labor Organization） 070
国防（national defence） 007
国連開発計画（UNDP = United Nations Development Programme） 003, 008, 013, 052, 059, 062, 071, 073, 076, 079-080
国連教育科学文化機関（UNESCO = United Nations Educational, Scientific, and Cultural Organization） 073-074, 076-077, 177
国連コンゴ民主共和国ミッション（MONUC = Mission of the United Nations Organizations in the Democratic Republic of the Congo） 072
国連児童基金（UNICEF = United Nations Children's Fund） 070-071, 080, 234-235
国連食糧農業機関（FAO = Food and Agriculture Organization） 071-072
国連人口基金（UNFPA = United Nations Population Fund） 072

［著者略歴］

福島安紀子（ふくしま・あきこ）
国際交流基金特別研究員・青山学院大学国際交流共同センター研究員

米国ジョンズ・ホプキンス大学ポール・ニッツ高等国際問題研究大学院卒、大阪大学より博士号。国際関係論専攻。総合研究開発機構（NIRA）主席研究員を経て二〇〇六年より国際交流基金特別研究員。二〇〇八年より青山学院大学国際交流共同研究センター研究員を兼務。著書に『Japanese Foreign Policy: The Emerging Logic of Multilateralism』（MacMillan）がある。著訳書に『レキシコン アジア太平洋安全保障対話』（日本経済評論社）。また『東アジア共同体と日本の針路』（NHKブックス）、『Asia's New Multilateralism: Cooperation, Competition, and the Search for Community』（Columbia University Press）、『Security Politics in the Asia-Pacific』（Cambridge University Press）などにも寄稿している。

# 人間の安全保障　グローバル化する多様な脅威と政策フレームワーク

二〇一〇年九月二三日　初版第一刷発行

著者　福島安紀子
発行者　千倉成示
発行所　株式会社 千倉書房
〒一〇四－〇〇三一　東京都中央区京橋二－四－一二
電話　〇三－三二七三－三九三一（代表）
http://www.chikura.co.jp/
印刷・製本　中央精版印刷株式会社
造本装丁　米谷豪

ISBN 978-4-8051-0958-8　C3031

叢書
21世紀の国際環境と日本

叢書　21世紀の国際環境と日本　001

# 同盟の相剋

水本義彦　著

比類なき二国間関係と呼ばれた英米同盟は、なぜ戦後インドシナを巡って対立したのか。超大国との同盟が抱える試練とは。

❖A5判／本体　三八〇〇円＋税／978-4-8051-0936-6

叢書　21世紀の国際環境と日本　002

# 武力行使の政治学

多湖淳　著

単独主義か、多角主義か。超大国アメリカの行動形態を左右するのは如何なる要素か。計量分析と事例研究から解き明かす。

❖A5判／本体　四二〇〇円＋税／978-4-8051-0937-3

千倉書房

表示価格は二〇一〇年九月現在